Het elfde gebod

www.boekerij.nl

Jacqueline Hoefnagels en Santje Kramer

Het elfde gebod

ISBN 978-90-225-5359-6
NUR 301

Omslagontwerp: marliesvisser.nl
Omslagbeeld: Chris Hoefsmit
Zetwerk: CeevanWee, Amsterdam

Met dank aan Marc

Verslagen en intens verdrietig zijn wij
door de dood van onze vriend

Floris Bussemaker

Onze gangmaker, onze levensgenieter pur sang

Magistra '79 zal er altijd zijn
voor Do en Wikkie, Mauk en Charley

Mike Dekker
Sidney Defares
Frits Gersteblom
Pier Gersteblom
Matthijs Hillen
Poppe Ketelaar
Cees Minderhout
Charles van Praag
Philip Quint
René Vermeulen

Onder zijn schoenmaat 48 knerpt het grind dat overvloedig aanwezig is op de lommerrijke begraafplaats. Van Weelde loopt met licht gebogen rug mee in de stoet achter de kist. Hij ziet de jongens vlak achter de weduwe en de familie lopen. Ze zijn er allemaal, zelfs Poppe. Heel goed. Zo moet het zijn. Een merel fluit vanuit de top van een boom, de wind ruist zachtjes. Het gejoel langs de sportvelden een eindje buiten de begraafplaats is het enige geluid dat doordringt tot deze gewijde plek. Jammer dat er geen afspraken kunnen worden gemaakt om alle wedstrijden af te gelasten wanneer er iemand ter aarde wordt besteld, vindt Van Weelde. Ongelooflijk spijtig dat deze vijftien jaar jongere, vitale knul eerder het loodje heeft gelegd dan hij. Volstrekt tegennatuurlijk dat mensen eerder sterven dan hun hoeders. Hij graaft in zijn geheugen hoe lang hij al verbonden is met Floris' familie, probeert er een datum aan te verbinden. Hij voelt een hand op zijn schouder en ziet Charles. Op zachte toon begroeten ze elkaar en samen lopen ze langzaam de heuvel op. Van Weelde probeert zijn lange stappen aan te passen, wat hem als een kameel doet bewegen, weet hij. Maar op deze plaats is ijdelheid ongepast.

In de aula zoekt Charles een plekje tussen zijn jaargenoten en hun gezinnen, terwijl Van Weelde door Floris' zuster wordt gewenkt bij hen in de buurt te komen zitten. Gelukkig, want hij zag een intens vervelende cliënt naderen. En bij zaken past weer geen persoonlijke anti- dan wel sympathie. Wanneer hij plaatsneemt in de bank, verwondert Van Weelde zich er werderom over dat binnen een gezin de schoonheid zo ongelijk kan zijn verdeeld. Maar verder is de zuster van Floris best charmant.

Naast en op de kist liggen boeketten en kleurrijke kransen. Van Weelde zelf is dol op bloemen en speurt in het voorbijgaan of hij zijn krans er ook tussen ziet liggen, ridderspoor en seringen. Krachtig en weelderig, zoals hij Floris het liefst zag. Van de elf jongens waren Floris en Mike hem het dierbaarst. Voor hen heeft hij heel wat op het spel gezet, maar daar wil Van Weelde nu niet aan denken. Er zal nog genoeg te doen zijn binnenkort. Wat moet er van dit elftal worden zonder hun spits?

Charles van Praag zit tussen de snotterende vrouwen van Magistra '79 en weet van ellende niet waar hij moet kijken. Manmoedig bestudeert hij de dubbele stiknaden in de kraag van de dure damesblazer voor hem. Concentreren nu, want huilen wil hij niet. Alsof Do daarop zit te wachten, instortende vrienden van haar dode man. Hij moet sterk blijven, ze moeten de beschermende rol tegenover het gezin overnemen van Floris. Charles kan bijna niet geloven dat Floris de eerste is die ze begraven. Hij was altijd de voortrekker, degene die niet opgaf, in feite de leider. Toen ook. Cees was het watje van het stel. Nu ook. Helemaal nergens is-ie. Niets verandert ooit, wat dat betreft.

Van de speeches hoort hij geen woord. Zijn jongste dochter frunnikt naast hem aan haar jurk. Zijn oudste dochter reageerde op zijn ingesproken bericht met de sms: 'Onwijs kut. Heel veel sterkte xxx.' Na tien minuten volgde nog een sms: 'Stop je nou eindelijk met roken aub?' Roken had Floris al vijfentwintig jaar niet meer gedaan, denkt Charles opstandig.

Zijn oudste is een paar weken geleden begonnen aan een grote reis. Net eindexamen gedaan en wist niet wat ze wilde gaan doen. Ze neemt ongeveer dezelfde route die hijzelf destijds met Floris heeft afgelegd: Indonesië, Thailand, Filippijnen, Australië, Nieuw-

Zeeland. Alleen waren zij ouder, ze hadden al hun kandidaats. Toch waren ze toen naïever dan zijn dochter nu is. Floris en hij waren begonnen in Nepal, maar dat heeft hij haar afgeraden, daar zijn de wegen anno 2009 uitgesleten door hordes achter elkaar aan sjokkende lieden die zonder enig risico op onbekende ervaringen ook een keertje avontuurlijk willen doen. Toen ze daar zelf waren, het zal '82, '83 zijn geweest, was het nog ongerept. Die reis van acht maanden is een van zijn dierbaarste herinneringen aan zijn studententijd.

De kinderen van Floris horen de sprekers met gebogen hoofd aan. Do luistert, ziet hij. Do heeft het nog niet in de gaten, de klap moet bij haar nog komen, zei zijn vrouw vanochtend in de auto. Zou het nu ook afgelopen zijn met de etentjes in de jongste 9+restaurantjes van Johannes van Dam? De avondjes terug naar Amsterdam?

Charles ziet Pier huilen en houdt het daarom toch zelf ook niet droog. Zijn dochter schrikt.

'Ik ben oké, hoor,' fluistert hij.

'Pap, hou even op,' fluistert ze en steekt haar arm door de zijne.

Toen Philip Quint werd gebeld door Pier Gersteblom en zo het trieste en onverwachte nieuws over Floris vernam, wist hij niet waar hij meer van schrok. Zijn eigen verdriet, of de onherroepelijke spijt die hij voelde omdat hij tot nog toe nooit die ene vraag had durven stellen en het daarvoor nu te laat was. Het bleef stil aan zijn kant van de lijn, totdat hij Pier opeens hoorde vragen: 'Hallo?'

Jawel, hij was er nog, alleen werd praten verhinderd door de brok in zijn keel. Philip perste er met een klein stemmetje een paar vragen uit. Wat was de oorzaak, wie had Floris gevonden, hoe ging het met Do en wanneer was de begrafenis? En natuurlijk zou hij er zijn, dat was toch geen vraag. Het laatste half jaar had Philip verstek laten gaan bij verschillende gelegenheden waarbij Magistra '79 elkaar had getroffen. Fietsweekendjes, etentjes, zelfs het lustrumdiner. Ze wisten niet wat hem de laatste tijd bezighield en hij had nog geen zin erover te vertellen.

In '79 was Philip aan het eind van de kennismakingstijd niet uitgenodigd door een dispuut, en deze sociale fleuren, zoals de overblijvertjes te boek stonden, werden eerlijk verdeeld. Elk dispuut kreeg zo'n kneus. Philip had zogenaamd de mazzel dat hij werd opgenomen door een der oudste disputen. Dat zou zeker goed staan op zijn cv en misschien maakte hij zelfs ooit kans op het dispuutshuis te mogen wonen. In de Plantagebuurt nog wel. Maar zover was het nog niet. Eerst moest hij een plaats binnen de pikorde zien te veroveren. Dat was goed gelukt: Philip bleek in de praktijk natuurlijk enorm mee te vallen. Hij werd volledig opgenomen in de groep, al was hij altijd een einzelgänger gebleven. Hij vond het op Cees na geen onaardige jongens, helemaal niet. Maar al zijn jaargenoten dachten groepsgewijs vooral aan zichzelf, vond hij. Tijdens de bewuste nacht, toen het juist ging om groepsvorming, had hij gereden. Nu, bijna dertig jaar later, zit hij toch met tranen in de ogen tussen zijn jaargenoten. Gelukkig komt de boel net in beweging. Do staat op, de kinderen volgen. Ze gaan naar buiten met de kist.

Bij het graf gooien Do en de kinderen eerst een roos op de kist, daarna zijn ouders en zijn zus. Van Weelde zou volgen maar is er niet. Steekt ook nergens boven de menigte uit. Hij houdt zijn emoties liever voor zich, weet Do, en zal altijd het decorum bewaren. Ze knikt naar de mannen. De tien jaargenoten scheppen om beurten aarde op de kist.

Mike Dekker ziet zijn kluit neerkomen. Hij heeft ondanks het gewijde moment een binnenpretje over deze aardse activiteit. Als zoon van een tuinder uit het Westland had hij op zijn vijftiende gezworen nooit meer van zijn leven een spade in de grond te steken.

Voor geen goud. Hij moest in alle vakanties en tijdens het plant-
seizoen op het land van zijn vader werken. Weer of geen weer, voor
school, na school, na het eten, altijd. De schop in de grond, kuil graven, en de zaailingen poten. Aanstampen, aarde losjes eromheen
gooien en op naar het volgende gat. Vanaf het moment dat hij de
baard in de keel kreeg liet hij zijn vader barsten. Sorry, hij kon zijn
tijd beter besteden. Hij moest na de havo zien door te stromen naar
het vwo omdat hij bedrijfskunde wilde gaan studeren. En dus was er
geen tijd meer voor coniferen. Hij was naar de aartsengel Michael
gedoopt, maar liet zich sindsdien consequent Mike noemen. Vader
legde zich er uiteindelijk bij neer. Maar met het feit dat zijn zoon de
Kerk had afgezworen, had hij zich nooit echt kunnen verzoenen. Ze
zagen elkaar vrijwel nooit meer. Verjaardagen en kerst. Uit elkaar
gegroeid, zoals dat heet. Wederzijds onbegrip.

Mike kijkt hoe de aarde zich over de kist verspreidt, geeft de
spade door aan Pier en dwaalt af naar dertig jaar geleden. Hoe ze elkaar tijdens de groentijd leerden kennen en hoe hij later zijn gevoelens voor Floris beschouwde als een vorm van verliefdheid. Niets
was hem liever dan in zijn buurt te verkeren, samen nog even naar
de Vreetsteeg voor een vette bek terwijl de rest allang in bed lag. De
energie die van hem uitging en die Mike opzoog was aanstekelijk.
Voor Floris was het leven één grote vanzelfsprekendheid. Iedereen
hield van hem, en zij die dit niet deden, had Floris zelf uitgekozen.
Als een vis in het water, charmant tegen iedereen, creatief, inventief,
een geboren prater, een magneet.

Later raakte Mike een vriendin aan Floris kwijt, maar dat beschouwde hij als een compliment. Mike staart naar beneden en kan
nog niet bevatten dat de mooie, sterke, onsterfelijke Floris in deze
schacht dood ligt te wezen.

Iedereen let op haar, de weduwe. Het zal je gebeuren... nog twee kinderen thuis, de oudste net op kamers... vreselijk... Do kan het ze

bijna horen denken. Vandaag wil even niemand met haar ruilen. Sommige mensen benaderen haar alsof ze niet goed snik is, terwijl het nog niet eens tot haar is doorgedrongen. Er valt ook zo veel te regelen. Wat dat betreft is een slepende ziekte misschien beter, dan kun je van alles afhandelen en zeggen en vragen voordat het te laat is. Zij zag haar man opgewekt naar zijn werk vertrekken, niks aan de hand. Toen ze in het ziekenhuis aankwam was hij al een uur dood. Het was heel snel gegaan, hadden ze gezegd. Onwezenlijk is het. Ze kan het niet geloven.

Haar man, in de kracht van zijn leven, ligt in de aarde. Kerngezond, actief, sterk. Een type van aanpakken, niet zeiken. Het kan niet waar zijn. Ze ziet aan de blikken die ze overal ontmoet dat het wel waar is. Ze ziet medeleven, medelijden. Ze ziet goede vrienden, familie, maar ook allerlei mensen die ze niet kent. Veel zelfs. Merkwaardig dat je drieëntwintig jaar kunt samenleven en toch ruim de helft van de tijd niet samen bent. Dat je niet weet hoe de ander de dag doorbrengt. Waarmee hij zijn kantinebroodje belegt. Hoe de nieuwe klanten eruitzien. Wie verliefd op hem zijn. In een hoek staan de mensen van Van Vleuten Industries, verderop de mensen van de stichtingen. Daar de vrienden van zijn ouders, voornamelijk dames van tegen de tachtig. Bridgevriendinnen. Die hebben Floris nog zien opgroeien samen met hun eigen kinderen, haar Floris nog te slapen gelegd in hun echtelijke bed tijdens etentjes, pyjamaatje vast aan zodat zijn vader hem later slapend naar de auto kon dragen. Ze ziet ook de Enschedeetjes, de beste vrienden van haar ouders. Helemaal uit België. Aardig van ze. En dan zijn er al die vrienden en vriendinnen van haar kinderen. Die zitten allemaal achterin, een heel stel bleef liever staan. Ze vindt het ontroerend dat ze komen. Ze ziet de beste vriendin van Charley, die voor de gelegenheid haar blouse heeft dichtgeknoopt. Haar dikke lagen mascara zijn uitgelopen, de schat.

Hoe moet ze dit in godsnaam allemaal gaan doen? Alsof ze klaar zijn, de kinderen. Vroeger dacht ze altijd: als ze eenmaal op de middelbare zitten... dan is het een makkie. Weet jij veel. Het is juist veel moeilijker geworden, complexer, chaotischer. Moet ze nou in haar eentje al die ellendige beslissingen gaan nemen? Wat verstandig is en wat niet? Inderdaad, kleine kinderen kleine zorgen, grote kinderen grote zorgen. Alles is waar, altijd.

De stoet schrijdt langzaam in een collectief zwijgen over de begraafplaats, terug naar de aula. Brede lanen, statige rode beuken tot in de hemel, wallen van bloeiende rododendrons, hier en daar gesnotter, een enkeling doet een poging tot gesprek op fluistertoon. Behalve het volk onder de tien jaar uit Amsterdam-Zuid, dat blijkbaar ongecorrigeerd door de ouders door het grind mag rennen en overal bovenuit mag roepen, met nu al van die te harde stemmen. René hoort achter zich zijn vrouw lopen naast Pier. Sinds Pier heeft besloten zijn tweede leven in tweede huizen in het buitenland te doen, zit hij afwisselend in Joppe, het dorp onder de rook van Deventer waar zijn gezin niet lang geleden is neergestreken, Frankrijk, Portugal en Spanje. Vandaar zijn bruine kop, het hele jaar rond.

René draait zich half om. 'Zeg Pier, ons jaararchief met foto's, is dat niet bij Floris? Ik zou zo graag foto's van vroeger willen zien.'

Pier kijkt René aan. René heeft het moeilijk, ziet hij, maar verbergt zoals altijd zijn emoties achter honger naar informatie.

'René, dat komt allemaal goed, joh. Eerst cake.'

René zoekt steun bij zijn vrouw en mompelt: 'Oké, eerst cake.'

Al jaren geleden had hij dat archief willen hebben om de hiaten in zijn geheugen te dichten, vooral over de groentijd. Floris deed er moeilijk over, vond hij. Floris maakte toen altijd de foto's. Hij had destijds gezegd dat iedereen bij hem foto's kon nabestellen en kopieën kon maken van de verslagen. Maar daar had niemand aandacht voor, dat kwam wel, later. Niet dus. Hun kinderen downloaden foto's van uitjes nog dezelfde dag, of mailen ze rond. Alles wordt geregeld via internet. Halve waarheden zijn niet meer aan de orde. Toen liet je foto's nog afdrukken bij de Capilux, verslagen werden met de hand uitgeschreven, of hooguit getypt. Floris was de eerste geweest die zijn scriptie op de Atari had getikt.

Voor René werd het een obsessie. Hij wilde zijn vorming als adolescent in handen hebben, ter analyse. Hij wilde weten of het allemaal was geweest zoals hij dacht. Zoals hij ook nog een keer wilde uitzoeken waar die rare Poppe al die tijd heeft uitgehangen. Zijn vorige teken van leven stamde al weer van drie jaar terug. Gek dat niemand het interessant lijkt te vinden wat die kerel bezighoudt. Het is een doodgoeie jongen, die Poppe. Enfin, later dus. Hij wendt zich weer tot Pier.

'Ben je hier nou in één dag naartoe gereden, of ben je gevlogen? Ik dacht dat je in Portugal zat. Wat kost nou zo'n ticket op het laatste moment?'

Van Weelde duikt op naast Do. Ze had hem al zien aankomen. Je ziet hem altijd overal in de menigte. Hij buigt zijn boomlange gestalte naar haar toe. Ook hij doet alsof ze afgelopen vrijdag in één klap incapabel is geworden. Misschien heeft hij wel gelijk. Hij pakt met een ondersteunend gebaar haar elleboog, glimlacht vriendelijk en zegt dui-de-lijk articulerend: 'Gaat het nog, Do? Wil je niet zitten? Als je je even wilt terugtrekken is dat heel gewoon. Zal ik de kinderen erbij halen?'

Val nou eens een keer uit je notarisrol, denkt ze. Doe eens een keer iets onbetamelijks. Wat kan het schelen? Voor je 't weet ben je dood. Ze trekt haar arm terug en ziet dat haar oudste zoon komt aanlopen. Wikkie gaat enorm op zijn vader lijken, ze is zo verschrikkelijk blij hem op dit moment te zien. Ze had hem in geen jaren zien huilen, al sinds de lagere school niet meer, tot vrijdag. Haar stoere zoon in dikke tranen, het was hartverscheurend.

'We gaan naar huis, mama. We moeten er zijn voordat de rest er is.'

Voor haar uit baant hij zich een weg door de menigte; het kost hem in zijn jeugdige hoogmoed geen enkele moeite alle medelevende blikken straal te negeren. Wel zo gemakkelijk voor haar, ze volgt in zijn slipstream en heeft het te druk met het volgen van haar zoon om met mensen te kunnen praten of blikken te wisselen.

In de auto zit Do hand in hand tussen haar twee jongste kinderen, Wikkie zit voorin. Niemand spreekt, maar het voelt niet als een pijnlijke stilte. Ze slaat een arm om haar dochter heen. Veertien pas. Ze zit lamgeslagen tegen de autodeur geleund. Het laatste wat ze haar vader heeft toegevoegd is: 'Boeie, pap. Jezus, zeg nou eens één keer iets wat ik niet al honderd jaar weet.' Floris had vrolijk 'tot vanavond' geroepen en was de deur uit gegaan, de opzettelijk net te hard gefluisterde toevoeging 'eikel' negerend. Zij niet. Do had Charley erop aangesproken. En om die reden hadden ze Floris geen kus gegeven die ochtend. Het is een onverdraaglijke gedachte dat ze van haar eigen geliefde man niet eens simpel afscheid heeft genomen voordat hij doodging.

Ze denkt aan alle woorden en typeringen die over Floris zijn uitgestort. Oeverloze speeches van twee mannen van het werk die ze nauwelijks kende en die haar Floris de hemel in prezen als vernieuwend, inspirerend, natuurlijk leidinggevend, virtuoos, de redder van Van Vleuten Industries en ga zo maar door. Gratuite luchtverplaatsing. Wat weten ze echt van hem? Niets. Hoewel het Magistragedoe van zijn jaargenoten uit het dispuut haar wel eens flink de keel uithangt – kinderachtig vindt ze het – hadden de speeches van Frits en Mike haar diep ontroerd. Voor Wikkie, afgelopen jaar geïnaugureerd in hetzelfde dispuut, moet dat toch bijzonder zijn. Die arme jongen is natuurlijk ook doodmoe. Mauk is vooral heel erg stil. Nog stiller dan normaal. Ze moet er goed op letten dat ze hem genoeg aandacht geeft de komende tijd, want hij is de enige van de drie die nooit om aandacht vraagt.

Bijna thuis. De auto draait het pad op. De cateraar heeft alles klaargezet, de sandwiches, de drankjes, de hapjes, de koffie. Nog even, denkt ze, twee uurtjes, zo om. Ze loopt naar de badkamer om in alle rust een dikke laag knalrode lippenstift op te doen. Hopelijk willen dan minder mensen met wie ze niets heeft die eeuwige drie zoenen uitwisselen.

Frits staat met zijn broer Pier te praten over voetbalcommentatoren wanneer hij aan de brief in zijn binnenzak denkt.

'Pier, moet je even lezen. Het is de uitnodiging van Floris aan ons allen toen de Bussemakertjes net waren verhuisd. Ik heb hem opgediept toen ik over mijn speech nadacht.' Hij geeft de brief aan zijn broer. Ondertussen verorberen ze broodjes. Eten helpt overal tegen, vinden ze bij de familie Gersteblom.

'Goeie zalm,' zegt Frits manmoedig. Toch kan Pier niet meer eten nadat hij de oude brief heeft gelezen.

Bloemendaal, 13 mei 1998

Lieve jongens,

Met pijn in het hart hebben wij vorige maand ons aller geliefde Amsterdam verlaten, maar zoals een aantal van jullie al heeft gezien, hebben wij daarvoor dubbele vierkante meters teruggekregen aan de voet van het Kopje in het groene Bloemendaal, opdat onze kinderen kunnen opgroeien met gezonde zeelucht. Do dreigt een geruite broek voor me te kopen plus een bladblazer. Er is ruimte zat om met een voltallig Magistra '79, kind, kraai en huisraad ons nieuwe onderkomen in te wijden zoals wij dat van oudsher gewend zijn. De au pair mag uitsluitend mee vermits je er een verhouding mee hebt die het zakelijke ruimschoots overstijgt. Afzeggen is niet toegestaan. We zitten allemaal in de kleine kinderen, met de verbouwing, de promotie (Cees, wanneer ga je mij vragen je paranimf te zijn? Ik kan altijd), het timmeren aan de weg, het onderhoud van de oldtimer, het coachen van de F8, het aandelenpakket (geen midcap!), Frits is naar verluidt zelfs doende met het halen van dat vermaledijde GVB, gvd. Dus druk hebben we het allemaal. Het enige geaccepteerde excuus om niet te komen is barensnood, maar bij mijn weten heeft niemand van ons een vrouw op alledag lopen.

Wij zien elkaar te weinig, heren, en ik mis jullie.

Voorwaar, wij ontvangen 6 juni vanaf elf uur des ochtends, en houden de rest van het weekend de vleeschpotten van Egypte rokende in de tuin. Wij stemmen de weergoden gunstig met dagelijkse offerandes. Kinderen, honden enzovoort kunnen overdag naar believen te bed worden gelegd. Tenten mee, ons gazon is campingproof. Overnachten is niet alleen wenselijk maar ook wijs. Opdat we de drank onbeschroomd door de keel kunnen gieten en de volgende dag met een ouderwetse houten kop gezamenlijk ons testosteron kunnen opladen met minimaal vier gebakken eieren de man. De vrouwen brengen we ontbijt op bed.

Wij rekenen op jullie.

Floris, Do en onze huistirannen Wikkie, Mauk en Charley – ongevraagd verkast, maar hoe dan ook voor immer Amsterdammers van geboorte

Frits troost zijn broer met beide armen om hem heen wanneer hij een te harde klap op zijn rug krijgt.

'Primus,' zegt Cees. 'Secundus.' Cees hanteert nog steeds de corporale bijnamen van vroeger. Als enige. De broers maken met tegenzin ruimte. 'Ellendig allemaal,' zegt Cees. Hij knijpt in een broodje kip en schuift het een eindje op, pakt dan een kaasstengel en legt hem terug. 'Twee wijntjes kan deze jongen nog wel hebben,' besluit hij en hij grijnst naar het twintigjarige meisje dat hem een blad met volle glazen voorhoudt. Ze ziet het niet eens.

Ze babbelen wat over de speeches en proberen een man te identificeren die ze alle drie kennen, maar niet van naam.

'Goed moment ook om onze regeling eens te herzien. Ik was er al jaren klaar mee,' zegt Cees opeens. De broers verstijven. 'Ik heb het natuurlijk niet over hem die ons helaas is ontvallen. Kom op, zeg, laten we de schijn niet ophouden. Het moet maar eens over zijn.'

Frits zegt zachtjes: 'Dit is totaal niet de gelegenheid voor dit gespreksonderwerp, Cees.'

Zijn jongere broer valt in. 'Wat mankeert je? Kop dicht en gedraag je.'

Cees salueert. 'Kop dicht, Cees, kop dicht, Cees. Tuurlijk. What else is new? Laten we binnenkort maar eens met zijn allen samenkomen. Lijkt mij heel wenselijk.' Cees draait zich om en verdwijnt in de menigte.

De broers zwijgen. Ze kauwen naast elkaar geconcentreerd nog een broodje weg en kijken over de hoofden heen. Daar komen de vrouwen, aan weerszijden van Do. De ene broer maakt even het gebaar van 'we bellen'. De andere knikt nauwelijks zichtbaar. De vrouwen buitelen over elkaar heen om hun diensten op wat voor gebied dan ook aan te bieden, en beloven morgen alweer langs te komen. Do staat er hulpeloos bij te kijken.

Tijdens de nazit, die bijna gezellig is, wordt Matthijs Hillen benaderd door allerlei dames. Hij is tropenarts in Ghana, ongetrouwd, knap, voorzien van een interessant litteken en een beetje zonderling. Onweerstaanbaar dus. Matthijs schudt ze minzaam van zich af en voegt zich bij zijn oude vrienden. Al vijftien jaar zwerft hij door

Afrika, maar toch krijgt hij het altijd voor elkaar iedereen het gevoel te geven dat ze hem gisteren nog hebben gesproken. Hij komt twee, drie keer per jaar over. Meestal logeert hij onaangekondigd bij Pier. Sinds die twee jaar geleden naar Joppe is verhuisd – 'Joppe, daar gebeurt het. Joppe is het Wassenaar van Overijssel' – bezit Pier een flatje in Amsterdam, als pied-à-terre en als pensioenvoorziening. Van beide huizen heeft Matthijs de sleutel. Afspraken maken vindt hij steeds lastiger. Al jaren vraagt niemand hem meer of hij komt eten, men laat hem weten waar hij welkom is en hij ziet wel of hij aanschuift. Maar als puntje bij paaltje komt is hij van de partij.

Toen hij aanbelde bij Frits en Anneleen stortte zij zich in zijn armen en zei wel twintig keer dat ze het zó vreselijk vond, zó erg. 'Shit happens, Anneleen. En nu wil ik een boterham met hagelslag,' zei Matthijs. Hij klopte haar op de rug zoals je een kind troost.

Anneleen deed licht teleurgesteld een stap naar achteren. Matthijs heeft in Afrika een iets andere kijk op de dood ontwikkeld. Wel zei hij later bij Floris thuis tegen de kinderen precies de goede dingen over hun vader. Kalm, vriendelijk en aangedaan. De kinderen vinden het fijn dat hij er is.

Hij is altijd kalm. Op het flegmatieke af. Toen ook, op die koude nacht van 8 op 9 oktober 1979. De hele zwik was buiten zinnen, maar hij niet.

'Jongens, het is niet anders. Laten we nou even rustig nadenken.' De volstrekt hysterische Cees had hij uiteindelijk weloverwogen een klap in zijn gezicht gegeven. 'En nou rustig. Dit brengt helemaal niks.' Cees kan zijn afkeer van hem nauwelijks verhullen. Nog steeds niet. Terwijl Matthijs zich als enige van de elf niet ergert aan Cees. Cees laat hem gewoon siberisch. Shit happens, Cees.

Do hoort de condoleances van de overbuurvrouw aan en ziet uit haar ooghoeken hoe Cees als een hyena om Matthijs heen draait. Nu gaat hij proberen Matthijs af te zeiken, weet ze. Met net de verkeerde, net niet snedige opmerking. Straks even aan Floris vertellen, denkt ze, dat hij dat zelfs op begrafenissen doet. Heel even denkt ze dat echt. Ze heeft het koud. Het zal lang duren voordat ze niet meer in haar hoofd noteert wat ze allemaal straks aan Floris moet vertellen, bedenkt ze. Ze zou willen dat iedereen nu vertrok. Ze is uitgeput.

Cees, de broers, Charles, Defares, Matthijs en Mike gaan eten, de vrouwen gaan met de kinderen naar huis. De andere drie jaargenoten willen vooral dat deze vreselijke dag zo snel mogelijk voorbij is. Do wil vanavond en morgenochtend heel graag met de kinderen alleen zijn. Ja, ze belt echt als er iets is, ja, ze weet het, ook midden in de nacht. Volgende week heeft ze graag hulp.

Het gesprek komt moeizaam op gang. Ze hebben elkaar de afgelopen dagen al veel gesproken, onderling en natuurlijk bij Floris thuis. Nu schreeuwt de confrontatie met hun eigen sterfelijkheid om drank. Cees bestelt, nu de rekening wordt gedeeld, een paar flessen margaux en plat water voor Mike. Wanneer hij niet langer onder een rondje uit kan komen, bestelt Cees zonder overleg voor iedereen een pilsje. Cees is de enige volwassen man in ieders wijde omgeving die regelmatig zijn portemonnee vergeet. Zoals Cees op het dispuutshuis al vergat om zijn telefoontikken en pilsjes te turven en vergat een bijdrage te storten voor gemeenschappelijke cadeaus. Legendarisch is het weekend dat ze met z'n elven plus vrouwen en toen nog kleine kinderen gingen kamperen in de Peel. Tijdens het inpakken van de auto's zondagmiddag kwam hij aanzetten met een bonnetje van de bakker.

'Voor ik het vergeet: ik heb gisterochtend het brood gehaald, ik krijg nog van iedereen twee gulden.'

Voor straf geven ze hem altijd obsceen dure en volstrekt overbodige cadeaus, zoals een antieke humidor (ter gelegenheid van zijn promotie) of een verzilverde champagnekoeler van de firma Lyppens (voor zijn vijfenveertigste verjaardag). Ze verkneukelen zich in de wetenschap dat Cees die verkwisting niet kan uitstaan.

Het wordt aan tafel al snel een rondje leuke herinneringen aan Floris ophalen. De keer dat hij...

Oktober 1979. Vanavond lullepot, op het Huis. De jongens zijn zenuwachtig, de meeste overschreeuwen hun onrust. Zo niet de beide broers, types die niet aan flauwekul doen. Ook omdat een broer in hetzelfde dispuutjaar geen enkele ruimte biedt om je anders voor te doen dan je bent, al heb je het ouderlijk huis verlaten.

'Ik vond spreekbeurten op de lagere al klote,' zegt Frits.

'Weet ik nog,' zegt Pier. 'Je moest een keer kotsen de avond van tevoren, weet je nog?' De anderen horen graag meer over dit onschuldige jeugdleed. Echt jeugdleed komt zo kort na hun kennismaking nog niet aan de orde.

'Nee, dat kwam door mama's eten, die had net de römertopf ontdekt. Dat hielp in ieder geval niet mee,' zegt Frits.

Mammie Gersteblom was een van de weinige moeders die fulltime werkten. Pa Gersteblom was daar niet goed toe in staat, werken. Niemand zag iets aan hem, het was een aardige, slimme en veelzijdige man, maar blijkbaar ging het niet. Dus voedde Gersteblom de kinderen op en deed hij klussen voor kennissen, waarvoor hij geen geld wilde of durfde vragen, en werkte ma. Ze had niet voor niets medicijnen gestudeerd. En zij bleek juist heel geschikt voor een werkzaam bestaan. Om haar gebrek aan de gangbare moederlijke huishoudelijke inbreng in het gezin te compenseren, kookte ze soms hippe dingen die ze van andere vrouwen tijdens etentjes kreeg voorgeschoteld. Jarenzeventignoviteiten. Macaroni met lever en ananas.

'Wij willen alle drie geen fruit in ons warme eten, liefje. Bemoei je nou gewoon niet met de keuken,' zei pa Gersteblom dan. 'Je wilt trouwens zelf ook geen fruit in je warme eten, als je eerlijk bent. Geef toe.' Ma schonk zichzelf dan zuchtend een glas sherry in uit het kartonnen pak dat altijd op het aanrecht stond en stak er nog eentje op. Ze rookte zelfs in haar spreekkamer. Pas later zouden de jongens van elkaar te horen krijgen dat bijvoorbeeld de moeder van Philip een tijdje bij de Bhagwan had gezeten en dat de ouders van René aan sleutelfeestjes hadden gedaan.

Ze moeten om acht uur op het Huis zijn en hebben zich verzameld in de uitgewoonde kamer van Matthijs op het Singel, waarvoor hij het godsvermogen betaalt van tweehonderd gulden per maand aan een gescheiden bankier die te groot woont sinds zijn gezin is vertrokken. Cees is te laat, maar die moet dan ook helemaal van Uylenstede komen, waar hij waarschijnlijk eerst met de unitbezem de gang moet aanvegen. Of erger: vergaderen over het kookschema. Matthijs mag niets, bijvoorbeeld na tienen mensen ontvangen, maar heeft wel al de eerste week clandestien een zwerfpoes mee naar boven genomen. De poes heet Hector en hij krijgt de overgebleven entrecote uit het eetcafé op de hoek geserveerd. De jongens eten spaghetti met rode saus en drinken zich vast in.

'Ik hoorde dat de groentijd in ieder geval op 1 december klaar moet zijn,' zegt Philip.

'Mijn vader zegt 1 maart, maar die zat in Delft,' zegt Pier.

Floris zegt niets. Zijn vader heeft dan wel in hetzelfde dispuut gezeten, maar zelf heeft hij nooit iets willen weten van het corpslidmaatschap van zijn ouders. Het leek hem archaïsch, een beetje zoiets als de padvinderij, met rare regeltjes en liedjes. Slechts pure nieuwsgierigheid had hem naar de rij voor de Raamgracht gedreven. Hij had toch niet veel anders te doen op dat moment. Maar in de rij was het lachen, best opwindend, leuke meisjes, twee jongens van school en voor hij het wist was hij prunussen aan het trekken en liep hij fleurrondes langs de herendisputen. Binnen de kortste keren was hij ongewild gedetecteerd als zoon van. Toen hij zijn vader belde, zei die uitgekookt: 'Ik heb liever niet dat je bij Magistra gaat. Niks voor jou.'

'Groentijd tot 1 maart? Wat een gelul. Tuurlijk niet. Daar hebben ze toch zelf ook geen zin in, groentijd tot sint-juttemis,' zegt Matthijs.

Poppe draait als een bezetene aan de Rubik's Cube.

'Maar we hebben nog programma totdat de eerste sneeuwklok bloeit. Weekenden, alles,' zegt Pier. Matthijs glimlacht minzaam.

'Morgen lekker naar huis,' zegt Philip. 'Ik heb niks schoons meer om aan te trekken.' Ze zijn alle elf schor en zien er niet uit met hun dikke oogleden en wallen. Ze praten een tijdje over de onderwerpen die ze vanavond ten overstaan van de voltallige vergadering. Een strak, geestig, goed beargumenteerd verhaal moet het worden. Dit natuurlijk vooral om de ouderejaars te amuseren.

'Maakt niet uit wat je zegt, ze vinden het toch niks,' zegt Cees. Hij heeft er genoeg van. Hij heeft spijt van zijn lidmaatschap. Hij vindt het allemaal maar niks, dat corps. Hij vindt Uylenstede nog erger en zijn studie stomvervelend. Maar thuis bij zijn moeder vindt hij het ook niks. Sinds hij naar Amsterdam vertrok is hij nog niet naar huis geweest en hij heeft haar verboden een voet over de drempel van zijn wooneenheid te zetten.

Om half acht worden ze onrustig. Een paar jongens maken opruimschijnbewegingen, maar daar wil Matthijs niets van weten.

'Hector wast wel af,' zegt hij.

Mike kan het nauwelijks aanzien. Hij vindt alles leuk, het kan hem niet lang genoeg duren, maar de smerigheid vindt hij niet te harden. Hij durft nauwelijks te eten uit de pannen op het dispuutshuis en rilt van afkeer als hij zijn zooi-jasje moet aantrekken.

Ze fietsen naar het dispuutshuis.

'Al liggen mijn kloten onder de trein, dan zullen mijn laatste woorden zijn: o Heineken-bier, o Heineken-bier, al lig ik een meter onder de grond, dan stroomt mij het bier nog uit de kont, o Heineken-bier, o Heineken-bier.'

De zingende groep studenten voor het statige herenhuis wordt door passanten gadegeslagen. Een enkeling lacht, anderen tonen onverholen afgrijzen en minachting. Het kan ze niks schelen.

Ze moeten heel lang wachten in de achterkamer. De vergadering in de kelder verloopt nog luidruchtiger dan normaal. Er wordt veel gelachen, het is afgeladen. Ze krijgen de indruk dat alle actieve leden er zijn. Er blijven mensen binnenkomen. De jongens worden stiller. Ze krijgen niets te drinken of te eten. Misschien is de inauguratie wel vanavond? Waarom zouden er anders zo veel mensen zijn? Dan begint de lullepot. Een voor een moeten de jongens naar binnen om hun verhaal te doen, met tussenpozen van een minuut of twintig. Ze komen niet meer terug, maar worden na afloop in een andere kamer gezet. De achterblijvers horen telkens tot hun verbazing en opluchting luid applaus en gefluit en gestamp en goedkeurend geschreeuw opstijgen wanneer iemand blijkbaar klaar is. Cees is de laatste. Ook zijn verhaal kan de goedkeuring van de vergadering wegdragen. Een last valt van hem af. Hij krijgt klappen op zijn schouder, hij krijgt complimenten en liters bier over zich heen. Dan worden de andere jaars gehaald. Collectieve complimenten van het bestuur volgen. Een ouderejaars speecht langdurig en heeft voor ieder van hen een persoonlijke loftuiting.

Ze krijgen bier in de hand gedrukt, jenevertjes, er staan schalen ossen- en leverworst en blokken jonge kaas met Zaanse mosterd. Zou het nu dan toch...

De vergadering wordt gesloten. Binnen de kortste keren ontspannen de jaars. Ze hebben het goed gedaan, ze worden gewaardeerd. Er worden grappen gemaakt, ze worden opgenomen in het gezelschap. Er worden normale vragen gesteld. Er wordt naar ze geluisterd, ze lijken er wel bij te horen.

Wat later vertrekken de oude lullen, de dispuutgenoten die al een normaal werkzaam bestaan leiden. Er zijn mannen van dertig, volwassenen, mannen die al iets zijn wat zij willen worden, en er zijn mannen van een jaar of veertig, vijftig, mannen die van een andere planeet lijken te komen, die zich bezighouden met zaken waar zij niet eens aan denken, zoals hun vaders, geslaagde mannen in hun ogen, met banen en kinderen en huizen en auto's en belangrijke vrienden, mannen met vele vliegmijlen. Er is ook een aantal echt stokoude leden, zestig jaar, of misschien tachtig of zo.

'Aan de kant, jaars,' zegt de ene bejaarde tegen de andere. Ze hebben allemaal lol.

Floris raakt in gesprek met Van Weelde, notaris te Muiderberg. Hij wist van diens bestaan, het is een kennis van zijn vader.

'Wij hebben elkaar eerder ontmoet,' zegt Van Weelde tegen hem, 'op het jubileum van je vaders kantoor. Eens denken, nu zo'n drie, vier jaar geleden. Je was nog een kop kleiner dan nu en droeg een blazertje.'

Dat hij per se een blazer aan moest van zijn ouders staat Floris nog levendig voor de geest, maar deze boomlange kantoorgenoot van zijn vader is hem niet bijgebleven. Van Weeldes carrière is van start gegaan op het kantoor van Bussemaker, vertelt hij.

'Je ouweheer heeft mij persoonlijk aangenomen. Jammer dat hij er vanavond niet is.' Floris' vader heeft van tevoren gezegd dat hij zich niet zal laten zien vóór de inauguratie. Dat hij daar nu pas aan denkt. Geen papa, geen inauguratie. Simpel.

Van Weelde is blijkbaar zeer op zijn vader gesteld. Nou, dat pleit indirect voor hem. Floris vindt hem sympathiek.

'Goed geluld, feutmans,' voegt de notaris hem nog toe voordat hij vertrekt. 'En nog wat: mocht er ooit iets zijn waarbij je hulp nodig hebt of waarin ik iets voor je kan betekenen, schroom dan niet mij te bellen.' Een andere ouderejaars, die Floris volstrekt negeert, onderbreekt het gesprek. Hij druipt af en loopt naar Charles en Philip, die met twee huisbewoners in gesprek zijn.

Er worden uiteindelijk taxi's besteld voor de min of meer beschonken heren die nog over zijn.

'Nou, ik ga ook maar eens,' zegt Floris.

Onmiddellijk grijpt de praeses hem in zijn nek.

'Nee, jullie blijven nog even. Jullie gaan als laatste weg. Buitengewoon onbeschoft van je. Ze komen voor jullie.'

Floris zoekt zijn jaargenoten op. Sommige praten inmiddels met dubbele tong, Frits staat te zwabberen op zijn benen. Alleen Philip is nog redelijk nuchter; die is na een paar bier altijd wel klaar met drinken. Ze zijn stuk voor stuk aan hun bed toe. Maar voor ze het weten worden ze naar buiten geleid. Daar staan vier auto's te wachten. 'Godverdomme, dropping,' concludeert Pier.

'Jij koffie?' vraagt Matthijs. Frits schrikt op uit zijn herinneringen. Sommige dingen herinnert hij zich niet eens zelf. Dat Floris dat gesprek had met Van Weelde herinnert hij zich niet. Dat kan ook niet, want hij stond er niet bij. Floris heeft hem dat later verteld. Toch is het inmiddels alsof hij erbij was.

Soms droomt Frits dat hij iets doet, skiën bijvoorbeeld, of iets totaal willekeurigs als boodschappen in de Albert Heijn, en dat dan ineens Pier opduikt uit het niets, als achttienjarige, en tegen hem zegt: 'Godverdomme, dropping.' Hij wordt dan altijd wakker en droomt nooit over het vervolg van de nacht. Gek is dat. Met Pier praat hij er niet over.

De jongens worden de stad uit gereden. Vragen worden toch niet beantwoord, dus beperken ze zich tot losse opmerkingen. Altijd grappig bedoeld, natuurlijk. Er wordt plichtmatig gelachen. Iemand zegt dat hij moet overgeven.

'Steek je kop maar even uit het raam,' zegt de bestuurder. De kotser weet bijna alles buiten de auto te lozen. De anderen schelden hem uit, de auto achter hen toetert als een bezetene.

De auto's stoppen ergens buiten Amsterdam op een onverharde weg in een bos. Iedereen stapt uit.

'Zo, heren, jullie gaan naar Brussel. Maar we hebben geen tijd om jullie te brengen, dus zie maar hoe je er komt. Moet lukken, zo verbaal begaafd en intelligent als jullie allemaal blijkbaar zijn. Fijn weekend. Jullie gaan naar avunculus Van Asperen Rhenoy, die onze majesteit vertegenwoordigt en graag even wil kijken of jullie wel jongens van Jan de Wit zijn. Fijn weekend!'

Floris krijgt een enveloppe in zijn handen gedrukt en de auto's scheuren weg. De bestuurder van de laatste auto gooit twee pakjes sigaretten uit het raam en een paar rollen volkorenkoekjes. Zwijgend kijken ze de auto's na. Pier schopt tegen takjes. Er klinkt her en der een vloek. Ze voelen zich zwaar genaaid. Cees raapt de pakjes sigaretten op en neemt er een. Een pakje verdwijnt in zijn borstzak onder de trui onder het jasje. Ze zien zichzelf in de anderen: bezopen, smerige, stinkende sukkels, midden in de nacht verloren in een bos. Als op commando moeten ze ineens allemaal plassen. Floris is de eerste die praat.

'Oké, jongens, wat nu. Even goed nadenken.'

Een aantal begint door elkaar te roepen dat ze 'hier dus echt geen zin in hebben', dat 'ze er gewoon mee ophouden', dat 'ze de tering kunnen krijgen', dat het 'echt onwijs achterlijk is'. Ondanks hun beschonken toestand weten ze dat wachten tot het overwaait geen optie is.

Ze proberen te achterhalen waar ze zijn.

'Heeft er iemand op zijn horloge gekeken? Hoe lang hebben we gereden?'

'Het was de A1. Volgens mij zijn we bij Amersfoort.'

'Eikel, heeft er echt helemaal niemand opgelet?' De A1, daarover zijn ze het eens. 'Misschien Naarden, volgens mij herkende ik een huis uit de buurt van mijn grootouders. Het was een vreemde route.'

'Sukkels,' zegt Floris, maar zelf weet hij het ook niet. De meligheid slaat toe. Ze maken grappen over meisjesdisputen die hen vast liggen op te wachten in de bossen. Philip houdt een exposé over

wolfachtigen en Charles over overlevingsstrategieën van commando's en zonnetjes schieten.

'Ga jij maar fijn een maantje schieten, slimmerik,' zegt Matthijs.

'Was Hector maar bij ons. Die leidt ons zo naar huis,' antwoordt
Charles met een gemaakt piepstemmetje. Iedereen ligt dubbel. Ze
beginnen te mauwen, doen wolvengehuil na en spelen Hector tegen de Wolven. Ze maken er een heel theater van en hebben het
ineens toch weer naar hun zin. Frits houdt een serieus verhaal over
positiebepaling aan de hand van de sterren, maar de rest ligt zowat
op de grond van het lachen. Dan gaan ze maar wat lopen en praten
intussen een beetje over niets, met zijn tweeën of met zijn drieën.
Van het ene op het andere moment lachen ze niet meer. Rustig pra-
tend banjeren ze over de weg. Ze krijgen het koud.

'Flink in beweging blijven. Bovendien blijf ik hier niet tussen die
stomme dennen rondhangen tot het licht wordt,' zegt Philip. Ze zetten er de pas in. Na een poosje begint het klagen. Koud, honger,
dorst. Hoofdpijn, misselijk.

'Hou op met zeiken. Er bestaan geen echte bossen in Nederland,' zegt Floris. 'Je bent hier altijd in no time in de bewoonde wereld.' Floris vindt het stiekem best interessant. Hij loopt voorop en
komt tot stilstand bij een A N W B -paddenstoel. 'Kijk jongens, Muiderberg 21 kilometer. Niks aan de hand. Daar vinden we wel een telefooncel.'

'En wie wil je dan bellen? Je moeder? Het is tien voor drie,' sneert
Cees.

'In elk geval niet de jouwe,' krijgt hij als antwoord.

Na anderhalf uur lopen valt Floris terug naar de meute. Hij heeft
het zelf inmiddels ook verdomde koud. Welke gek laat je nou in
deze tijd van het jaar door de bossen lopen in een hemd en een
jasje? Hij vraagt zich af of zijn vader dit destijds ook heeft gedaan.
Nou ja, het zal dan achteraf bezien wel leuk zijn. Nu ziet hij de lol er
eventjes niet van in. Hij draait zich om naar Philip, die met zijn

handen in zijn broekzakken loopt en de enveloppe onder zijn arm geklemd houdt.

'Laten we nog een keer kijken. Misschien hebben we iets gemist.'

Ze kijken nog een keer goed, maar hebben niets gemist. Een uitnodiging van die knakker in Brussel op ambassadepapier, met Magistra-zegel, of ze zich op zondag voor de lunch bij hem thuis willen vervoegen 'in gepaste kleding', met de namen netjes op een rij.

```
Bussemaker, Floris
Defares, Sidney
Dekker, Mike
Gersteblom, Primus
Gersteblom, Secundus
Hillen, Matthijs
Ketelaar, Poppe
Minderhout, Cees
Praag, Charles van
Quint, Philip
Vermeulen, René
```

Verder geen clou, niks. Floris stopt het papier terug in de enveloppe en gooit hem naar Philip.

'Kijk, daar is iets!' zegt Cees. Ze lopen harder. Pier bloedt nog steeds een beetje, hij heeft zich opengehaald aan een boomstronk toen hij wolf aan het spelen was. Er zit een grote rode vlek op zijn broek. Floris loopt op de oude brogues van zijn vader en ontwikkelt blaren. Aan het eind van de weg doemt een bedrijfsterrein op. Er brandt een aantal lichtpalen op het terrein. Daar moet iemand zijn, denken ze. Floris voelt even een lichte teleurstelling. Straks worden ze als een stel kleuters naar huis gereden door volwassen mannen die hen zielige stakkers vinden. Dat is natuurlijk ook weer niet de bedoeling. Stel dat die mensen hun ouders bellen! Papa komt niet meer bij van het lachen, denkt Floris. Dat krijgt hij nog dertig jaar te horen. Hij broedt op een plan waarmee hij de rest ervan kan overtuigen te wachten tot het licht wordt en dan verder te gaan liften. Maar ja, wie neemt er lifters mee die al op zes kilometer afstand naar bier meuren? En élf jongens... gaat dat ooit lukken?

Het terrein blijkt uitgestorven te zijn. Het is een kartonfabriek. Alle deuren zitten dicht en er is geen telefooncel. Wel staan er keurig in het gelid zeven witte bedrijfswagens met groene letters. Van Wijk en Zonen.

'Kan er eigenlijk iemand rijden?' vraagt Matthijs. Vier van hen hebben al een rijbewijs: Floris, Philip, Mike en Cees. Floris is op zijn zestiende met het gezin op reis in Amerika door twee poortjes gereden en heeft dat rijbewijs thuis omgezet, vertelt hij trots.

'Dan ga ik mooi niet naast jou in de auto zitten,' bokt Cees.

'Alsof ik ooit met jou ergens heen zou willen,' antwoordt Floris.

'Nee, want jouw pappie kent mijn pappie niet,' zegt Cees.

Ongelooflijk, denkt Philip, dat die lul van een Cees een fleur had en ik niet.

'Dat is het punt niet, Cees, je bent te lelijk,' zegt Floris. 'Dat schrikt de meisjes af. Niemand van hen wil met jou worden opgescheept.' Cees schreeuwt dat Floris zijn bek moet houden. Frits en Mike grijpen in. Kap ermee!

Ondanks de herrie is er nog steeds niemand van de fabriek op het toneel verschenen. Floris en Frits gaan op onderzoek uit. Er worden nog meer sigaretten gerookt. In het schijnsel van de nachtverlichting zien ze helemaal groen.

'Nou, daar staan we dan,' zegt Matthijs. 'Gaan we hier wachten? Wanneer komen die werkmensen? Half negen of zo?'

'Een beetje werkmens is om zeven uur al flink bezig,' zegt Mike. 'Bij mij thuis gaat de wekker om half zes, in de zomer nog vroeger.'

De anderen kijken Mike bewonderend aan. Zijn kwekersachtergrond vinden ze romantisch. De tanige Mike trok vrolijk prunussen, zonder klagen in een ijzingwekkend tempo, als simpel lopende-bandwerk, terwijl de rest al na een uurtje naar de rug greep. Alleen Floris deed meer prunussen, puur op brute spierkracht en fysieke omvang. En machismo, opgezweept door de veel kleinere Mike. Floris en Frits komen terug. Ze overleggen. Opgeven en wachten, of toch proberen er te komen? Jezus, zo moeilijk kan het toch allemaal niet zijn? Mike loopt weg, hij zoekt iets. De anderen negeren hem. Even later komt hij terug met een stalen stripje.

'Ga eens opzij.' Mike opent het portier van het achterste busje in drie seconden.

'We lenen de bus. Goed idee,' zegt Floris. Er volgt zwak protest uit de groep. Dat is jatten, toch? 'Nee, dat is joyriding. Als er gelazer van komt mag Eikelmans in Brussel het oplossen.'

We worden in feite gedwongen, vinden anderen nu ook. Ze zijn het al snel eens. Ze rijden in dit busje naar een treinstation en dan zien ze wel verder. Later zullen ze het netjes afronden.

'Hoe moet dat zonder sleutels?' vraagt Pier. Mike is alweer verbaasd over de volstrekte onhandigheid van sommige jongens. Ze kunnen nauwelijks een band plakken, laat staan een band verwisselen. Feitelijk kunnen ze niets zelf. Hij reed al op eigen terrein toen hij veertien was en weet genoeg van auto's om niet voor elk wissewasje de Wegenwacht of een garage erbij te hoeven halen. Bij hem thuis is er geen tijd voor wachten op hulp van anderen.

Hij trekt de bedrading los en start de bus. Wow! Hoe deed je dat? Wat deed je precies? Bewondering alom.

Philip, die ook iets wil inbrengen, biedt aan te rijden. 'Ik heb ook eerder in een bus gereden, van de zomer als hulp bij de plaatselijke kaasboer. En ik heb het minst gedronken.'

Daar is iedereen het over eens. Alleen Floris kijkt even zuur. Mike haalt zijn schouders op en doet een stap naar achteren. Philip gaat achter het stuur zitten, Floris duikt meteen op de plek naast hem. De rest wringt zich met veel gevloek en gezucht daarachter.

'Je zit met je gore stinkschoenen in mijn gezicht, lul.'

'Beter dan dat m'n lul in je gezicht zit.'

'Au! Rot op!' Cees belandt bij Matthijs op schoot. Matthijs vertrekt geen spier en kijkt langs hem heen.

'Oké, en nu zo snel mogelijk wegwezen,' commandeert Floris. Aan de spiegel bungelt een embleem van een voetbalclub. Twee foto's van schattige peutermeisjes zijn op het dashboard geplakt met daaronder de tekst: DENK AAN ONS.

Philip geeft gas en rijdt naar de uitgang van het terrein. Dan horen ze iemand schreeuwen. Wat is dát? Iedereen roept door elkaar heen in de bus.

'Hou je bek!' schreeuwt Floris. Dan zien ze wat er gebeurt: een man in uniform komt in volle vaart op ze af rennen, terwijl hij stopbewegingen maakt met zijn armen. In de bus breekt paniek uit.

'Stoppen!'

'Nee, doorrijden!'

'Stoppen, eikel!'

'Nee, Philip, gas! Rij erlangs!'

Philip concentreert zich en neemt een beslissing. Hij rijdt erlangs, dat gaat lukken. De man rent niet hard, hij heeft nog ruim baan. Hij geeft gas. Hij ziet verbazing op het gezicht van de man. Nee, ik stop niet, ga weg, denkt Philip. Ga alsjeblieft weg. De man vertraagt zijn pas maar loopt door. Hij blijft roepen dat ze moeten stoppen.

'Rijden!' roept Floris. 'Nu gas, die vent stopt echt wel.'

Philip geeft weer meer gas. De man zet het ineens toch op een drafje. Nu schrikt Floris, hij roept 'Stop! Stop!', grijpt naar het stuur en geeft er een ruk aan. De auto draait naar rechts en de man bonkt tegen de auto. Het geschreeuw in de bus is niet te harden, Matthijs slaat zijn handen voor zijn oren. Philip zet met trillende handen de bus in zijn vrij en morrelt aan zijn portier. Floris zit met open mond achterover in zijn stoel. Iemand opent de schuifdeur en ze stromen naar buiten. Ook Philip stapt uit. Floris ziet als in een film hoe zijn jaargenoten zich over de man buigen. Op het asfalt naast de man vormt zich een plas die eruitziet als olie.

'Jezus! Jezus! Jezus!'

Van het ene op het andere moment stopt iedereen met praten. Matthijs knielt bij de man neer en begint ritmisch op het hart van de bewegingloze man te drukken zoals hij heeft gezien op tv. Hij kijkt hulpeloos naar de anderen. Wanneer hij opstaat, zit hij onder het bloed. Pier kokhalst. Dan wijkt de kring. Ze kijken elkaar verbijsterd aan. Alleen Floris zit nog in de bus. Dit is niet echt, denkt hij.

Frits praat er met niemand over, heeft daar ook geen behoefte aan. Hij heeft het uit zijn leven gebannen. Het was een drama, natuurlijk. Ze hebben een brave huisvader om zeep geholpen. Maar kun je het terugdraaien door erbij te blijven stilstaan?

In een heftige discussie die uren leek te duren besloten ze een ander te laten beslissen. René wilde de man naar het ziekenhuis brengen, anderen wilden de politie bellen of daarop wachten, maar de consequenties daarvan leken al snel onoverkomelijk. Hun ouders. Misschien zelfs de bak. Omdat ze zelf niet wisten wat te doen, moest iemand anders het maar bedenken. Daarvoor schaamt Frits zich nu nog het meest.

Floris had zich zijn gesprek herinnerd met Van Weelde uit Muiderberg, eerder op de avond. Ze besloten het bij hem neer te leggen. Je kan altijd bij me aankloppen, had Van Weelde tegen Floris gezegd. Cees opperde dat het deels de man zijn eigen schuld was dat hij was aangereden, en werd compleet hysterisch. Met een klap in zijn gezicht legde Matthijs hem het zwijgen op. Ze stonden allemaal letterlijk te trillen op hun benen.

Uiteindelijk reed Mike hen in de bus naar de rand van Muiderberg. Matthijs had zijn bebloede jasje en shirt uitgetrokken en hield die op schoot. Hij kreeg het shirt van Pier.

Ze zochten het adres van Van Weelde op in een telefooncel en liepen naar zijn huis. Van Weelde deed open in een kasjmieren bordeauxrode paisleykamerjas. Hij kalmeerde de jongens, zette thee. Wisten ze heel zeker dat de man dood was? Ze keken elkaar snel aan. Had eigenlijk iemand zijn hartslag gecontroleerd? Z'n pols gevoeld? Dat zou Matthijs toch wel hebben gedaan? Ze hadden hem naar een ziekenhuis moeten rijden. Maar niemand gaf antwoord.

Van Weelde ijsbeerde door de enorme woonkamer, het hoofd gebogen, en nam uiteindelijk een beslissing. Twee van hen moesten terug naar de bus om hem schoon te maken. Erheen lopen met twintig minuten tijd ertussen, om niet op te vallen. Floris, die nog steeds geen woord had uitgebracht, moest het doen met Frits. Van Weelde gaf duidelijke instructies. Vingerafdrukken enzovoort. Eerst douchen en wat eten. Hij praatte lang op ze in. Gebeurd is gebeurd, het was geen opzet, eerst maar eens kijken of jullie ermee weg kunnen komen. Ze stonden nog aan het begin van hun leven. Dit noodlottige ongeval hoefde hun verdere leven niet te beïnvloeden; dronken een ongeval veroorzaken achter het stuur was nogal wat. Ze zouden het er zelf nog zwaar genoeg mee krijgen.

Het voorstel van Van Weelde deed de emoties opnieuw oplaaien. Sommigen vonden het een goede oplossing, anderen reageerden gelaten, maar vooral Pier was het er niet mee eens. Hij liep orerend door de ruime kamer en probeerde uiteindelijk de knoop door te hakken.

'Ik bel nu mijn vader,' schreeuwde hij. 'Ik heb er genoeg van.'

Hij greep de telefoon, maar Van Weelde rukte de hoorn uit zijn handen. Nogmaals legde hij uit dat zij hun eigen toekomst en ook die van de anderen niet in de waagschaal mochten stellen.

'Laat het aan mij over. Ik neem de rol van je vader hierin over. Dat is mijn plicht als Magistraat.'

Pier zat inmiddels huilend op de bank en hoorde het allemaal niet meer. Frits was het met Pier eens geweest, maar de chaos in zijn hoofd was groter dan zijn moed om zijn broer bij te staan. Van Weelde liet iedereen zweren hier nooit ofte nimmer met wie dan ook over te praten. Ze hadden elf mensen om het mee te bespreken in bange tijden, dat moest genoeg zijn. 'Als de rust is weergekeerd,' zei hij, 'komen we bijeen om het over het vervolg te hebben.' Van Weelde zou uitzoeken of deze man een gezin achterliet. Iedereen dacht meteen aan de foto's van de twee meisjes op het dashboard. Er werd weer gehuild.

Ze kwamen er inderdaad mee weg. Er werd gezocht naar de dader. In de krant stond dat het een hit and run was, de man had waarschijnlijk nog even geleefd na de aanrijding, zij het bewusteloos. De bus werd twee dagen later gevonden in Loenen aan de Vecht, zonder vingerafdrukken. Een vroege hondenuitlater en een vrouw die uit de nachtdienst kwam, hadden gezien hoe een clubje opgeschoten jongens 's ochtends vroeg door Muiderberg liep. Van Weelde werd verhoord, alle jongens ook. Langdurig. Ze waren van het droppingpunt direct naar notaris Van Weelde gelopen. Aardige, nette jongens zonder verleden uit gezinnen zonder verleden op dispuutsuitje. Studenten, ach ja. Er was een agent die hen niet geloofde en maar doorging met vragen stellen. Hij werd teruggefloten door zijn chef. De praeses van het dispuut schreef een intens arrogante brief op poten naar de politie met het verwijt dat hun feuten werden verdacht van betrokkenheid bij een dergelijke lage misdaad.

Een week later werd de uitnodiging uit Brussel gevonden in het bos en naar de politie gebracht. De jongens konden niet meer eten van de stress, maar Van Weelde vond het gunstig. Inderdaad sterkte het de politie in de overtuiging dat deze mensen, op weg naar een ambassadeur, niets met het doodrijden van de beveiligingsbeambte te maken konden hebben. Dat zij in de buurt waren, berustte waarschijnlijk alleen op toeval.

De groentijd was verder totaal oninteressant. Plichtmatig draaiden ze het resterende programma af. En langzaam, maar veel sneller dan verwacht, werd het leven weer gewoon. Ze maakten lol, ze ontspanden, ze werden weer onaantastbaar, jong, sterk en veelbelovend. Mooie jongens met mooie vriendinnen. Ze studeerden bijna allemaal af. Ze kregen banen, de meesten trouwden en kregen kinderen. Het was alsof het nooit was gebeurd, het leek niet eens meer zo belangrijk.

Nu het hart van Floris ermee is opgehouden, komt het bij Frits allemaal ineens bovendrijven, vanaf de bodem van zijn ziel. Hij schrikt er nogal van.

* * *

Cato is afgemat door de dag vol emoties in combinatie met de verwarrende gevoelens doordat Matthijs voor de verdrietige gelegenheid onder haar dak slaapt. De geografische afstand en zijn afwijkende levensstijl als tropenarts in Afrika hebben ongetwijfeld bijgedragen aan de gloedvolle relatie tussen hem en Cato. De ironie wil dat haar man Pier in materieel opzicht voor Matthijs zorgt en zijzelf in immaterieel opzicht. Ze heeft zich al vaak afgevraagd waarom ze zich niet schuldig voelt. Maar na jarenlang te hebben meegebogen met alle buien en grillen van Pier, inclusief zijn monumentale onverschilligheid, vindt Cato dat haar echtgenoot blij mag zijn dat ze überhaupt is gebleven. Bovendien kennen ze elkaar al sinds de middelbare school. Hij was haar eerste echte vriendje. Het zou werkelijk absurd zijn als ze nooit een ander had geproefd. Laat staan een ander nooit van haar had laten genieten. Trouwens, ze is altijd de eenzijdige afspraak met Pier nagekomen: als ze haar mond maar zou houden.

Ze zet thee en doet haar best iets op te pikken uit de krant, maar ze spitst intussen haar oren om het dichtslaan van portieren te horen of het geluid van een sleutel in het slot op te vangen. Inmiddels is het na enen en buiten blijft het doodstil. Als ze nu naar bed gaat is de kans groot dat ze doorslaapt tot de volgende ochtend en dan kan ze hem niet eens alleen zien. Matthijs blijft onvoorspelbaar, dus wie weet vliegt hij snel terug. Ze kan moeilijk de wekker zetten en midden in de nacht naar zijn kamer sluipen zonder ook Pier te wekken. Voorlopig besluit ze dan maar de krant gezelschap te houden.

Toen Pier eindexamen had gedaan en zich inschreef voor rechten aan de GU, zoals de UvA toen nog heette, bleef Cato achter in Zeist. Ze zat een klas lager. Na het verschil in werelden tussen lagere en middelbare school, was er geen groter verschil in leefstijl denkbaar dan tussen scholier en student. Cato kon niet wachten tot ze zelf zover was. Pier had haar vanzelfsprekend uitgenodigd als zijn meisje voor een feest van Magistra '79 op het dispuutshuis. Hij woonde daar toen nog niet. Ze was de enige niet-student en verreweg de jongste, al scheelde ze waarschijnlijk maar een jaar met de rest. Het Huis was immens groot en zag blauw van de rook, bierkratten stonden opgestapeld als zuilen bij het tochtportaal. Overal waren trapjes en deuren. De wc-bril was versierd met asters. In de bibliotheek van het huis hing het vaandel, in de kroonluchter brandden kaarsen en er was een wand volgehangen met zwart-witportretten van heren met sigaren en gekrulde knevels uit de vorige eeuw. Op een dag zou haar Pier met zijn jaar er ook tussen komen te hangen.

Gelukkig viel er iets te kijken tijdens het feest, want behalve Pier en Frits kende ze niemand. Ze werd natuurlijk voorgesteld aan al zijn jaargenoten, maar verder nam nauwelijks iemand notitie van haar. Ze zag meisjes die zich met groot gemak door het Huis heen bewogen, met glazen wijn en flessen bier in hun handen, of ze stonden te zoenen met jongens in de gang of op de trap. In de tuin lagen matrassen naast elkaar en brandden fakkels. Er werd gedanst in de kelder, en toen het vier uur in de ochtend was, smeekte ze Pier of ze konden gaan. Hij regelde dat Cato werd thuisgebracht door iemand uit een ander dispuut, die haar vervolgens meenam naar een obscuur nachtcafé voor een sateetje. Welkom in de grote stad.

In die eerste maanden van zijn ontgroening zag ze hem weinig. En áls hij thuiskwam, was hij compleet uitgewoond. Cato herinnert zich haar kribbigheid, haar jaloezie en onbegrip voor zijn gebrekkige belangstelling en tijd voor haar. Ze ziet weer helemaal voor zich hoe ze hem aantrof toen hij met Frits na dat gedenkwaardige droppingweekend een paar dagen thuis was. Hij zag eruit als een opgeschrikt hert. In eerste instantie vertelde hij haar dat ze bijna 48 uur aan één stuk wakker waren geweest. Eerst hadden ze allemaal een praatje moeten houden voor een kamer vol heren. Lullepot. Dat was natuurlijk heel spannend geweest. Vervolgens waren ze gedropt en hadden ze tot de volgende dag gelopen. Zonder eten en drinken. Vandaar. Hij lag op zijn bed en viel voor haar neus in slaap. Ze wilde hem nog wakker maken, maar zag dat het zinloos was en ging beneden met pa Gersteblom koffiedrinken. Of hij ook niet vond dat Pier een verdwaasde blik had.

'Die jongens zijn uitgeput, en dan schijn je vreemd te gaan kijken. Vraag maar aan mijn vrouw.'

Gersteblom had allang Cato's talent ontdekt om net zo lang door te vragen tot ze alle relevante informatie bij elkaar had gesprokkeld. Hij beloofde Cato op de hoogte te houden zodra Pier uit zijn coma ontwaakte en liet het verder rusten.

Drie dagen later stond Pier bij haar op de stoep. Hij had weer kleur op zijn gezicht, maar die blik was onveranderd. Of ze een stuk met hem wilde gaan wandelen. Zij op haar pennyshoes (blauw, ze heeft ze altijd bewaard), hij op zijn bordeelsluipers. Ze liepen naar de hei. Het was een mooie, verstilde middag. De zon stond al laag, maar had nog zo veel kracht dat hij de herfsttooi van de bomen in brand leek te zetten. Ze liepen hand in hand naar het bankje waarop ze na een eindexamenfeest in de vroege ochtend hadden gevreeën en hun namen in de rugleuning hadden gekerfd. Tussen dat moment en deze middag leek een heel leven te zitten. Pier begon, zodra ze op het bankje zaten, zenuwachtig te roken. Cato stak er ook een op. Ze rookte sinds de zomer openlijk thuis, waarmee een eind was gekomen aan stiekem roken met een badmuts op en uitblazen via het badkamerraampje. Bespottelijk.

Cato heeft al jaren niet meer teruggedacht aan deze gedenkwaardige middag. Hoe Pier haar bezwoer dit geheim met niemand anders dan met hem te delen. Want als hij er ooit achter zou komen dat ze het had gewaagd hier met vriendinnen, ouders, Frits of wie dan ook over te praten, dan zou hij het uitmaken. Serieus. Ze mocht hem bedriegen met die jongen uit 6b of met een gozer van de tennis, maar dit, dit zou het einde van alles betekenen. De eindeloze inleiding met idiote details, zoals Piers act als wolf, tot het fatale moment... Cato luisterde ademloos. Krankzinnig om elf jongens te laten liften naar Brussel! Zoiets is toch tot mislukken gedoemd? Ze wilde direct Piers beenwond zien, maar hij ratelde aan één stuk door. Dat ze bij wijze van joyriden een busje 'leenden'. En dat toen die man daar opdoemde... Hoe een oudere dispuutgenoot instructies... Frits en Floris de bus gingen schoonmaken en... En zo zaten ze samen op het bankje dat hun naam droeg. Pier fluisterde dat hij bang was voor gevangenisstraf. Cato sloeg haar arm om hem heen alsof ze hem persoonlijk tegen dit onheil kon beschermen.

'Natuurlijk ga je de bak niet in. Het was een ongeluk.'

In de weken die volgden op het gewraakte weekend, hield Pier Cato op de hoogte van alle ontwikkelingen, en de strategie die werd bedacht. Toen hij haar vertelde dat ze met hun elven de rest van hun leven geld in een pot zouden gooien voor de weduwe en haar kinderen, was Cato diep ontroerd. Pier ervoer zijn gesprekken met Cato als een moderne biecht, zij op haar beurt voelde zich superieur aan haar vriendinnen, de school en de rest van Zeist. Ze probeerde Frits te taxeren. Hij leek niet te lijden onder de situatie. Hij wist niet dat zij het wist. Dat vond Cato een spannend idee.

Uiteindelijk, toen Pier haar maanden later vertelde dat het van de baan was en ze gewoon konden doorgaan met hun leven, besloot ook Cato het geheim op te bergen. Ze kreeg schoolonderzoeken en werkte toe naar het Centraal Schriftelijk. En daarna, daarna begon ook voor haar het echte leven. Met Pier heeft ze er sindsdien nooit meer over gesproken. Ook heeft Cato nooit gemerkt dat een van de partners van de jongens er iets van weet. Zou dat echt zo zijn? Ze kan het zich nauwelijks voorstellen. Misschien eindelijk eens peilen bij haar schoonzus.

Cato heeft dorst gekregen. Ze schenkt zichzelf een calvados in en terwijl ze naar boven loopt om haar lenzen uit te doen, hoort ze buiten luidruchtige mannenstemmen. Haar wachten wordt beloond.

* * *

's Nachts wordt Do wakker. Ze heeft koude voeten en zoekt naar een warm lichaam. Tevergeefs. Op de tast zoekt ze sokken van Floris in zijn kast en stommelt de trap af. Ze tapt theewater uit de Quooker en neemt een Gauloise Blonde van Wikkie. Heerlijk. Lang geleden ook. Je moet ergens aan doodgaan. Ze vindt het niet erg dat ze zichzelf onder deze omstandigheden om de tuin leidt. Do weet nu al dat ze na deze sigaret de komende maanden op een pakje per dag zal zitten, daarna is het weer radicaal afgelopen. Terwijl ze inhaleert, krijgt ze het koud en warm en wordt ze duizelig. Even doorzetten, bij de derde sigaret is ze er weer helemaal aan gewend.

Wat deed ze vorige week om deze tijd? Slapen natuurlijk. Naast haar man, hij links, zij rechts. Voor het laatst. Hoe is dat gegroeid, die bedverdeling? Do zou nooit aan de linkerkant kunnen slapen.

Heeft Floris zich aangepast, of was het een onderdeel van hun perfecte match? Frits' speech ging ook over het vermogen van Floris zich aan te passen aan compleet nieuwe situaties. Juist dan voelde hij zich een koning. Hij had dat woord echt gebruikt. Beetje overdreven, vindt Do.

Ze zoekt haar tas om alle speeches nog eens door te lezen. Goed idee van Wikkie om ze ter plekke te verzamelen. 'Voor het archief,' zei hij en gaf het stapeltje aan zijn moeder. Fijn dat Van Weelde namens haar en de kinderen iedereen bedankte voor hun komst. Ze zou er zelf absoluut niet toe in staat zijn geweest om ook maar één zin in het openbaar te prevelen. Do zit met de papieren op schoot. Durft ze het aan om zich onder te dompelen in rouwbeklag en loftuitingen? Buiten begint het licht te worden, hier en daar ontwaken vogels. De vervloekte hond van de buren zal zo ook wel gaan blaffen. De eerste brommer pruttelt in de verte.

Do pakt de toespraak van Frits uit de stapel en leunt achterover in de bank. Ze begint te huilen. Waarom? Waarom? Waarom laat je mij zo achter, met drie kinderen? Hoe wil je dat ik dit ga doen? Ze zucht en vouwt de papieren open.

Lieve Do, Wikkie, Mauk en Charley, familie, vrienden en collega's,

Floris belde me vorige week op en vroeg of ik, net als hij, een top tien wilde maken van alle dingen die we voor onze dood over vijftig jaar nog gedaan wilden hebben. Flo kennende was ik ervan overtuigd dat hij ze alle tien zou gaan uitvoeren. Ook dingen waar mensen hun hele leven voor trainen en waar Floris daarvoor zelfs nooit over had nagedacht. Zoals de alternatieve Elfstedentocht schaatsen op de Weißsee. Het zou hem nog gelukt zijn ook.

Do probeert het voor zich te zien. Het zou haar inderdaad niet hebben verbaasd als Floris het voor elkaar had gekregen. Ze snapt alleen niet waarom hij niet gewoon de normale Elfstedentocht wilde rijden. Ze leest verder.

Ik noem er een aantal:
- buitenkeuken bouwen met Do aan de rand van de vijver om daar de rest van ons leven te scryptogrammen en cava te drinken,
- met Mauk vliegvissen en wildkamperen in Schotland,
- naar Venetië met Charley in een gondel,
- met Wikkie in een Chevrolet Stingray van de Eastcoast naar de Westcoast rijden,
- met Magistra '79 een reconstructie maken van het ontgroeningsweekend.

Daar keek ik van op, van díe wens. Want als Flo eenmaal een project met succes had afgerond, verloor hij er iedere belangstelling voor. Klaar voor iets nieuws. Ik heb dat altijd bewonderenswaardig gevonden. Hier ligt deels de verklaring voor zijn maatschappelijk succes: niet blijven hangen in gedane zaken. Ik weet dat deze houding door anderen wel is uitgelegd als onverschilligheid of opportunisme, maar daarmee doe je Floris absoluut tekort. Hij heeft juist altijd veel ruimte in zijn hoofd gehad om tot briljante oplossingen te komen. Hier spreek ik namens het hele Magistra-jaar. Wij allen hebben veel aan Flo te danken.

Feitelijk was Floris van meet af aan de leider van ons jaar, waarbij geen van ons zich gepasseerd voelde. Hij kon ontzettend innemen, maar de volgende dag stond hij als eerste en vaak als enige klaar voor nieuwe opdrachten. In het eerste jaar was hij ons bindende element. Later werd hij dat voor het gehele dispuut. Een carrière op de toko leek vanzelfsprekend, maar van het ene op het andere moment was hij helemaal uitgekeken op het corporale leven. Er moest gestudeerd worden, hij wilde de wijde wereld in, de wereld aan zijn voeten krijgen. Ook letterlijk. De Himalaya beklimmen, op de fiets de Mont

44

Ventoux bedwingen. Zichzelf boven op de top fotograferen met een bordje: VROLIJK KERSTFEEST. En het tussentijds aan niemand laten zien. Altijd verrassen, perfecte timing. Zwijgen is goud. Geen geheim beter bewaard dan bij Floris.

Inmiddels zijn we een kwart eeuw verder. We hebben geen leider meer nodig om dagelijks te kunnen functioneren, en ook zullen we elkaar blijven zien, die band is er hoe dan ook. Maar de glans is eraf. En voor een deel de ziel eruit. Ik zie het als een opdracht voor onszelf om Floris levend te houden, en om jou, zijn fantastische vrouw Do en jullie, zijn drie prachtige kinderen, te steunen waar nodig. En ik beloof je, Do, dat we nu níét ons jaarlied gaan zingen. We missen je, Floris, maar je leeft voort in onze harten en in alle verhalen.

Do ziet de kerstfoto voor zich. In die tijd was het al aan tussen hen. Ze vond het verschrikkelijk dat hij, toen hun liefde nog pril was en de buitenwereld voor hen niet bestond, op een dag aankondigde een fietstocht naar de Mont Ventoux te gaan maken. Alleen. Zomaar uit het niets! Do was al die tijd dat hij weg was onuitsprekelijk verdrietig. Als hij echt van haar hield, dan was hij nooit vertrokken. Ze wist het zeker. Het had allemaal niets voorgesteld natuurlijk. Vreselijk overtrokken adolescentengedrag van haar, achteraf bezien.

Do legt de speech naast zich neer en huilt. De laatste tijd had hij een obsessie ontwikkeld voor een buitenkeuken. Vooral in combinatie met zijn tuinierdrift. Full body contact gardening noemde hij dat. Je de hele dag in het zweet werken, bomen verzagen, borders volgens ontwerp aanleggen, groente uit de tuin oogsten en dan als een trotse pater familias groots koken in de openlucht. Door haar tranen heen ziet ze Mauk in slaaptenue de kamer binnenkomen.

'Hé, mam, zit je nou te roken?'

Do droogt haar tranen, snuit haar neus en spreidt haar armen uit.

'Mauk, kom je even bij me liggen?'

'Ik kon niet slapen en ik heb honger.' Hij neemt een banaan uit de fruitschaal en gaat voor haar op de grond zitten.

'Waarom zat je te roken? Je bent toch al heel lang gestopt? En je hebt er een tyfushekel aan als mensen het binnen doen.'

Do aait over zijn bol. 'Ik las de toespraak van Frits. Wíst je dat papa heel graag met je wilde gaan vliegvissen en kamperen langs een Schotse beek?'

'Neuh. Ik wist niet eens dat pap van vissen hield. Hij heeft toch helemaal geen hengels? Lijkt me best cool. Maar is het niet heel saai, eigenlijk, de hele dag wachten tot die vissen een keer bijten?' Mauk gooit de schil van de banaan op een tafeltje.

'Vroeger ging papa met zijn eigen vader vliegvissen in Schotland en Zweden. Dat heeft niks te maken met dobbers en een hengeltje uitgooien. Je maakt je eigen aas van veren zodat het lijkt op een vlieg, staat tot je middel in het water en gooit lijnen uit. Papa vond dat het ultieme jongensavontuur. Vuurtje stoken en je eigenhandig gevangen bruine forel roosteren. Zou je het niet toch een keer willen gaan doen? Misschien bestaat er wel een zomerkamp van.'

'Papa deed toch veel aan sport, en hij rookte niet. Hoe kan je dan toch een hartstilstand krijgen? Kan jij dat ook krijgen, of ik?'

'Schat, papa heeft gewoon ontzettende pech gehad, niemand die het heeft zien aankomen. Geen enkel voorteken, niks. Slank, sportief, het is gewoon verschrikkelijk. Unfair.'

'Mag ik die speech van Mike lezen? Die was echt vet.'

Mauk slaat de aanhef over.

Ik heb grofweg twee opvoedingen gehad. De eerste kwam van mijn ouders en rustte op de volgende peilers: hard werken, godsbesef en nimmer versagen. Er gebeurde in mijn leven dan ook nooit iets onverwachts of frivools. Op mijn negentiende nam Floris mijn opvoeding over, en die was gestoeld op de volgende peilers: het leven is een feest, voor angst heb je geen tijd en tot slot: vlammen op het juiste moment. Mijn leven ging er tweehonderd procent op vooruit. Ik was afkomstig uit een tuindersfamilie zonder corporale traditie, en Floris nam mij op sleeptouw, al in de eerste week dat we lid werden van het ASC. Hij verdeelde de wereld onmiddellijk in zij die het hadden begrepen – dat waren wij – en de rest. Knorren van wie je je niets hoefde aan te trekken. Ze bestonden natuurlijk wel en je had ze simpelweg nodig, maar ze konden op geen enkele belangstelling onzerzijds rekenen. Zoiets was nieuw voor mij, want ik was doordesemd met het beginsel dat we allemaal gelijk waren in de ogen van Onze Lieve Heer. Ik vond deze benadering een verademing.

Floris was geboren met het talent mensen voor zich in te nemen. Hij zette zijn charme zo subtiel in dat hij alles gedaan kreeg. Ook van de knorren. Ik kreeg als noviet te maken met tal van zaken die voor Floris vanzelfsprekend waren. Zo beschikte hij over een rok. Ik niet. Ik wist niet eens wat het was. We zouden dit vaak nodig hebben, legde Flo mij uit. En dus was het zaak er een voor mij te bemachtigen. Hij nam me in een gestolen uurtje dat we even aan de groentijd konden ontsnappen, mee naar een obscuur adres. In een keldertje aan de gracht bleek je galakleding te kunnen huren. Floris zei tegen me: 'Kop dicht en verdrietig kijken. Dit echtpaar is honderd en ze moeten maar eens goed luisteren.'

Wij liepen samen het trapje af. Floris deed de klemmende voordeur open en na enige tijd verscheen de honderdjarige mevrouw. Het was duidelijk dat Floris een beperkt beeld had van de enorme variëteit aan menselijke exemplaren, want deze mevrouw zag er ongeveer uit als mijn eigen moeder. Die was toen tweeënveertig. Hij zette zijn charmeoffensief in en vroeg waar de rokkostuums hingen. Hij pikte er een uit het rek, hield het voor mij en zei dat ik het moet gaan passen. 'Mevrouw,' hoorde ik hem vanachter het pasgordijn zeggen, 'mijn vriend heeft een rok nodig voor de begrafenis van zijn moeder, maar hij heeft geen rooie cent. Komt uit het land van bollen en knollen, begrijpt u. Beeldt u zich dat eens in, wat een droefenis. U heeft vast wel eens gedacht om een keer iets goeds in uw leven te doen, iets onbaatzuchtigs. Dit is uw kans! Geef mijn vriend die rok.' De vrouw viel natuurlijk niet voor zijn verhaal, maar wel voor zijn charme. 'Op een begrafenis draagt men geen rok, jongeman,' sprak ze streng, maar met een glimlach. 'Een rok draagt men uitsluitend op gala's, zoals u ongetwijfeld weet.' Waarop Floris zonder een spier te vertrekken antwoordde: 'Niet in het Westland, mevrouw. U moest eens weten wat ze daar in de provincie allemaal voor gekke dingen doen.' Toen we buiten stonden met het pak – Floris troggelde ook nog een strik af – zei hij: 'Met de winst van vandaag gaan we twee dingen doen. We laten een ordentelijke, fraaie bos rozen bij deze mevrouw bezorgen en we gaan drinken.' De eerste keer dat we onze rok als Magistraat droegen, eindigden we in de fontein op het Frederiksplein. 'Gelukkig heb je er niks voor betaald, ouwe,' zei Floris. Wellicht zou door deze geschiedenis hel en verdoemenis mijn deel zijn, daar was ik nog niet helemaal uit, maar ik genoot.

Het zelfvertrouwen van Floris Bussemaker werd nauwelijks op de proef gesteld. Nog een typerende anekdote. In de zomer van ons derde jaar reden wij als chauffeur buitenlandse hotemetoten rond die een week lang een congres in de RAI bezochten, een baantje dat een oudere dispuutgenoot voor ons had geregeld. Wij moesten de hele dag tot 's avonds laat in de kantine wachten tot we werden opgeroepen voor ritjes. Daar zaten we dan, eindeloos te pokeren en kadetjes te eten. Zo niet Floris. Hij had namelijk helemaal geen zin om binnen te zitten wachten in de kantine van de RAI. De eerste captain of industry die hij rondreed, palmde hij meteen in, zodat die verder alleen door hem gereden wilde worden. Hij gaf de man zonder met zijn ogen te knipperen het telefoonnummer van Festina en zei dat hij daar meestal wel te bereiken was, indien gewenst. Geen van ons allen had dat ooit zelfs maar durven voorstellen, maar die man vond het prima. Zo kon Flo zich als enige tussen de ritjes door vermeien op de tennisbaan.

Zijn zelfvertrouwen droeg Floris gul over aan zijn vrienden. Toen ik als vierdejaars een eigen zaak wilde beginnen, vonden velen dat stom. Ik moest eerst afstuderen en ergens als stagiaire beginnen om te leren. Floris dacht daar heel anders over. 'Natuurlijk moet je dat doen, Mike. Waarom niet? Dat kun jij zeker.' Hij vroeg alleen of ik morgen ging beginnen of pas volgende week. We maakten bij het verlate ontbijt alvast een fles champagne soldaat om mijn ondernemerschap te vieren.

Mike had de speech niet helemaal afgemaakt. Toen het spreken hem te moeilijk werd en hij niet meer verder kon, was hij door Pier naar zijn stoel geleid.

'Ik heb steeds het gevoel dat hij zo de trap af komt en dan een eitje voor ons gaat bakken,' zegt Do na een lange stilte. Ze heeft haar armen stevig om Mauk heen geslagen, die dat voor het eerst sinds hij basisscholier af is graag ondergaat.
'Heb jij dat ook? Ik denk ook steeds dat ik hem zo ga zien.'
'Kom, zal ík een eitje voor je bakken? Het is al zes uur geweest, we kunnen best ontbijten. Trek iets warms aan, dan gaan we samen op het terras zitten.'
Do steekt een sigaret op, zet koffie en bakt eieren met spek. Ze heeft pijn in haar hoofd van het slaapgebrek en de emoties. En misschien wel van het roken.

* * *

De schoonzussen hebben afgesproken in uitspanning Het Gulden Paert in Otterlo. Cato laat zoals gebruikelijk op zich wachten. Ze rijdt ongetwijfeld weer verkeerd, terwijl ze nog altijd weigert aan de TomTom te gaan. Ze hééft er nota bene een, maar het ding ligt al

49

twee jaar in een ongeopende doos. Pier vindt het wel iets hebben, maar Anneleen stoort zich aan Cato's misplaatste eigenwijsheid, die haar wederom laat wachten op een terras.

Aan een tafeltje achter haar zitten drie vrouwen van haar leeftijd te kletsen. Twee van hen zijn blijkbaar per fiets gekomen, de derde heeft een verwaaid cabriokapsel. De fietsers informeren bij de cabriodame hoe het nu met haar gaat, na de operatie. Anneleen is dol op ziekenhuisverhalen en probeert mee te luisteren. Voor geen goud zou ze haar ingrepen met een ander dan Frits delen. Behalve dan de slotjesbeugel, die was natuurlijk zichtbaar voor de buiten-wereld. Het commentaar dat ze daar al op kreeg vond ze dermate stuitend dat het haar sterkte in het geheimhouden van haar borst-lift, de botoxknipkaart en de oogleden. Ze had de borsten en de ogen tegelijkertijd laten doen in een gecombineerde beauty-cul-tuurtrip naar Egypte, waar ze half gemummificeerd de piramide van Cheops had bewonderd. Tot besluit was ze nog een paar dagen de Nijl afgezakt. Ze kwam verjongd terug met een zak vol dia's en een goed reisverhaal. Het was niemand ooit opgevallen.

Ze hoort de fietsdames vragen of de pijn vergelijkbaar is met een knip tijdens de bevalling, en of ze alweer paard heeft gereden.

'Of kan dat nog niet met je nieuwe vagina?'

Anneleen draait zich abrupt om. De drie dames kijken verwij-tend naar haar. Ze kan zich nog net inhouden te zeggen: 'Sorry, ik heb niks gehoord.' In plaats daarvan kijkt ze glazig.

Daar komt Catootje verhit aangehobbeld over het grind; de drie dames gaan verder op fluistertoon. Cato legt haar schoonzusje uit dat ze linksaf in plaats van rechtsaf het bos in is gereden terwijl ze wist dat ze de verkeerde beslissing nam. Bij wijze van geruststelling wist Cato te melden dat als ze rechts was gegaan, het ook verkeerd had uitgepakt. Natuurlijk ontplofte ze van frustratie, ze had nog ge-probeerd te bellen, maar er bleek geen bereik te zijn. Anneleen ver-geeft het haar onmiddellijk en wenkt de ober.

'Ongelooflijk dat het alweer tien dagen geleden is dat we elkaar voor het laatst zagen,' zegt Cato. 'Ik heb wat afgehuild, de laatste dagen. Ik probeerde me voor te stellen hoe Do en de kinderen geamputeerd verder moeten, en hoe ik me zou voelen als Pier er opeens niet meer zou zijn. Do is heel dapper, ik heb dinsdag voor haar gekookt en ik spreek haar elke dag, maar ik ben bang dat ze op de rand van instorten staat. Ze vertelde me dat Charley zich voor iedereen afsluit.'

'Dus dat heeft Do er ook nog bij,' knikt Anneleen.

'Ze gaat nu natuurlijk niet meer met de kinderen naar Brazilië. De zus van Floris heeft een huis in Overijssel en daar wil Do naartoe. Ze wil naar huis kunnen als ze daar behoefte aan heeft. We moeten haar wel in de gaten houden en bij toerbeurt langsgaan. Alle mannen hebben aangeboden te helpen bij de afwikkeling, en René schijnt zijn diensten te willen aanbieden bij het opruimen van het jaararchief. Floris heeft heel wat bewaard uit die tijd. Schijnt. Rosé dan maar? Hebben we daar zin in?' Ze kijkt naar Anneleen en denkt: mijn hemel, het loopt wel de spuigaten uit met die botox. Haar hele hoofd beweegt inmiddels niet meer.

'Nee, ze hebben prik uit de tap,' zegt Anneleen. 'Dat wil ik ook een keertje proberen. Onze leventjes kunnen zomaar voorbij zijn. En zoals mijn zusje altijd zegt: je moet elke dag zelf je slingers ophangen. Ober, twee prosecco graag. Frits en ik hebben samen maar eens doorgenomen wat ónze laatste wensen zijn.'

'Bedoel je iets vergelijkbaars als de buitenkeuken en het vliegvissen?'

Nog altijd kan Anneleen zich verbazen over Cato's suffigheid. Dom is ze niet. Ze werkt al jaren als loopbaanbegeleider, maar ja, iedereen noemt zich tegenwoordig consultant, dus dat zegt niks.

'Nee, lieverd, ik bedoel natuurlijk cremeren of begraven, testament doornemen, dat soort gezelligheid.'

'Ah, dat. En? Misschien handig als wij dat ook weten.'

'Begraven, allebei. Driehuis-Westerveld. Jullie?'

'Cremeren en dan uitstrooien boven zee.'

'Dat lijkt me nou zo ongezellig. Is er geen plekje voor je kinderen of je geliefden om naartoe te gaan.'

'Dan moeten ze het maar met hun herinneringen doen,' vindt Cato. 'Over herinneringen gesproken, Frits vertelde toch in zijn speech dat Floris een reconstructie wilde maken van hun ontgroeningsweekend? Waarom zou uitgerekend Floris dat hebben gewild? Is dat dan zo bijzonder geweest? Wat denk jij, Anneleen?'

Anneleen nipt van haar prosecco. 'Jij was in die tijd al met Pier. Misschien kun je er eens iets over vertellen aan Do, want die vroeg zich ook al af wat er zo bijzonder is geweest.'

'Ja, ik was al met Pier,' antwoordt Cato. 'God, het is zo lang geleden. Bijna dertig jaar, mind you. Ik denk dat veel mensen ernaar verlangen hun geschiedenis te reconstrueren en te herbeleven.'

'Ik ben niet zo van dat graven,' houdt Anneleen af. 'Het heeft iets pathetisch, typisch iets voor middelbare mannen. "Weet je nog toen, toen ik... toen wij, toen zij..." Waar leidt het toe, wat levert het op? Sommige dingen moet je lekker láten. Strik eromheen en opbergen.'

'Het enige wat me intrigeert is dat Floris dat weekend wilde overdoen. Er valt zo veel te wensen, waarom uitgerekend dat weekend? Vandaar mijn vraag aan jou: wat herinner jij je?' dringt Cato nog eens aan.

'Als je het zo boeiend vindt, kan je het je eigen man vragen. Die was erbij. Ik niet.'

'Je hoeft niet zo geïrriteerd te doen, lieverd, het is maar een vraag. Nou ja, laat maar zitten.'

Cato zou het er eigenlijk helemaal niet bij willen laten zitten. Al die jaren heeft ze gezwegen. Ze heeft Pier nooit teleurgesteld. Althans, niet in dat opzicht. Cato vindt het geheim te veel voor een mens alleen. Het gaat over nogal wat, terwijl ze er niet om heeft gevraagd. En Pier zou het uitmaken als ze erover uit de school zou klappen. Nadat het jarenlang uit haar hoofd was verdwenen, is het drama weer volop terug. Niets heerlijkers dan eindelijk eens te mogen práten. Wist ze maar of haar schoonzus het weet... 'Wat heeft Frits jou erover verteld?'

Anneleen kijkt haar aan en zegt: 'De gebruikelijke dingetjes, lullepot, dropping. Is dat zo bijzonder?'

'Niet echt, maar zou dat het zijn? Er is vast meer aan de hand. Frits houdt toch niks voor zich? Heb je zelf gezegd.'

'Oké, Caatje, je mag me beledigen met mijn man, maar ik weet niet waar je het over hebt.'

'Ik wil nog een glaasje prik. Jij ook? Ober, twee prik graag.'

De vrouwen achter hen vertrekken en Anneleen probeert iets opmerkelijks te zien in de tred van de cabriodame. Misschien dat ze zelf ook ooit...

Nadat de ober hun bestelling heeft gebracht, zegt Anneleen dat er toen iets is gebeurd met een bus. Gestolen, althans, geleend, maar ze weet het niet precies. Cato's ogen lichten op. Eindelijk krijgt ze te horen wat haar schoonzus weet. Dit is een beginnetje. Ze dacht natuurlijk al dat Frits heeft gekletst, maar Cato is verbaasd dat Anneleen nooit iets heeft losgelaten. Zou ze ook weten van het fonds? Wat zou dat lekker zijn.

Straks op vakantie, als ze een week een villa delen in Italië, dan komt het wel.

Ze praten even over de kinderen en dan herinnert Anneleen zich weer de afspraak voor aankomende zaterdag.

'Dit weekend zijn wij aan de beurt. Van Weelde moet weer zo nodig een hapje komen eten. Ik heb er echt helemaal geen zin in.'

'Ja, wij hebben de Godfather vorige week zaterdag gehad. Wat hebben die kerels toch met die man? Ik vond het in het begin wel wat hebben, en dacht ook dat dat normaal was in jongensdisputen. Maar minder werd het bepaald niet. Het is echt niet helemaal gezond wat mij betreft. Ze doen meer voor die man dan voor hun schoonvaders.'

'Inderdaad. Ze verdelen de Godfather zelfs onderling bij zijn bedevaart.'

Sinds jaar en dag loopt Van Weelde een paar etappes naar Santiago de Compostella voor zijn zielenheil en krijgt hij er een van zijn jongens bij. Op foto's hebben de dames gezien hoe Van Weelde daarbij gehuld gaat in een knickerbocker van voor de Tweede Wereldoorlog met rode kniekousen en een soort knapzakje met zuurdesembrood waarmee je iemands hersens kan inslaan.

'Dat outfitje vind ik buitengewoon sympathiek, en dat van dat brood weet ik van Frits,' zegt Anneleen. 'Verder geen kwaad woord van hem over de ouwe. O ja, Frits sms'te dat hij zich de pakezel voelde omdat hij buiten de knapzak om de rest van de bagage moest torsen. Nette kleren voor eventuele luxe onderkomens op de route, een campinggasje, scheersetje en het speciale kussentje ter voorkoming van een pijnlijke nek.'

'Absurd gewoon. Dat onze mannen, sommige uitgezonderd, leidinggevende functies hebben, ons een grote bek geven, keihard onderhandelen over een kwartje loon per uur meer of minder, maar dat zij schoothondjes zijn van die ouwe zak. Ik hoor die ouwe ook nooit over andere mensen; hij heeft blijkbaar helemaal geen eigen leven.'

'Nee, Cato, het is nog erger, hij vindt dat Magistra '79 zijn leven ís, alsof het zijn eigen kinderen zijn. Heel raar. Ik begin er echt tabak van te krijgen. Maar het is onbespreekbaar. Mijn vader is natuurlijk al behoorlijk hulpbehoevend en de Gersteblommetjes zijn, zoals je weet, ook nogal aanwezig, en dan heb ik nog mijn stokoude schat van een buurvrouwtje die mijn privé-Tafeltje-dek-je is. Ik vind het wel mooi zo.'

Cato knikt. 'Hij heeft ook overal een mening over, ook zo irritant.

Ik heb er zelfs ruzie over gehad met Pier. Jullie?'

'Het is moeilijk om ruzie te maken met Frits. Ik heb hem ooit een schop gegeven, maar toen brak ik mijn grote teen en híj voelde niets. Hij vond het grappig. Toen moest ik natuurlijk ook lachen. Nee, geld, de kinderen of de vakantiebestemming zijn voor ons geen onderwerpen om ruzie over te maken, dat alleenrecht is voorbehouden aan Van Weelde.'

'Nou, van die rituele ruzie is Do dan nu in ieder geval af.'

'Kreng dat je bent! Zullen we een bestellinkje plaatsen? Ik heb honger. Zie jij de kaart? Trouwens, over Do gesproken, zal ik haar binnenkort vragen of ze zin heeft voor mij wat serviesjes te gaan bekijken die ik aangeboden krijg? Ik kan haar ook meenemen naar antiekveilingen en broccantes. Ze heeft tenslotte kunstgeschiedenis gedaan. En het leidt af. Ik wil de winkel een dagje extra opendoen vanwege de crisis, dus ik kan best hulp gebruiken. Betaal ik haar natuurlijk gewoon. Wat vind je?'

'Nee, joh! Nog veel te vers. Wacht daar maar een paar maanden mee. Laten we haar over een week of wat een weekend meenemen naar de Biënnale in Venetië. Of als ze dicht bij huis wil blijven naar Vlieland. Daar kan je ook goed shoppen.'

'Goed idee. Laten we proberen uit te vissen waar ze zin in zou hebben,' zegt Anneleen. Ze denkt even na en zegt dan: 'Ik vind dat we sowieso een keertje iets aan haar garderobe moeten gaan doen. Die ellendige panterprintjes en al dat suède. Ik vind het zo'n merkwaardige combinatie: chic van d'r eigû en dan zoiets ordinairs, zeker met die donkere uitgroei erboven. Dat ze dat niet ziet vind ik zo gek voor iemand met smaak. Ik heb haar een keer een heel dure zijden shawl van Paul Smith gegeven, maar die draagt ze gewoon niet. Ik heb zin in een B L T . Jij?'

'Dat staat niet op de menukaart. Wel een risotterlo. Rijst met humor, ben ik bang. Vind het meer iets voor Bar Gezellig. Hier bij de Hoge Veluwe wil ik edelhert of everzwijn, desnoods over m'n sla.'

Cato bewaart gelukkig alles. Ryam-agenda's van de middelbare school, volgeplakt met gedichten, spiekbriefjes, smiley's en foto's uit de Popfoto en de Tina. Sinterklaasgedichten vanaf het jaar dat ze kon lezen. Ansichtkaarten die ze zelf ooit verstuurde aan haar ouders. Post van vriendinnen van de middelbare school en uit haar studententijd. Briefjes van huisgenoten uit haar studententijd. En een pakket fanmail, zoals ze het zelf noemt, van Pier, Matthijs, vrienden en vruchteloze liefdes. Zodra ze thuiskomt na de lunch met haar schoonzus, loopt ze naar zolder om in de linnenkast een roestig blik op te diepen met haar fanmail. Ze is zelf ook geïntrigeerd geraakt door haar eerste jaren in Amsterdam. Pijn in haar buik dat die tijd definitief voorbij is. Er moeten briefjes tussen zitten van Pier die haar kunnen terugbrengen. God, wat is het lang geleden dat ze dit blik heeft geopend. Een ansichtkaart met een roeispaan in een zwembad van een leider van een zomerkamp: 'Cato, heb jij de andere roeispaan?' Vergeelde enveloppen met het handschrift van Pier. Ze opent een brief die Pier kennelijk heeft verstuurd vanaf Camping de Appelhof op Terschelling. Cato gaat op de grond zitten en leunt tegen de kast. Pier heeft de brief geschreven op 6 juli 1982.

Liefste Caatje,

Ik mis je vreselijk. We moeten hier nog tot en met vrijdag blijven omdat Cees zo stom is geweest een week vooruit te betalen voor deze hopeloze camping. Dat was goedkoper. Het eiland op zich is nog niet eens zo erg, maar de mensen die hier rondkuieren zijn zo onverdraaglijk. Allemaal van die Noorderlingen die ons staan aan te gapen als we voorbijkomen. Dat ze Charles vreemd vinden als hij in zijn kamerjas 's middags naar de bakker strompelt en Frits omdat hij bij voorkeur in zijn slaapzak op het strand ligt, dat snap ik nog. Maar de rest? Nee. Onbegrijpelijk. Die lui vinden ons te moeilijk praten en verklaren de hele tijd vrolijk dat ze ons niet verstaan. We hebben met alle eilanders ruzie en door de overige toeristen worden we volkomen geïsoleerd. Maar we zetten moedig door. Onderling gaat het werkelijk te gek. Floris moet voor de hasjvoorziening zorgen, een taak die hij heel serieus opvat. We blowen van één uur 's middags tot zes uur 's morgens. We zijn daardoor zo duf dat we de hele dag niets doen. Floris...

Cato stopt even met lezen omdat de tranen haar in de ogen lopen.

... mag als Assessor I het sein tot het maken van een joint geven. Mike, die overigens alles wat hij kon vergeten, is vergeten (slaapzak, toilettas, zwembroek etc.), is als Assessor II de rechterhand van Floris. Broeder Frits mag het teken tot eten geven. Hij klapt dan driemaal in zijn handen en roept vervolgens uit volle borst: 'Fames est.' Het eten bestaat vaak uit patat met een broodje kroket. Frits heeft werkelijk de hele dag door honger en zit constant over de kwaliteit van het eten te pruilen. Verder hebben we fietsen gehuurd zodat we ons vrij gemakkelijk kunnen verplaatsen over het eiland. 's Nachts rijden we naar het strand om er romantische kampvuurtjes aan te steken en worstjes te roosteren. Bij zonsopgang is het strand met de duinen echt heel erg mooi. Als de zon op is, tuffen we terug naar de tent om te slapen. Deze ochtend zijn we door ons punkbuurmeisje gewekt met koffie. Behalve ik natuurlijk, is de rest waanzinnig verliefd op haar geworden. Ze is echt het enige leuke meisje op dit hele roteiland. Zij is de enige met wie we geïntegreerd hebben en die niet door ons is geïsoleerd, daar we op het standpunt zijn gaan staan dat we ons niet door het eiland laten isoleren, maar dat we zelf het eiland moeten isoleren. Deze brief is gewoon te kort om te illustreren hoe erg het hier is. Neem nou de kampoudste. Een ontzettende baard, waar we elke dag ruzie mee hebben. Dan weer omdat we een fikkie voor de tent hebben gestookt, te veel lawaai maken, levende muziek produceren, onze kratten en flesjes over het pad laten slingeren. Hij wijst dan steeds op regel 3 en 4 van het kampreglement, en wijst ons daarna op regel 8 die inhoudt dat als je regel 3 en 4 overtreedt, je van de camping wordt getrapt. Dan is er nog de fietsverhuurder, die Floris al twee keer heeft betrapt op het vervoeren van mensen achter op de fiets, en die helemaal naar de tent komt om te zeggen dat we dat niet meer mogen flikken. Zo gaat het de hele dag door. Iedereen hier is tegen ons en probeert het normale leven te verhinderen. Heb meelij met onze deerniswekkende situatie. Ik zal pas weer gelukkig zijn als ik jouw warme lekkere kont tegen me aan voel.

Je P

Cato vouwt het epistel terug in de enveloppe en legt hem apart. Leuk voor Pier. Misschien kan hij de brief scannen en versturen naar alle Magistraten. Ze rommelt verder door het blik en vindt een kattebelletje van Floris.

Pier, Cato,

Deze brief leg ik naast jullie bed, waarin jullie prinsheerlijk een gat in de dag liggen te slapen. Ik beken dat ik bij het binnenlopen van jullie kamer niet heb kunnen vermijden dat ik de borsten van Cato heb gezien, maar ik zal daarover zwijgen als het graf tegenover de rest van het dispuut. Jullie zijn een prachtstel, in feite de Kennedy's van het Magistra-huis.
Wat ik wilde zeggen is het volgende: toen ik vannacht thuiskwam struikelde ik ten gevolge van overvloedig drankgebruik de keuken in. Ik opende de ijskast, raakte buiten bewustzijn van de kou, en toen ik weer bijkwam was het eerste wat ik zag een stuk kaas. Om mijn

eigen leven te redden middels het omhoogbrengen van de bloedsuikerspiegel, heb ik dat kaasje soldaat moeten maken, hoewel ik wist dat het hier een stuk kaas van Pier dan wel Frits betrof. Niemand anders dan een Gersteblom is immers zo gek om brandnetelkaas van de bioboer aan te schaffen. Frits zei mij zojuist dat het niet van hem was, omdat het dan al in zijn maag zou zitten, hetgeen betekent dat ik jullie een kaasje verschuldigd ben, waarvan akte. Helaas zijn mijn centen deze week op. De Cock bedelde zo lief naast haar volle bak brokken dat ik mij gedwongen zag een biefstukje voor haar te gaan halen. Ze was mij natuurlijk weer niet dankbaar, maar vrat het in dertig seconden op om vervolgens zonder mij een blik waardig te keuren in de tuin te gaan liggen vegeteren. Vrouwtje, vandaar. Morgen heb ik weer geld, want ik heb nog een en ander uitstaan her en der. Dan volgt dus kaas. Alhoewel Cato blijkt te beschikken over bijzonder smakelijke edammertjes en er dus al genoeg voorhanden is voor vriend Pier. Hier vast rente in de vorm van de fles die ik vandaag heb gekregen wegens het uitlenen van mijn rok. Gezien jullie staat van uitputting lijkt het mij overkomelijk dat jullie straks boterhammen met tevredenheid moeten eten, bofkonten. Ik hoop getuige te mogen zijn op jullie huwelijk.

Floris

Cato zit te snikken als een kind, met gespreide benen en een blik brieven op schoot. Hoe is het mogelijk dat die man dood is? Ze moet dit geweldige epistel aan Do en de kinderen sturen. Typisch Floris, een godsvermogen uitgeven aan eten voor de poes. Dat herinnert ze zich nog. Ook typisch Floris: zichzelf uitnodigen als getuige. Natuurlijk was hij Piers getuige geworden, samen met Frits. Met verve hadden ze het aangepakt, alleen de voorbereiding van het huwelijk al was mede door Floris één groot feest. Ach, ach, ach.

59

Pier belt Frits om elf uur 's avonds. Frits neemt op met 'Wat is er? Alles goed?'

'Hoezo?' zegt Pier.

'Het is laat. Hoe gaat het?'

'Ik bedacht me ineens dat ik helemaal niet weet wat jou op dit moment bezighoudt. Voor je het weet val je dood neer en dan weet ik dat niet. Van die klootzak weet ik goddank in ieder geval wat hij wilde.'

'Hé, heb je gehuild? Ik hoor het.'

'Ja, klopt. Jij?'

'Ja. Ik wilde eigenlijk net naar bed, broertje. Ik ben doodmoe. Ga slapen. Ik bel je morgen.'

'Dus, wat houdt je bezig? Weet je het niet?'

'Luister, jij hebt je in het therapiecircuit gestort, ik dacht trouwens dat je ermee was opgehouden, maar ik kan en wil dit soort gesprekken niet voeren, geliefde broer.'

'Oké, oké.'

'Oké.'

'Nou.'

'Ja.'

'...'

'Wat eet je?'

'Ja, sorry, ik had honger. Nog een stuk pruimentaart. We hadden eters.'

'Lekker,' zegt Frits. Pier hoort Frits de ijskast openen en erin rommelen.

'Ah! Nog een lekker kaasje. Loopt bijna weg. Zit cognac in.'

Frits vermaalt nu ook voedsel aan de telefoon. Ze hebben het even over rauwmelkse kazen en het dodelijke Europese beleid op dit punt. En vervolgens over het beste adres voor merguezworst.

'Dan iets anders,' zegt Frits. 'We hebben ooit afgesproken dat we voogd zijn voor elkaars kinderen. Dat moeten we even laten vastleggen. Het komt er steeds niet van, maar het is wel belangrijk.'

'Eens,' zegt Pier.

'Goed, ik zet het in gang,' zegt Frits.

'Oké.'

'Oké.'

Ze verbreken de verbinding. Pier voelt zich stukken beter.

Cato zegt vanaf de bank: 'Nou, dat was weer een diepgaand gesprek.'

Pier draait zich verbaasd om. 'Hoezo?'

'Nou, dat ging toch weer helemaal nergens over?'

'Waar heb je het over? Ik vond het een prima gesprek,' zegt Pier. Hij zet de taart onder een gazen Blokker-stolp, door Cato voorzien van witte en gele vilten bloemetjes met roze plastic stampertjes. Waarom iets wat al lelijk is, nog lelijker maken? Soms is zijn vrouw niet te volgen.

* * *

Magistra '79 zal elkaar treffen op het kantoor van Van Weelde. Er was hevig e-mailverkeer nodig voordat de datum kon worden vastgesteld, al deed iedereen nog zo zijn best. Floris is alweer drie weken dood. Matthijs komt natuurlijk niet over, maar heeft laten weten zich bij iedere beslissing aan te sluiten. Pier is met 150 km per uur uit Joppe komen rijden in zijn zilverkleurige Range Rover en heeft zijn broer opgehaald op diens kantoor in Amersfoort. Hun gesprek ging over de vijfenzeventigste verjaardag van hun moeder. Ze maken een lollig filmpje, dat zal worden vertoond tijdens het diner. Life goes on, ook zonder Floris. Hard maar waar. Rode draad 1: Frits was volgens oma Gersteblom, die haar werkende schoondochter trouwens totaal ongeschikt vond voor haar onvolprezen enige zoon, een zevenmaandskindje. Maar wel eentje van negenenhalf pond. Ze hield tot in de dood vol dat het kind na de huwelijksvoltrekking was verwekt. Rode draad 2: het destijds merkwaardige huishouden van een fulltime werkende moeder en een huisvader met als voordeel: andere jongens moesten van hun moeders, verstrikt in de tweede feministische golf, nogal eens met poppen spelen en knutselen na school. Dat hoefden zij van hun vader nooit. Papa bouwde legeropstellingen met ze dat het een aard had, en als ma van haar werk kwam werd ze wel eens opgewacht door drie getooide en beschilderde bloeddorstige indianen in hinderlaag achter de bank. Rode draad 3: ma is vorig jaar alsnog gestopt met roken. Van deze huisarts in ruste is, zo bleek tijdens het zoeken naar materiaal voor het aan te bieden boekwerk, geen foto te vinden waar ze zonder sigaret op staat. Zelfs haar kinderen hebben haar ernstig afgeraden op hoge leeftijd alsnog te stoppen, maar ze vond roken nu echt te duur worden.

Wanneer ze bij Van Weelde arriveren en de auto achter het huis zetten, staan er al drie geparkeerd.

Cees is opgefokt binnengekomen. Hij had file en daarvan zal iedereen zeker een kwartier moeten meegenieten. Mike laat koffie brengen naar zijn chauffeur. Acht heren in de vergaderkamer van Van Weelde & Partners, notarissen en procureurs. Poppe is na de begrafenis weer verdwenen. Op vragen over waar hij zich recentelijk ophield, had Poppe vaag glimlachend nauwelijks geantwoord. Nu is het wachten op Philip, doorgaans niet iemand die te laat komt. Pier loopt naar buiten om een sigaret te roken op de laan en ziet Philip verderop naast zijn auto staan. Hij kijkt peinzend in de verte. Flip heeft het zich altijd het meest aangetrokken, denkt Pier. De arme stakker zat immers achter het stuur, hoewel hem dat nooit is nagedragen. Het was een gemeenschappelijk ongeluk, ze hebben allemaal evenveel schuld. Dat is ook honderd keer gezegd. Tja.

Pier besluit Philip, die hij graag mag, niet lastig te vallen en gaat terug naar binnen. Daar wordt gebabbeld over koetjes en kalfjes, skioorden, huiswerkinstituten, hybride auto's, Wimbledon. René, freelancejournalist van wie een origineel en uitgewerkt voorstel voor een serie in een krant zonder credits is overgenomen door een redacteur van die krant, stelt Van Weelde een vraag over de rechten op zijn concept. Van Weelde zal bellen met een vriendje dat intellectuele eigendom doet, maar hij ziet er weinig heil in.

'Beroepseer wordt steeds zeldzamer. Tegenwoordig draait alles alleen maar om geld,' zegt de notaris.

Pier haalt de brief die Cato heeft opgediept uit zijn zak en vraagt aandacht voor wat hij destijds schreef vanaf Camping de Appelhof. Hij leest hem helemaal voor en ziet uit zijn ooghoek dat Charles het te kwaad heeft.

Volgens Frits lag hij op het strand in die slaapzak om zijn 'goddelijke lijf te beschermen tegen ieder spatje zon' en nam Floris uiteindelijk het punkmeisje onder luid protest van de fietsverhuurder achterop om een duinpan uit te testen op privacykwaliteit.

'Dat meisje is kort na de vakantie nog wel eens langs geweest op het Huis, maar toen had Floris geen interesse meer. Ik geloof dat Matthijs nog een rondvaart met haar is gaan doen en haar heeft afgezet bij een krakersbolwerk op het Spui.'

'Helemaal niet waar, man, van die rondvaart. Dat was een ander exje van Floris. Ook een knorrenmeisje, dat vond hij een uitdaging, want die waren volgens hem net iets moeilijker te pakken. Toen punkertje erachter kwam dat wij van het corps waren, vond ze ons fascisten. Maar voor fascisten waren we dan wel opvallend aardig, zei ze erbij. Ik vraag me eerlijk gezegd af of Floris punkmeisje wel klein heeft gekregen in die duinpan. Daar was in ieder geval niets van te merken. Ze heette trouwens Berta. In onze volksmond liefkozend Berta '79 genoemd, weet je nog? Volgens Floris de beste melkkoe *ever*. Berta leek overigens in helemaal niets op een koe.'

'Nou, ter zake dan maar,' zegt Cees. 'Kijk eens aan, daar hebben we Philip.' Philip mag eerst koffie, vinden de anderen. Maar Philip wil geen koffie. Hij blijft staan.

'Ga zitten, neem een stoel.'

'Ja, relax, we zijn onder ons.'

Philip ontspant niet. Hij heeft een ei te leggen.

Van Weelde kijkt de kring rond. Hier zitten dan zijn protegés. Kinderen heeft hij zelf niet gekregen, maar het komt voor zijn gevoel dicht in de buurt.

'Wat heb je op je lever, Philip?' vraagt hij vriendelijk. Philip kijkt rond. Hij ziet zijn jaargenoten, zijn vrienden voor het leven. Er zijn weinig mensen met wie hij zo veel intiems heeft gedeeld, en toch voelt hij zich onveilig. Hij haalt diep adem. Al een tijdlang houdt hij zich bezig met de vraag hoe hij dit gaat brengen. Hij is nota bene communicatieadviseur, maar kon zichzelf niet adviseren. *Back to the basics* dan maar. Vervelend nieuws onverhuld brengen, zonder omhaal, in zo min mogelijk woorden. De klappen incasseren als een vent, niet liegen en draaien, en pas als daar om wordt gevraagd verzachtende omstandigheden aanvoeren. Hij slikt, schraapt zijn keel en zegt luid en duidelijk: 'Ik heb de weduwe gesproken.'

Hij staat rechtop, stevig op beide benen, en recht zijn schouders. Kom maar op, denkt hij. Hij kijkt Van Weelde aan en ziet het bericht ietsje vertraagd landen in diens brein. Van Weelde kijkt van hem weg en zucht nauwelijks merkbaar. De rest kijkt Philip afwachtend aan. Alsof hij nu gaat zeggen: geintje!

Pier kijkt vragend naar Frits. Hij begrijpt het niet. Hij vraagt: 'Do?' Dat vinden een paar anderen, gezien het alternatief, een opluchtende nieuwe gedachte. Die kijken nu hoopvol naar Philip.

'Ja, bedoel je Do? Logisch. Was er nieuws?'

Maar de meerderheid weet wel beter.

'Nee, ik bedoel niet Do. Natuurlijk niet.'

Dan barst het vragenvuur los. Jezus, hoe kun je dat nou doen? Hoe heb je contact met haar gezocht? Cees begint meteen over geld.

'En heeft zij de drankjes betaald? Van ons geld?' De anderen snoeren hem de mond. Daar maakt Cees zich kwaad over. Ze praten als opgewonden pubers door elkaar heen. Philip, Mike en Van Weelde zeggen niets.

Dan neemt de notaris het woord. Oefening baart kunst en zijn lengte helpt zeker mee. Hij gaat staan en weet door zachtjes 'jongens' te zeggen iedereen stil te krijgen.

'Laat Philip even vertellen. Zonder commentaar.'

Philip begint bij het begin. Hoe hij altijd voelde dat simpelweg geld overmaken te gemakkelijk was. Dat hij wilde weten hoe het ging met de vrouw en de kinderen van de man die zij hebben doodgereden. Het was een ongeluk, dat weet iedereen. Maar dat nam niet weg dat er slachtoffers waren. De man was dood en hij liet een jong gezin achter. Philip begreep eerlijk gezegd niet dat de anderen nooit persoonlijke belangstelling hadden getoond.

'Even tussendoor,' zegt Pier, 'heb je dit met meer mensen gedeeld?'

'Nee,' zegt Philip. 'Afspraak is afspraak.' De vraag of contact opnemen dan niet tegen de afspraak was, wordt van alle kanten op hem afgevuurd. Philip zegt dat daarover nooit iets is afgesproken.

'Nee, want dat komt niet eens bij je op. Een kind begrijpt dat dat niet kan. Snap je dat niet? Kon je niet gewoon naar de shrink of zo?' vraagt Pier.

'Daar mag je het wel aan vertellen?' vraagt Philip. Iedereen kijkt naar elkaar. Wie heeft het aan een psychiater verteld?

'Die hebben beroepsgeheim,' zegt Frits. Mijn broer dus, denkt Pier.

Van Weelde grijpt in. Vermoeid vraagt hij eventuele bekentenissen om de beurt te doen en niet door elkaar heen te praten. Hij had als een berg tegen deze sessie opgezien, maar dit had hij niet kunnen voorzien. Hij beschouwde het als een regelrecht wonder dat het ongeval niet was uitgekomen. Als hij iets had geleerd tijdens zijn leven, in zijn praktijk, uit de geschiedenis, is het dat altijd alles uitkomt. Mensen kunnen hun mond nu eenmaal niet houden. Hij ziet het bewaard blijven van het geheim graag als zijn eigen verdienste, het gevolg van zijn vaderlijke inspanningen.

De afgelopen dertig jaar heeft hij vele momenten doorgemaakt waarop hij de bijl al bijna zag vallen. Eerst de intense verliefdheden op slimme, nieuwsgierige vrouwen. Wie dolverliefd is wil alles, en dan ook echt alles delen. Daarbij kwam de onwilligheid van Cees om te betalen, die tot een hoogtepunt kwam toen hij even snel scheidde als hij getrouwd was. Later de drankproblemen van Mike, die gelukkig tot de weinige alcoholisten leek te behoren die zich weten te hernemen. De klassieke midlifecrises van Pier een jaar of vijf geleden, inclusief opmerkingen als 'ik sta met panne op de vluchtstrook van de maatschappij', lachtherapie in het Vondelpark, te hippe kleren voor zijn uitdijende postuur, een gemillimeterde kop, een Riva-speedboot op Loosdrecht en een moeilijke relatie met een nogal gestoord meisje dat hij kende van de Landmarksessies op wie niemand jaloers was, zelfs de vrouw van Pier niet. Die onderhoudt al dertig jaar veel te warme contacten met Matthijs, weet hij, maar dat ziet verder blijkbaar geen sterveling. Niets menselijks is zijn protegés vreemd.

Doordat de klap telkens toch uitbleef, werd Van Weelde zich steeds bewuster van zijn eigen leidende rol. Hij is bijna met pensioen, wie moet de boel straks in het gareel houden? Deze smet op zijn jongens moet hoe dan ook onder de pet blijven.

Toen de jongens in die koude herfstnacht bij hem kwamen, heeft hij een beslissing genomen. Dus zingt hij het uit tot het eind. Van Weelde vond destijds dat ze een kans moesten krijgen, zoals hij zelf een kans had gekregen van de vader van Floris. Dertien jaar had hij over zijn studie gedaan. Waar andere eeuwige studenten hun cv vulden met verre reizen, werkervaring, bestuursbanen, toneelspelen, blaadjes volschrijven of andere zaken die hen interessant maakten, had hij al die dertien jaren lang niets gedaan. Zelfs voor een jaartje disputbestuur was hij te lamlendig geweest, wat hem niet in dank was afgenomen. Dankzij zijn erfenis hoefde hij zijn hele leven niet te werken als hij geen al te gekke dingen deed. Deze mazzel vormde bepaald geen stok achter de deur. Aangezien hij met negens van het gymnasium was gerold, was de studie rechten op zijn zachtst gezegd geen intellectuele uitdaging. Voor reizen was hij te veel gesteld op comfort. De verhalen over rugzakbelevenissen langs de Middellandse Zee en in de Karpaten deden hem gruwen. Afrika en Azië waren toen nog niet eens ontdekt als vakantiebestemming. Wel spelde hij de *National Geographic*, de *Revisor* en *Ons Amsterdam*. Niemand was beter op de hoogte van de internationale verhoudingen en de laatste wetenschappelijke ontwikkelingen. Hij bracht zijn tijd door met ten minste tien uur slapen, koffiedrinken op terrasjes en naar mensen kijken, en dan volgde de wandeling naar boekhandel Athenaeum voor *The New York Times*, de *Frankfurter Allgemeine* en *Le Monde*. Met de kranten was hij zo tegen vijven klaar en dan ging de kurk van de fles. Een enkele keer ging hij met een studieboek naar de UB, waar hij doorgaans binnen een kwartier in slaap sukkelde met zijn hoofd op zijn armen.

De eerste jaren vond men hem hoogintelligent, een talenwonder en bijzonder veelbelovend. Toen iedereen na een jaar of drie, vier een beetje uitgezopen en -gereisd raakte en aan zijn toekomst ging werken, werd zijn wereldje steeds kleiner. De kurk ging nog steeds iedere dag tegen vijven van de fles, maar er waren niet veel dagen meer dat zijn vrienden ouderwets gezellig meededen. Hij maakte vrienden met alcoholisten en nachtvlinders in de kroeg op de hoek en hij werd een habitué bij Chez Nelly op de Wallen, waar hij van Gert-Jan Dröge bij binnenkomst een spiegeltje kreeg voorzien van zijn naam. Maar cocaïne vond Van Weelde vulgair, hij hield het bij drank. Hij praatte eindeloos in Café De Zwart met mannen die het zouden gaan maken in de boekenwereld. Een enkeling zag hij nu nog wel eens terug in de schappen van de boekhandel of in de krant. Van al die nachtenlange gesprekken was hem niets van betekenis bijgebleven.

Nog later, toen al zijn vrienden werkten en gezinnen stichtten, werd hij enigszins zonderling. Hij werd nog steeds op ieder feestje uitgenodigd, maar hij kreeg in de gaten dat men hem niet meer hoogintelligent, een talenwonder en veelbelovend vond. Eigenlijk al heel lang niet meer. Hij had hun niets meer te melden. Toen hij dit eindelijk onder ogen durfde te zien, maakte hij zich kwaad en studeerde alsnog af. In no time. Maar toen hij ging solliciteren bleek dat niemand hem wilde hebben, met zijn krantenwijsheid. Behalve de vader van Floris, Magistraat. Die nodigde hem uit op kantoor, en bood hem een kans, enkel en alleen omdat het een dispuutgenoot betrof.

'Als je niet aan het werk gaat donder ik je er zo weer uit,' had hij gezegd, waarna hij Van Weeldes benoeming erdoor had gedrukt bij de medevennoten van zijn notariskantoor. En Van Weelde greep zijn kans. Hij werkte hard en werd een veel gelukkiger mens. Voor het onderhoud van zijn fameuze feitenkennis had hij geen tijd meer. Hij kreeg weer een sociaal leven waarin hij geen verplicht nummer was. Toen de oude Bussemaker zich vervroegd terugtrok, begon hij een eigen kantoor.

Toen de jongens hun verhaal vertelden, die bewuste nacht in 1979, wist hij meteen dat het geheim moest blijven. Het waren geen kwaaie jongens, het was een ongeluk. Als ze naar de politie gingen, zou er een groot zwart kruis over hun cv komen te staan. Ze zouden er waarschijnlijk met een voorwaardelijke celstraf van afkomen, maar het zou ze altijd blijven achtervolgen. Ons kent ons, binnen drie dagen zou iedere banenvergever van het land weten om welke jongens uit welk dispuut het ging. Magistra '79, die jongens die die vent hebben doodgereden. Nu waren ze slechts Magistra '79, het jaar dat het als enige in de honderddertigjarige geschiedenis van het dispuut niet voor elkaar had gekregen zich na de dropping zelfstandig op het juiste adres te melden. Daarover werden nog steeds grappen gemaakt op lustra.

'Het jaar '79 moet vanavond wat eerder weg. Dat moet nog naar Brussel.'

Homerisch gelach.

Hij had de jongens bij elkaar geroepen nadat de gemoederen waren bedaard. Hij vond dat ze hun verantwoordelijkheid moesten nemen. Zij hadden de gelegenheid een goed inkomen binnen te harken. Ze hadden alles mee. Hersens, opleiding en gezondheid. De weduwe van een beveiligingsbeambte beschikte zeker niet over een vetpot. Hij had het uitgezocht. Hij begreep niet hoe je van zo'n bedrag kon leven met twee kleine kinderen. Ze had nauwelijks meer dan de eerstejaars te spenderen, maar die begrepen heel goed wat het verschil was. Alleen Cees vond dat de weduwe maar moest gaan werken. Er was toch kinderopvang? Zijn moeder had dat toch ook gedaan toen zijn vader ervandoor ging? Cees minachtte zijn moeder, maar voerde haar nu op als working class hero. Iedereen ging akkoord met het voorstel van Van Weelde. Cees ten slotte ook, hij moest wel. Ach ja, als je elf zoons hebt, voldoen ze natuurlijk niet alle elf aan je verwachtingen, denkt Van Weelde.

Zodra ze een inkomen kregen, zou er jaarlijks een bedrag worden overgemaakt naar de stichting Het Elfde Gebod. Tot die tijd droeg de notaris zorg voor een jaarlijkse som onder het beding dat de jongens het hem inclusief wettelijke rente zouden terugbetalen. Van Weelde zorgde voor een constructie waardoor de weduwe dit geld leek te ontvangen uit het weduwe- en wezenfonds van de kartonfabriek. Voor Cees was het lastig omdat die straks ook zijn studiefinanciering moest aflossen. Hetzelfde gold voor Mike, die geen cent kreeg van zijn vader, maar die piepte nergens over. Hij verdiende al tijdens zijn studie genoeg geld bij. Werken voor je geld hoefde niemand Mike te leren, dat was hem aangeboren. Zowel Cees als Mike kreeg trouwens de eerste vijf werkjaren uitstel van betaling.

Gedeeld door elf was het salaris van hun slachtoffer gemakkelijk op te brengen. Poppes geld kwam onregelmatig en van wisselende rekeningen, maar het kwam wel. De meesten van hen merkten de laatste vijftien jaar niet eens meer in hun portemonnee dat het werd afgeschreven. Peanuts. Het ging nergens over. Alleen broodschrijver René voelde het nog. Floris en de broers hadden diverse keren aangeboden zijn aandeel over te nemen, maar dat wilde hij niet.

'Dan had ik maar een echte baan moeten zoeken,' zei hij. 'Eigen keus.'

Dat ze met zijn drieën al jaren voor Matthijs betaalden wist iedereen. Matthijs leefde van niks en stopte iedere stuiver in zijn patiëntenvoorzieningen. Hij kreeg regelmatig geld van jaargenoten voor projecten. Charles was een stevige donateur, en Pier maakte iedere keer dat hij een nieuwe auto kocht hetzelfde bedrag over aan Matthijs. De foto's van gebouwen en waterputten die daarmee werden betaald, bewaarde hij in zijn nachtkastje. Op het toppunt van zijn midlife was dit het enige wat hij nog een beetje leuk vond aan zichzelf, en zelfs daarover had hij ambivalente gevoelens. Het was een moderne vorm van aflaat. Meer niet. Ga godverdomme zelf naar Afrika. Niet even twee maanden, als egotherapie, maar tot je zelf iets van de grond hebt gekregen, zo hield hij zichzelf voor. En blijf als het klote wordt. Zijn vrouw wilde wel mee. Maar hij ging niet. Later, dacht hij. Later. Volgend jaar wordt hij godbetert al vijftig. Als hij niet opschiet is er geen later meer. Voor je het weet ben je hartstikke dood.

Pier kijkt om zich heen. Waarom zaten ze hier ook alweer? O ja, Cees wilde ophouden met Het Elfde Gebod. Cees vond het wel mooi geweest en ze waren niet meer met zijn elven. Cees vond de dood van Floris een mooie aanleiding om er een punt achter te zetten. En nu blijkt die idioot van een Philip de weduwe te hebben opgezocht. Die vrouw zal inmiddels in de vijftig zijn. Jezusmina. Best oud voor een vrouw. Zou Philip het met haar hebben aangelegd? Zijn gezicht licht op.

Hij is blijkbaar niet de enige die zich dat afvraagt.

'En? Je valt toch op oudere vrouwen, Philip?' vraagt Frits. 'Brigitte was ook ouder dan jij.' Brigitte was twintig jaar lang Philips knipperlichtrelatie. Toen ze elkaar leerden kennen, was Philip twintig en zij over de dertig. Philip vond meisjes van twintig doorgaans nogal stompzinnig en vervelend. Heel uitdagend, maar als puntje bij paaltje kwam onzeker en veel te aanhankelijk. Brigitte was zelfstandig en vond hém te afhankelijk van haar. Ze was ook niet trouw. Uiteindelijk bloedde het dood, achteraf gezien veel te laat, denkt Philip. De ene na de andere dame in vruchtbare leeftijd had zich bij hem aangediend. Hij vond ze altijd al snel slaapverwekkend. Jaloers bekeek Philip de gezinnen van zijn vrienden, en dan vooral de vanzelfsprekende liefde van de ouders voor hun kinderen. Maar de omgang tussen de echtparen onderling vond hij beklemmend. Vooral de neiging van veel vrouwen hun man te controleren op ieder denkbaar terrein, verschafte hem troost in eenzame tijden.

Philip ziet nu een aantal jaargenoten met onverholen nieuwsgierigheid en lichte bewondering naar hem kijken. Dit vinden ze dan weer mooi. Blijkbaar is het een stuk minder erg als hij haar heeft gehad. Of vergist hij zich? Misschien vinden ze het juist veel erger, maar wel weer een verhaal om zich lekker over op te winden.

Zijn nieuwsgierigheid naar de weduwe was tot volle bloei gekomen toen hij voor de derde keer aan de beurt was om het geld dat braaf in de 'lustrumkas' werd gestort, in baar geld omgezet, naar Luxemburg te rijden. Daar werd het, zo had Van Weelde bedisseld, weggesluisd naar de uitkerende instantie 'Weduwen- en wezenfonds Van Wijk bv'. Het bedrag was gereduceerd sinds de kinderen het huis uit waren. Hoe zou het gaan met de weduwe? Wat was het voor een vrouw? De hele rit dacht hij erover na, met een tas vol flappen op de achterbank en Southside Johnny & The Ashbury Dukes op de ingeplugde iPod. Hij was er wel eens over begonnen met de anderen, maar niemand ging erop in. Of beter gezegd: ze vonden het geen gemakkelijk onderwerp van gesprek en dus géén onderwerp van gesprek.

Toen hij terugkwam uit Luxemburg was hij achter de computer gekropen. Gewoon, uit nieuwsgierigheid, dacht hij. Hij was niet van plan er iets mee te doen. Toen hij haar naam googelde, kwam hij terecht op de site van de plaatselijke tennisclub, waar ze vierde was geworden in een toernooi. Na een tijdje kon hij zich niet meer bedwingen en reed hij naar de club. Op het prikbord zag hij dat de vrouw wier man hij had doodgereden, les had op dinsdagavond. Het zweet brak hem uit. Hij besloot het uit zijn hoofd te zetten. Waar was hij mee bezig? Maar het bleef door zijn hoofd spoken en hij begon te fantaseren over de vrouw. Hoe ze haar leven had opgepakt na de dood van haar man, hoe ze het had gered met haar destijds piepjonge kinderen, en later hoe ze leefde en vervolgens al snel hoe haar liefdesleven er nu uitzag. Hij kon heel goed voorspellen wat een psychiater hierover zou zeggen, maar dat hielp geen biet.

Aan Floris had hij tijdens een gezamenlijke lunch nogmaals gevraagd of die niet wilde weten hoe het met de weduwe ging.

'Nee,' had Floris gezegd. 'Wat brengt dat? Gebeurd is gebeurd. Maar ik begrijp natuurlijk wel dat het bij jou dieper zit omdat jij aan het stuur zat. Uiteindelijk was er natuurlijk maar één die reed. Voor jou is het moeilijker. Laat het gaan, kerel. Je moet het van je afzetten, je hebt er niemand mee behalve jezelf.'

Philip had niets teruggezegd. Hij had niets laten merken, maar hij was boos. In de loop van de dag werd hij steeds kwader. Hij gaf zijn training van die middag op de automatische piloot en kreeg op weg naar huis een migraineaanval, die hij te lijf probeerde te gaan met een pil. Het hielp niet doordat hij de pil er direct uitkotste. In het pikdonker lag hij een etmaal op bed te wachten tot de aanval minder werd. Hij overwoog Floris te bellen en eindelijk een keer te zeggen hoe het zat, maar hij was te ziek om op te staan. Waarom had die klootzak het stuur gegrepen? Hij zat weliswaar zelf aan het stuur, maar eigenlijk had Floris het gedaan. Gebeurd is gebeurd, maar wel ietsje anders, Floris. Toen de volgende dag de pijn wegtrok, had hij zijn woede op Floris weer weggeredeneerd. Wat deed het ertoe? Niemand verweet hem ooit iets, dus waarom zou hij Floris iets verwijten? Dat zou niet eerlijk zijn. Hij was blij dat hij Floris niet had gebeld in zijn drift. Het zou gênant zijn geweest en bovendien nergens toe hebben geleid.

Het duurde nog drie jaar voordat hij weer actie ondernam. Er waren periodes waarin hij er niet aan dacht. Nu dacht hij er weer regelmatig aan, hij wilde ervan af. Als ik zie dat het haar goed gaat, denk ik er niet meer aan, hield hij zichzelf voor. Het is een soort van afscheid nemen. Daar is niks mis mee. Het kan alleen maar positief werken.

Hij reed weer naar de tennisclub. Het was de dag van het openingstoernooi van het seizoen. Het miezerde, maar dat maakte voor de sfeer kennelijk weinig uit op ATV De Tuinen. In het clubhuis was het een dolle boel. Hij was van plan geweest alleen maar even te kijken en had geen contact willen maken, maar het ging direct al mis. Hij vond niet de weduwe, de weduwe vond hem. Hij werd aangesproken door een opgewekte, mooie vrouw.

'Een nieuw gezicht, zie ik. Ben je pas lid geworden?'

'Ik kom het eens aankijken,' had hij gezegd. Hij had haar een hand gegeven en zich voorgesteld. Het werd even zwart voor zijn ogen toen de vrouw haar naam noemde, en het bloed gonsde nog lang door zijn hoofd.

De sessie bij Van Weelde verloopt verder rommelig, eigenlijk zoals destijds bij het groenweekend. Veel rumoer en gescheld, maar ook snedige opmerkingen waardoor iedereen toch in lachen uitbarst. Philip wordt doorgezaagd over de weduwe. Want nu hij haar toch heeft gesproken, wil iedereen natuurlijk wel alles weten. De kinderen zijn goed opgegroeid en opgeleid, zegt Philip. Op vragen over uiterlijke kenmerken antwoordt hij niet en op allerlei suggesties gaat hij niet in. Ranzige mannen zijn het, denkt Philip. Hij bezweert het gezelschap dat hij niks tegen haar heeft gezegd of zal zeggen.

Pier gooit er nog wat overblijfselen van diverse theorieën uit zijn eigen therapieën tegenaan om de actie van Philip te duiden, maar verzandt al snel in onbetamelijke vragen. Charles legt omstandig uit dat het vroeger heel normaal was om de vrouwen die je had verweduwd op te nemen in het huishouden. Ridderlijk, het juiste. Nobel. Philip is een erkende naam voor een edele. Philip de Grote, Philip de Veroveraar enzovoort. Zelfs Philip moet daar om lachen. Mike houdt zich geheel afzijdig, denkt er het zijne van en vraagt of Van Weelde niets te drinken heeft. Van Weelde benadrukt dat iedereen zich rustig moet houden en de boel kalm voor zichzelf moet overdenken. Ze zullen later weer bijeenkomen.

Na afloop besluiten Mike, Charles en de broers naar de dichtstbijzijnde kroeg te rijden. Mike bestelt als enige een glas wijn. De anderen kijken hem aan. En dan elkaar. Wie durft? Charles durft.

'Mikey, ben je weer aan de booze?'

Mike ontkent. Het is alweer jaren geleden, een wijntje af en toe kan best, gezien de omstandigheden. En hij wordt gereden. Bij de tweede ronde bestelt hij thee.

'Denk je dat Philip het haar alsnog gaat vertellen?' vraagt Mike.

'Niet dat het me nu nog veel kan schelen.'

Charles valt over hem heen.

'Hoezo kan je dat niks schelen? En de kinderen dan? Onze

ouders, nog even op de valreep! Lul niet zo dom.'

Frits denkt dat Philip niks gaat zeggen, hij ziet niet in waarom.

'Ik heb het Anneleen ook nooit verteld. Ik heb de neiging ook nooit gehad. Het hoort bij een vorig leven. Jullie toch ook niet?'

'Nee,' zegt Mike.

'Tuurlijk niet,' zegt Charles.

'Dit is anders,' zegt Pier. Frits kijkt op. 'Het vorige leven loopt hier toch doorheen? Als ze elkaar blijven zien, gaan ze zeker op een goed moment de dood van die man bespreken. Ze hoeft maar een keer in dat politierapport te kijken en ze ziet al onze namen. Dit wordt hommeles, dit gaat uitkomen. Kunnen we niet ingrijpen? We kunnen toch gewoon tegen Philip zeggen dat het hierbij moet blijven? Hij heeft haar nu gezien, het gaat goed, klaar. Vrouwen zat. Aan de andere kant is de misdaad hoe dan ook verjaard. Als je het al als misdaad wilt zien. Dus zo'n drama is het nou ook weer niet als het uitkomt. Van wie kunnen we nog last krijgen? Weet je nog hoe panisch Floris was dat zijn vader erachter zou komen? Gek was dat, als je bedenkt dat hij verder zo'n grote mond had. Nou ja. Ik vind: de kinderen worden volwassen, die kun je het ook zo langzamer-hand uitleggen. Ze kunnen het beter van ons horen dan van een ander.'

Frits kijkt nog steeds naar Pier. 'Heb je...' Zijn broer kijkt hem niet aan. 'Laat maar,' zegt Frits. Frits probeert, voor de zoveelste keer, te bedenken hoe zijn dochter zou reageren als hij het haar ver-telde.

Later in de auto zegt Pier tegen Frits: 'Als Mike nou weer gaat zuipen hoef ik hem nooit meer te zien. Niet weer een rondje Schot-land en puinruimen. Ik dacht dat het helemaal oké was. Jezus, ook dat nog.'

Ze zetten de radio op 1 en houden hun mond. Dat Pier het aan zijn vrouw heeft verteld, weet Frits nu bijna zeker. Anders had Pier net toch 'nee' gezegd? Hij denkt aan Cato. Kan die haar mond houden? Zou Cato het aan Anneleen hebben verteld? Dat kan toch bijna niet anders. Vrouwen en geheimen...

* * *

Ze hoefde maar te bellen, had Van Weelde gezegd, en hij zou onmiddellijk tijd maken voor Do. Inmiddels is het vijf weken na het plotselinge overlijden van Floris en dwingt Do zich er soms toe twee uur aaneen de papierwinkel van haar man te saneren. Ze mest zijn bureau uit, legt ongeopende post op een stapel, verzamelt bankafschriften en mikt ze in een doos. Ze gooit de gesealde tijdschriften weg en laat de administratie ophalen door Floris' chauffeur. Hij heeft tijd te over sinds Floris niet meer hoeft te worden gereden en bovendien doet hij dit graag voor de weduwe. Meestal brengt hij een bloemetje voor haar mee. Floris' secretaresse doet nog even de administratie. Do heeft er een pesthekel aan, ze kan en vooral: ze wíl het niet. Ze heeft de secretaresse gevraagd voor haar een overzicht te maken van alle incasso-opdrachten, een post 'kinderen' en 'huis' te maken. Geen idee wat er aan vaste kosten omgaat in haar eigen huis. Ze maakt een lijst van alle abonnementen zodat ze die kan opzeggen. Verder is er natuurlijk de correspondentie die moet worden afgehandeld en nog duizend andere gruwelijke dingen. En het testament.

Do voelt dat ze al een kwartier met de buitenwereld kan praten zonder direct in tranen uit te barsten, dus belt ze Van Weelde. Ze maakt een afspraak om bij hem langs te gaan, ze wil hem nu niet in huis hebben, al zou dat vele malen gemakkelijker zijn voor haar. Nee, de kinderen hoeven er in deze fase niet bij te zijn, zegt de notaris. En ze kan vanmiddag nog binnenvallen.

Ook al kent ze de notaris al heel erg lang, ze trekt toch een net pak aan, hij blijft tenslotte een notaris. Hoewel ze hem vaak aan tafel heeft gehad, voelt ze geen band met hem. Zou dat aan haar liggen? Lippenstift, geen mascara. Kan alleen maar uitlopen.

Terwijl ze de sleutels van haar Saab zoekt, wordt ze overmand door schuldgevoel. Dat ze nu al aan erfenissen denkt, vindt ze verraad aan Floris. Alsof ze hem voor de tweede keer gaat begraven. Snel een sigaret, om tijd te winnen. Do gaat op het trapje van de veranda zitten en volgt de uitgeblazen rook. Niets in haar leven dat niet aan Floris raakt.

De tenniswedstrijdjes, de zaterdagborrel met scryptogram uit NRC, de bezoekdag op zondag tijdens de VJK-kampen van hun kinderen, Floris' vreemde manier van sokken achterlaten in zijn broekspijpen, haar ergernis over de natte handdoek op de grond, zijn kopjes thee bij haar bed voor hij naar zijn werk vertrok, de ijzige toon van zijn zakelijke gesprekken vanuit zijn studeerkamer 's avonds laat, zijn opwinding over een bloeiende pioenroos, zijn...

Telefoon. Do vindt de draadloze in de keuken. Het is Anneleen. Gewoon, een kletspraatje. Hoe de tuin erbij staat, waar de kinderen zijn, of ze zin heeft om mee te gaan naar de opening van een tentoonstellinkje – alleen Anneleen weet zelfs het woord tentoonstelling te verkleinen, dat vindt ze waarschijnlijk vrouwelijk – in het Frans Hals Museum. Do realiseert zich dat Anneleens telefoontjes deels plichtsgetrouw zijn, maar dat maakt haar niets uit. Ze beschouwt het gesprek als een welkome afleiding. Do vertelt over de border langs de vijver waar ze al een paar middagen in heeft gewerkt, waar de springbalsemienen welig bloeien naast berenklauw en moerasspirea, en in het water de zwanenbloem en de waterlelie. Anneleen biedt aan om het weekend langs te komen en samen het gras te doen, de uitgebloeide rozen te knippen en de moestuin van onkruid te ontdoen. En misschien kunnen ze praten over de buitenkeuken. Dat woord laat de tranen weer opborrelen. Do had zich nooit zo met de toekomst beziggehouden. Hij wel. Als de kinderen het huis uit zijn, dan... dan gaan we reizen, samen op schilderles in

Sint Petersburg en Italiaans leren, met een camper door Spanje en Portugal... Een buitenkeuken bouwen. Wat kan haar die rotkeuken schelen. Do is tegenwoordig al blij als ze kookt in haar gewone keuken. Ze komt niet verder dan pasta koken en groente stomen, en diverse zakken sla en toebehoren in een kom kieperen.

'Zal ik bij je langskomen?' vraagt Anneleen. 'Weet je wat, ik kom er gewoon aan, en dan koken we samen. Frits zoekt het zelf maar uit.'

'Nee, dat hoeft niet. Ik wil Floris nog niet loslaten. Ik houd hem in leven door steeds te doen alsof hij voor zaken in het buitenland is, of bijvoorbeeld met Frits een klimtocht maakt. Desnoods met Van Weelde een etappe loopt. En tegelijkertijd ruim ik zijn bureau op.'

Anneleen probeert zich de opruimende weduwe voor te stellen. Dat ze over elk stuk papier een beslissing moet nemen. Hoe lang blijf je post en knipsels van je dooie man bewaren, en voor wie? Ze biedt aan Do te helpen met rubriceren, maar Do houdt de boot af omdat ze zich dan gedwongen voelt knopen door te hakken en dat wil ze niet. Ze spreken af in de loop van de week te bellen.

Do zet de telefoon in de oplader, bekijkt zichzelf in de spiegel en ziet op haar mobieltje drie gemiste oproepen. Kantoor Van Weelde. Wel verdomme, helemaal vergeten. Ze belt terug en verontschuldigt zich bij de secretaresse.

'Ik bel wel weer voor een nieuwe afspraak. Nee, ik wil nu echt geen nieuwe maken. Het spijt me echt vreselijk. Tot ziens, en de hartelijke groeten aan de notaris.'

* * *

Anneleen zit op de bank en lakt haar teennagels. Op de televisie pratende hoofden, ze kijkt en luistert niet. Wat zat Cato nou te suggereren laatst? Waar ging dat ineens over? Is er iets gebeurd wat zij

niet weet en Cato wel? Waarom is dat groenweekendje na al die jaren opeens een issue? Op de begrafenis was het ook al ter sprake gekomen. Ze kan zich niet voorstellen dat er iets mee is terwijl zij er
niets over weet. Frits vertelt haar alles, dat weet Anneleen zeker. Ze
legt haar voeten op de poef en beweegt ze heen en weer, alsof de lak
dan sneller droogt. Toch eens aan de andere Magistra-vrouwen vragen. Hoe kan ze dit het beste aanpakken? Niet via Do, dat kan ze nu
niet maken. Bij wie moet ze beginnen?

$$* * *$$

Het komt voor het eerst sinds weken met bakken uit de hemel.
Gods water over Gods akkers, zoals papa altijd zegt. Lekker begin
van het zomerkamp. Charley pakt haar reistas weer uit. De veelvuldig geconsulteerde buienradar geeft weinig hoop voor de komende
periode, vandaar dat ze de zomerse lichtgewicht kleren er toch maar
uitgooit. Charley propt er trainingsbroeken, extra sokken, regen-
kleding en fleecetruien in. Ze bekijkt het nieuwe jurkje dat niks
weegt en duwt het in een gat. Misschien gaat de zon ooit weer schij-
nen. Morgen brengt Do haar en Maris naar de trein, en dan verdwij-
nen ze voor tien dagen van de aardbol. Ze gaan naar een zomerkamp vlak bij Ommen en slapen in tenten, zwemmen in de Vecht,
eten pap en spie, zingen, breken 's nachts uit om naar het jongens-
terrein te sluipen en vermaken zich zonder beeldscherm en mo-
biele telefonie.

Na de dood van haar vader wilde Charley onder geen enkele
voorwaarde op kamp. Ze wilde helemaal niks meer. Ze hing tot
's avonds laat apathisch voor de buis, sliep gaten in de daaropvol-
gende dagen, ging soms wel, maar vaker niet naar school. Haar
mentor kwam langs en besprak de situatie met haar moeder. Gelukkig stond Charley er aan het eind van het schooljaar goed voor, dus

werd het schoolverzuim door de vingers gezien. Er werd overeenge-komen met school dat ze een aantal belangrijke toetsen moest doen, maar daar de tijd voor kreeg tot in het eerste semester van het komende schooljaar. De rest werd haar kwijtgescholden. En dus liet Do haar slapen. Die was trouwens zelf te veel in beslag genomen door haar eigen sores om zich uitputtend met de opvoeding van haar kinderen bezig te houden. Voldoende eten en drinken in huis vond ze het maximaal haalbare.

Hyves is Charleys contact met de buitenwereld. Elke dag komen er krabbels binnen van haar immense vriendenkring. Iedereen wenst haar sterkte, gevolgd door de belofte er voor haar te zijn. 'Charley is vrienden geworden met Kim', 'Charley is vrienden ge-worden met Daan', 'Charley is vrienden geworden met Kai', waarbij vriendschap een volslagen inflatoir begrip is geworden. Nu krijgt ze krabbels van onbekende meisjes die ook naar het zomerkamp gaan en uit de adressenlijst van de kampers alle namen 'hyven'. Lang-zaam maar zeker verschijnt er weer een straaltje licht in haar leven en begint Charley zich zelfs te verheugen op de komende tien da-gen. Ze vraagt haar moeder of ze drie pakken Bastogne wil kopen en of er wel een fiets voor haar is gehuurd.

Do is gelukkig met haar dochters opleving. Als ze had gevraagd om een nieuw paar sneakers, Uggs, een Adidas-trainingspak, Do had het blind gehonoreerd.

'Boeie, pap. Jezus, zeg nou eens één keer iets wat ik niet al hon-derd jaar weet, eikel.' Het waren haar laatste woorden tegen haar vader. Eikel. Hoeveel zinnen spreek je dagelijks uit die op de harde schijf terechtkomen, welke kun je je nog woordelijk herinneren, en waarom van alle zinnen die je machinaal uitspreekt, staat deze in haar geheugen gegrift? Omdat ze schuld heeft, daarom. Charley kwelt zichzelf hiermee en durft het tegen niemand te zeggen, al-thans niet tegen haar vriendinnen. Ze hoorde echt wel dat haar moeder Wik en Mauk verbood hun zusje hier ooit mee te confronteren, laat staan te pesten. Volgens Charley het bewijs van haar schuld aan haar vaders dood. Het verschafte een extra dimensie aan haar peilloze verdriet, waar ze op geen enkele manier grip op had.

Do kon niet tot haar doordringen. Ze gaf Charley voorbeelden van onaangenaamheden die zij zich aan het adres van Floris had geuit, die ook niet tot zijn hartaanval hadden geleid. Ten slotte schoof ze de jongens naar voren, maar ook Mauk en Wikkie werden afgescheept wanneer ze voor Charleys gesloten deur stonden. 'Er is thee; we gaan eten; er is pizza, je lievelings; je serie is op tv; er is post voor je.' Ze reageerde nergens op, tot Mauk een woedeaanval kreeg en een gat in Charleys deur trapte.

'Mijn vader is ook dood, ja. Je bent echt niet de enige hier die hem mist, doe niet zo ziek asociaal, trut.'

Dit had het effect van een shocktherapie en haalde Charley uit haar lethargie van schuldgevoel en zelfmedelijden. En het had tevens het slechte weer ingeluid.

Ze zoekt nog een geschikt boek om mee te nemen, drukt de twee kanten van de tas met brute kracht tegen elkaar en ritst stukje bij beetje de zaak dicht. Nog één nachtje in een echt bed, een warme douche en een kus voor het slapen. Charley kan niet wachten.

* * *

Twee weken voor vertrek naar Italië, waar de gebroeders Gersteblom en hun gezinnen een aantal dagen samen vakantie zullen vieren, komen Pier en Cato eten bij Anneleen en Frits.

'Nee, niks meenemen, we zijn geen student meer.'

Frits heeft in de tuin achter de garage een klein stukje gras gekregen van Anneleen om dagelijks een balletje te mogen slaan. De broers staan met een biertje in de hand om beurten hole-in-one te

slaan. Al twee keer is Anneleen komen controleren of er geen gras-
pollen door de lucht vliegen.

'Frits, ben jij niet degene die hier het grote geld binnenbrengt? Je
stelt je op als de slaaf van je vrouw. Je hebt alleen iets te zeggen over
de garage en verder is zij de baas.'

'Vergeet niet dit idyllische stukje golfcourt, dat is van mij. Maar
serieus: nee, ik heb er geen last van omdat ik het me niet aantrek. Ik
doe toch waar ik zin in heb, zonder daar zo luidruchtig als jij over te
doen. Of zonder zoals Floris feitelijk de baas te zijn thuis. Niet alleen de auto's waren van hem, ook het huis én de tuin. Do had weinig in te brengen, vandaar dat ik zo benieuwd ben hoe ze de draad
gaat oppakken. Gelukkig is haar zus veel bij haar.'

'Oké, oké,' sust Pier.

'Heb jij nou ook dat je door Floris' dood helemaal bent terugge-
zogen naar onze Magistra-tijd? Herinner je je nog die arme mevrouw Mulder die naast ons woonde en die we helemaal gek hebben
gemaakt? Stel je voor dat je dag in dag uit van die schreeuwers naast
je hebt die zich boven jou verheven voelen omdat jij toevallig niet
net zo'n grote bek hebt. Of gewoon geen achtergrond. Geen vanzelfsprekende reden van bestaan in onze ogen destijds.'

'Die vrouw woont er nog steeds, wist je dat? Dan ben je wel echt
een masochist.'

'Ja, maar ze vond het ook reuze-interessant allemaal, reken maar.
Never a dull moment, natuurlijk. Zoals toen met die zogenaamde
junk.'

'Wat bedoel je?'

'Ken je dat verhaal niet? Ik was op een kerstavond alleen met Flo
op het Huis. De gang beneden was veranderd in een vuilniszakken-
bewaarplaats annex fietsenstalling. De rest was al vertrokken naar
wintersportoorden of naar familie, jij zat ongetwijfeld bij Cato. Floris en ik probeerden ook zo snel mogelijk weg te komen uit dat de-
solate hol. Hoe een lawaaierig huis met een drukbezette biljarttafel

en een rij van drie mensen voor de douche zo snel kon veranderen in een niemandsland! Dat vond ik echt vervreemdend. Anyway, toen Floris naar beneden ging om onze fietsen naar binnen te tillen, bleek de voordeur open te staan. Ook de deur van de kamer direct naast de ingang was geopend. Tot zijn stomme verbazing stond in de deuropening een junk met een gettoblaster onder z'n arm. Althans, dat vertelde hij later, dat het zeker weten een junk was. Die gettoblasters waren toen zeer gewilde objecten, weet je nog?'

'Inderdaad, jij had er zelf een. Ik niet, maar ik had dan ook geen baantje bij de Notariële Broederschap. Ik werkte met nog wat andere losers bij de zoetzuurfabriek waar we, zoals je weet, pisten in de augurkenpotten. Maar ga verder, ik ken dit verhaal inderdaad niet.'

'Floris schreeuwde tegen die junk: "Geef terug dat ding." Zegt die gast tegen Flo dat-ie van hem is, terwijl Floris honderd procent zeker wist dat die gettoblaster van de nieuwe huisgenoot was die zijn inboedel in de open kamer naast de voordeur had gezet. Toen ging hij rustig vragen stellen om de indruk te wekken dat hij de situatie in de hand had. Typisch Flo. Zei die junk dat hij op zoek was naar Mike. Lekker slim bedacht, want alleen Mikes naam stond leesbaar naast de voordeur. Floris viel die gozer aan, rukte de gettoblaster uit zijn handen en probeerde hem het pand uit te werken. Maar die magere eikel bleek sterker te zijn en pakte de gettoblaster terug. Ze raakten in het tochtportaal opgesloten en toen hoorde ik Flo mijn naam schreeuwen. Ik rende naar beneden omdat ik me realiseerde dat ik al eerder wat merkwaardige geluiden had gehoord. Ik zag Floris worstelen met een slungel in een beduimeld spijkerjack. Buiten was het al heel koud. Ik pakte de fietspomp en kwam zwaaiend met dat ding op ze af, maar door het lot werd Floris naar buiten geduwd, de deur viel dicht, hij raakte buitengesloten en ik stond met die gast in de gang. Die jongen sprintte met het apparaat onder zijn arm geklemd naar de kelder, waar inderdaad Mikes kamer was. Ik ging naar buiten om Flo te halen. Hij was intussen voor hulp naar de

tramremise aan de overkant gerend, waar ze hem tussen hun siga-
rettenrookwolken door meldden dat ze geen zin hadden in een mes
in hun donder "met de kerst voor de deur: moeder de vrouw ziet me
ankomme." Wij scholden samen die kerels uit tot we een politieauto
zagen stoppen. Ik zag mevrouw Mulder vanachter d'r gordijnen lekker meegenieten. Die dacht natuurlijk: *payback time*. Twee vaderlijke
agenten kwamen op ons af.

"Problemen met een junk?"

Ik vertelde dat hij naar de kelder was gevlucht. Ze zetten de zak-
lamp aan en zakten af. We hoorden ze heel vriendelijk vragen hoe
hij heette, voor wie hij kwam, en van wie die gettoblaster was. Ik
voelde me echt heel zakkig, Floris vond het geweldig. Even later
kwamen ze naar boven, de junk geboeid, hij keek op noch om en
verdween in de politiewagen. Floris stak zijn hand uit en kreeg de
gettoblaster van de ene agent. Tegen mij zei hij triomfantelijk: "Zo,
die is binnen."

We haalden bier uit de bierelier, pakten onze spullen in terwijl
we keihard TalkTalk opzetten en namen die avond op het station afscheid van elkaar.

Na de vakantie kwam Mike binnen en vroeg of mijn vakantie
goed is geweest. Ik zei "ja".

"Die van mijn vriend anders niet," zei hij, "die heeft dankzij jou
en Floris de kerstdagen doorgebracht in de cel. Uiteindelijk heeft
de politie mij aan de telefoon gekregen en heb ik hem vrij kunnen
krijgen."

Ik was verbijsterd. En Mike vervolgde: "Zijn enige bezit is een
gettoblaster, dus die wil hij graag terug. Floris zegt dat jij hem hebt
ingepikt."

Floris ontkende bij hoog en bij laag dat hij dat ding had. Echt een
klootzak. Glashard liegen. Idioot hè?'

'Ja, dat is zacht uitgedrukt. Ik kan het me nauwelijks voorstellen.
Floris?'

'Ja, Floris. Weken later stond ik in de keuken op de tweede verdieping een blik bonen op te warmen en tien eieren te bakken toen er een jongen de trap op kwam. Ik herkende zijn gore spijkerjasje. Hij keek mij aan en informeerde of Mike was verhuisd van de kelder naar de zolder. Ik mompelde wat en roerde beschaamd verder in mijn pannetje. Wat een lul voelde ik me toen. Ik ging door de grond.'

Pier weet even niets te zeggen.

Dan krijgt Frits een sms. 'Ah, bericht van mijn Anneleen. Ik mag de barbecue komen aansteken. De barbecue is namelijk ook van mij.'

* * *

Wikkie zit in de tuin van het dispuutshuis. Er is nog maar één andere bewoner, de rest is met vakantie of gewoon naar huis. Het Huis is veel te groot voor twee mensen, maar hij vindt het eigenlijk wel zo rustig. Hij draagt een shirt van zijn vader. Hij heeft sinds de dood van zijn vader niets meer aan zijn studie gedaan, terwijl hij vier tentamens moet doen in september. Economie. Een makkie. Totaal oninteressant. Zijn vader, ook econoom, had het hem ernstig afgeraden. Hij gaat switchen naar iets wat hem interesseert. Wat moet hij met deze studie? Een goed inkomen najagen? Hij denkt aan de vrienden van zijn vader. Wie zou hij later willen zijn? René, die allerlei misstanden aan de kaak heeft gesteld in de pers? Dat vindt hij helemaal oké. Matthijs? Maar hij kan niet tegen bloed of doodzieke mensen. Toen hij zestien was gingen ze met vakantie naar het land waar Matthijs toen zat. Eerst naar de post, daarna naar een resort. Ze hadden tropenprikken moeten halen. Het koude zweet was hem uitgebroken. Mauk schaamde zich voor hem. Charley, zo klein als ze toen was, had hém moed ingesproken.

'Het valt best mee, hoor, Wikkie, je voelt het bijna niet.'

Toen hij van het ziekenhuis naar de hockeytraining fietste, was hij alsnog afgestapt en trillend in het gras langs het fietspad gaan liggen. Bij Matthijs had hij 's nachts geen oog dichtgedaan. Hoe kon Matthijs daartegen, al die narigheid? Nee, geneeskunde is geen alternatief.

Hij denkt aan al het geld dat zijn vader heeft verdiend. Hij weet dat het werk niet meer dan werk voor hem was. Papa had het er ook helemaal nooit over. Ze hadden alles. Een tuin, hockeykampen, ieder jaar wintersport, soms zelfs twee keer, een drumstel had hij gehad, én een gitaar, vette zomervakanties. Nu had hij geen vader meer. Hij had liever alleen maar gekampeerd met een nog levende vader. Alsof het een keus is. Misschien kan hij er met de oude Van Weelde over praten. Het 'meubelstuk', of 'de Godfather' zoals zijn moeder hem noemt – wat hij ontzettend lullig vindt – beschouwt hij als een wijs man. Inderdaad wat wereldvreemd, maar Wikkie houdt gewoon van hem. Hij is altijd belangstellend, onthoudt verhalen, regelde meteen een baantje voor hem toen hij in Amsterdam ging studeren. Stoffige mappen archiveren en digitaliseren. En eens in de maand trakteert hij op een lunch bij Keyzer.

Sinds zijn vader is overleden, belt Van Weelde hem regelmatig op en biedt steeds zijn gezelschap en steun aan. Binnenkort zullen ze weer lunchen en dan zal hij ook vragen of Van Weelde eens met zijn moeder wil praten. Vooral over een aantal zaken die uit de doorgeploegde administratie tevoorschijn zijn gekomen, waar zijn moeder niets mee te maken wil hebben omdat ze 'allergisch' beweert te zijn voor cijfers.

Wikkie, of Willem Frederik, vernoemd naar zijn opa Willem en zijn tante Frederique, maakt zich zorgen over haar. Zijn moeder was altijd onverslaanbaar. Hij heeft altijd gedacht – heel naïef – dat zijn moeder thuis de broek aanhad. Zijn moeder nam alle beslissingen in huis, dacht hij. Waar ze heen gingen met vakantie, naar welke school ze gingen, hoe laat ze thuis moesten zijn, of hij uit logeren mocht, wat er werd gegeten, zijn moeder was het stevige middelpunt van het gezin. In zijn puberteit was zij het altijd geweest met wie hij ruziemaakte. Als hij stond te schreeuwen dat ie-der-een pas om drie uur thuis hoefde te zijn, moest zijn moeder zijn vader dwingen een standpunt in te nemen. Papa zei dan zuchtend: 'Oké, we middelen het. Mama zegt twaalf uur, jij drie uur, het wordt half twee.' Wat papa boze blikken van twee kanten opleverde. Als hij vervolgens om vier uur 's nachts het huis binnensloop, zat zijn moeder in de keuken te wachten en lag zijn vader te ronken.

Mama belde met de huiswerkbegeleiding, ging met hem naar de huidarts toen hij drieduizend miljoen puisten had en het liefst onder de dekens bleef liggen. Mama hield hem tot de laatste seconde aan zijn twee weken huisarrest nadat hij de deur had dichtgeslagen voor Mauk, die hem dol van drift achtervolgde, gekgepest, waardoor Mauk nog steeds een enorm litteken in zijn wenkbrauw heeft.

Hij had het niet goed gezien. Het was een kwestie van micro en macro, begreep Wikkie nu. Mama was totaal gehandicapt zonder papa. Ze sloeg geen deuk in een pakje boter. Wikkie kon niet bevatten dat een intelligente, afgestudeerde vrouw als zijn moeder niet wist of het huis ook op haar naam stond of niet, of papa een levensverzekering had, of ze aandelen hadden, of de auto WA of all risk was verzekerd, wat voor netwerk ze thuis hadden. Wikkie had zijn moeder zelfs moeten leren internetbankieren. Gelukkig was ze snel van begrip.

Mauk was stilletjes en probeerde alle vormen van stress te vermijden, maar Charley was een regelrechte ramp. Het leek zelfs erger te worden met de tijd. Ze sloeg met deuren, voerde eindeloze discussies over niets en was altijd boos. Mama kreeg de volle laag en nu papa er niet was om rust in de tent te brengen, werd zijn moeder soms ineens hysterisch. Afgelopen weekend had hij Charley, die zich op bed lag aan te stellen omdat ze niet met vakantie zouden gaan, hard aangepakt.

'Hou godverdomme een keer rekening met mama. Zij kan een vakantie nu niet aan, domme trut. Je bent net tien dagen op kamp geweest, verwend kutkind.'

Toen mama, Mauk en hij aan tafel zaten, was Charley pas naar beneden gekomen. Ze was bij mama op schoot gaan zitten en had snotterend sorry gezegd. Dat luchtte op.

Na het eten en de afwas – mama had de afwasmachine altijd beschouwd als het einde van het deugdelijke, gezellige gezinsleven – hadden ze met zijn vieren tv-gekeken en ouderwets lol gehad met ieders commentaar. Mama keek in de spiegel naar centimeters lange uitgroei, deed lippenstift op en schreef op het schoolbordje op de keukendeur: kapper en schoonheidsspecialist. Ze hadden om een uur of tien brownies gebakken. Mama bood Wikkie en Mauk spontaan een blikje bier aan tijdens het potje Catan voor het slapengaan.

Toen zondagochtend de stemming bij het ontbijt nog steeds uitstekend was, had mama de moed opgevat een begin te maken met de spullen van papa. Aan het Persoonlijk Archief begon ze nog niet. Dat stelde ze uit. Ze wilde dat bovendien alleen doen. In een kast hingen vele archiefmappen, op planken lagen dozen. Vijf grote dozen, voor ieder in het gezin eentje met daarop PERSOONLIJK ARCHIEF FLORIS, DO, WIKKIE, MAUK en CHARLEY. Foto's, diploma's, brieven, ansichtkaarten enzovoort. De dozen van Wikkie en Charley waren nog niet zo vol, die van Mauk wel vanwege zijn niet-aflatende stroom tekeningen, waarvan Do na een wrede selectie alleen de aller-, allermooiste had bewaard. Floris en Do hadden natuurlijk meerdere dozen. Do twee, Floris vier, want die was nogal bewaarderig. Ze had er nooit in gekeken. Om een verhaal van hem kracht bij te zetten of omdat niemand hem geloofde, had Floris er soms zelf een foto uit opgediept waar iedereen dan naar moest kijken. Later, als ze zich beter voelde, zou ze zijn dozen verdelen over die van de kinderen, in keurige mappen.

Nu eerst de persoonlijke spullen van Floris. Ze vond dat de kinderen daarover mochten meebeslissen. Zijn kleren eerst. Wat te doen met de pakken? Bewaren voor de jongens later? Voor de t-shirts en de overhemden kwam alleen Wikkie in aanmerking. Net als voor de kilt in Magistra-kleuren. Mauk was een stuk kleiner. De broeken waren hem te groot. Het ondergoed gooide ze allemaal weg. Na lang wikken en wegen besloten ze uiteindelijk al het andere nog maar even te bewaren. Dan de kelder. De golftas. De luchtbuks, zijn ski's, de gettoblaster. Ze waren er uren mee bezig geweest en kwamen tot anderhalve vuilniszak. Van alle andere spullen vond altijd wel iemand dat het bewaard moest worden. In ieder geval voorlopig. Daarna waren ze in Haarlem naar de film gegaan. 's Avonds was Wikkie naar Amsterdam vertrokken met twee paar schoenen – een paar nette en een paar sneakers – en een zak vol shirts van papa. Maar mama was niet veel opgeschoten. Behalve dan dat ze haar uiterlijk weer op de agenda had gezet. Dat was een stap in de goede richting, begreep hij uit het enthousiasme van Charley – 'Cool, mam, want je ziet er echt niet uit.'

* * *

Wikkie parkeert zijn fiets voor Bodega Keyzer en ziet Van Weelde al aan het raam zitten. Hij zit letterlijk gebogen over de krant. Jammer dat lange mensen zichzelf kromtrekken. Wanneer Wikkie binnenkomt, richt Van Weelde zich op en komt uit zijn stoel.

'Blijf lekker zitten.'

'Jongeman, als ik daaraan begin, word ik echt oud. Neem plaats en wenk de ober. Waar heb je zin an? Een Duitse biefstuk? Uitsmijter *sunny side up*?'

Van Weelde bestelt een fles riesling en informeert naar Do, Mauk en Charley.

'Ja, jongen, de eerste zomer zonder je vader, het zal allemaal niet meevallen. Voor mij ook niet, hoor, ik mis hem elke dag. Vorig jaar omstreeks deze tijd ben ik nog een aantal dagen met hem weg geweest. We maakten een bijzonder aangenaam tochtje door de Alsace. We hebben flink gelopen en aangenaam gezopen, als ik het zo mag zeggen. Wat een verrukkelijke subtiele wijnen maken ze daar. Ontstellend spijtig dat die wijnen uit de Nieuwe Wereld zo de markt veroveren, en ze smaken alle eender. Nee, Wik, het is een parabel voor hoe het moderne leven is verworden. Als het maar gemakkelijk wegklokt, is het wel goed. Er is nauwelijks meer ruimte voor diversiteit en gelaagdheid, wie wil nog ergens moeite voor doen? "Doet u mij maar zo'n wijntje uit Chili, van die Franse troep moet ik niks hebben." Dat hoorde ik net iemand zeggen tegen de ober! Maar goed, genoeg hierover. Het is zeker stil op het Huis? Alle Magistraatjes de stad uit met als schatbewaarder Wikkie Bussemaker. Als je geen plannen hebt, wil je misschien met mij nog een paar dagen weg? Ik heb nog geen vastomlijnd plan. Wat dacht je van Atos? Je weet dat daar alleen mannen mogen komen? Zelfs geiten van het vrouwelijk geslacht zijn er niet welkom.'

Wikkie besmeert een broodje met boter en ziet buiten toeristen de kaart van Amsterdam bekijken.

'Ik blijf in de stad. Mama belde me nog of ik zin had om toch naar het huis van tante Margot in de Bourgogne te komen. Ze miste me. Tante Margot belde me later nog zelf om te zeggen dat ze vond dat mama echt aan de antidepressiva moest en dat ze te mager is geworden. Toen was ik blij dat ik even alleen verantwoordelijk ben voor mijn eigen verdriet. Mama is nergens. Ze neemt zich van alles voor, maar uiteindelijk doet ze niks. Mama heeft een map met Magistra-zaken bij me laten brengen en daar zal ik de komende weken eens doorheen lopen.'

Van Weelde geniet zichtbaar van de drank en Wikkies openhartigheid, maar bij het woord 'Magistra-zaken' verstrakt zijn gezicht. Do, weet de notaris, heeft zo'n hekel aan alles wat riekt naar administratie dat ze nooit vragen zou stellen over bepaalde posten, als die er al stonden vermeld. Maar waarom nou Wikkie, die zich ertegenaan gaat bemoeien?

'Beste jongen, geniet jij nou van de zomer, ga tennissen en morgen laat ik de boel bij je ophalen. Ik zal het voor je in kaart brengen. Alle relevante zaken krijg je nauwgezet en keurig geordend retour.'

Wik straalt. Wat is die man toch geweldig, zoals hij zich inspant voor hem en zijn familie.

'Zal ik je nog eens bijschenken? Nou, wat zeg je ervan?'

'Goh, dat is ontzettend fijn. Maar vind je dat echt niet vervelend om te doen?'

'Met alle soorten van genoegens, je weet dat je altijd op me kunt rekenen. Hoe laat zullen we afspreken voor morgen? En wanneer zullen we dan een aantal dagen reizen? Op Atos kunnen we schitterend wandelen, werkelijk ongerepte natuur en we gaan dan natuurlijk naar een nachtdienst van de orthodoxe monniken.'

Na de lunch wordt Wikkie overvallen door een tomeloze vermoeidheid. Hij durft nu eenmaal geen wijn af te slaan bij Van Weelde, ook al kan hij niet goed tegen drank voor vijven. Fietsend over het Museumplein besluit hij op het gras in de middagzon te gaan liggen. Met zijn handen onder zijn hoofd gevouwen koestert hij zich in de warmte.

Hij moet in slaap zijn gevallen. Wanneer hij opschrikt omdat iemand vlak bij hem gaat liggen, kijkt hij in twee groene ogen.

'Jezus Sophie, ik dacht dat ik werd bestolen. Hoe laat is het, ik voel me verbrand.'

'Kom, ik heb de hele dag gewerkt, laten we naar een terras gaan. Ik wil een biertje.'

'Wat doe je voor werk?'

'Ik ben een soort zomersecretaresse op een makelaarskantoor. Ik heb trouwens ook best zin in wat te eten.'

Wikkie springt op, hij vindt dit een mooie nieuwe wending aan de dag. Ze halen bij Renzo's een gevulde picknickmand en ze fietsen naar het Wertheimpark. Daar zitten ze nog steeds wanneer de laatste avondzon definitief verdwijnt achter de gevels van de huizen aan de overkant van het water. Ze kennen elkaar uit de collegebanken en hebben ooit een keer een broodje gegeten tussen twee werkcolleges door. Sophie bleek een uitzondering voor Wik te willen maken, die het in zijn hoofd had gehaald lid van het corps te worden. Ze had haar antipathie niet onder stoelen of banken gestoken en Wik aan het denken gezet. Was het dan echt allemaal zo leeg en zinloos, dat hele studentenleven? Vooral het obligate overmatige gezuip, het idiote eeuwige geschreeuw tegen de feuten en het wakker houden in de groentijd vond ze ronduit barbaars én misdadig én pathetisch. Dat mensen zich vrijwillig blootstellen aan publieke vernedering vond ze simpelweg onbegrijpelijk.

Voor het eerst die avond vertelt hij aan een relatieve vreemde hoe de afgelopen maanden voor hem zijn geweest. Als hij ten slotte zegt dat de oude vriend van de familie heeft aangeboden het dispuutsarchief van zijn vader uit te vlooien, zegt Sophie resoluut: 'Ben je gek, dat ga je lekker zelf doen. Je moeder heeft het toch aan jou gevraagd? Anders had ze het hem zelf wel gevraagd. Het zijn toch spullen van je vader? Het lijkt me trouwens juist geweldig, al die oude foto's en zo. Zal ik je helpen? Mag ik dan ook een foto van je vader zien?'

Wikkie voelt zich opgelucht en tegelijkertijd een watje. Omdat iemand tegen hem moet zeggen dat hij beter kan doen wat zijn eigen moeder vraagt en omdat hij zelf zo slap is geweest om de hele handel meteen uit handen te geven. Thuis Van Weelde onmiddellijk mailen, denkt hij. Het is te laat om hem nu nog te bellen.

De mail van Wikkie drijft Van Weelde tot woede. Hij grist zijn autosleutels van het gangtafeltje en rijdt direct naar het Huis. Wanneer er na drie keer bellen nog niet wordt opengedaan, doet Van Weelde een paar stappen naar achteren om de gevel in zich op te nemen. Alle ramen zijn gesloten. Wik zal wel de kleinste kamer aan de voorkant hebben. Hij belt bij de buren aan en na enige tijd doet een stokoude mevrouw open.

'Mulder! Nog altijd hier woonachtig?'

'Hoe durft u mij zo aan te spreken? Mevrouw Mulder voor u.'

Van Weelde glimlacht beleefd verontschuldigend. 'Zeg, mijn zoon heeft me net gebeld. Hij is thuis, maar ik vrees dat hij de bel niet hoort. Zou ik van uw tuin gebruik mogen maken?'

'Wat weet u van mijn tuin?'

Ze kijkt Van Weelde vernietigend aan. De vrouw is verzuurd tot op het bot omdat haar rechterburen haar leven hebben verziekt. Dankzij hen bleek ze over een onverkoopbaar pand te beschikken en is Mulder al veertig jaar de gijzelaar van een groep jongemannen die samen op alle tijdstippen van het etmaal uitbundig hun leven leiden. Om ze terug te pesten had ze een haan genomen, maar daar werd ook door andere buren over geklaagd. Vervolgens was ze overgegaan tot het graven van een vijver om kikkers te kunnen houden. Het gekwaak maakte niet alleen Mulder zelf wakker, ook het 'stelletje kakkers' waarvoor ze hen graag uitschold. Dus kwamen de jongens verhaal bij haar halen. Ze hield voet bij stuk en weigerde een gesprek. Uiteindelijk werden al haar kikkers afgeknald of opgeblazen. Maar dat is al weer jaren geleden. Nu is ze doof aan het worden en maakt ze zich uitsluitend nog boos over rook van sigaretten, vuurkorf of barbecue als de wind verkeerd staat.

'Mevrouw, ik zal de jongens eens even flink aanpakken en ze te uwer adres beterschap laten beloven. Mag ik via uw tuin?'

Hij legt zijn hand op haar schouder en buigt zich naar voren. Mulder doet een stap naar achteren en gooit de deur dicht. Dan maar huisvredebreuk via de voordeur, tenzij het slot in de afgelopen jaren is veranderd. Van Weelde pakt zijn sleutelbos erbij en probeert alle lipssleutels. Helaas. Er zit niets anders op dan op de stoep te wachten net zolang tot Wikkie naar buiten komt. Na een uur gaat de deur open en komt er een jongen in een witte badstoffen kamerjas naar buiten. Van Weelde staat op, maakt zich bekend als Magistraat en informeert naar Wikkie.

'Wikkie is vannacht niet thuisgekomen. Ik ben alleen op het Huis.'

'Hoe weet je dat hij niet thuis is?'

'Omdat ik naar de bakker ga en net ging kijken of ik voor hem ook iets moet meenemen, maar zijn kamer is op slot. Kan ik iets aan hem doorgeven?'

'Vergeet het maar, het is niets.'

'Best. Uit welk jaar bent u eigenlijk?'

Van Weelde doet net alsof hij dat laatste niet heeft gehoord, steekt zijn hand op, draait zich om en loopt naar zijn auto. Onder de ruitenwisser prijkt een parkeerbon. Als een mantra schiet het door zijn hoofd: vroeger was alles beter, vroeger was alles beter. Hij stapt in, zet de ruitenwissers aan en weg waait de bon. Wat te doen, morgen terug? Wikkie mailen? Thuis dwingt hij zichzelf te ontspannen. Hij denkt een tijdje na. Het zal allemaal zo'n vaart wel niet lopen. Floris zal echt niet zo stom zijn geweest om Het Elfde Gebod zwart-op-wit te zetten, denkt hij. Hij heeft daar bij de jongens altijd met klem op aangedrongen. Ze zullen toch zelf ook wel snappen wat de risico's daarvan zijn? Het enige contract heeft hij zelf. Hij heeft zich belachelijk gemaakt vandaag, concludeert hij uiteindelijk. Hij zucht en schenkt zichzelf een glas wijn in. Blijkbaar wordt hij oud en reageert hij daarom zo emotioneel. Hij moet het hoofd koel houden.

Pier is er als eerste. De villa ligt aan het einde van een weg waaraan maar vier andere huizen staan. Cato rijdt, want Pier wil kunnen kaartlezen. Cato heeft opzettelijk de TomTom thuis vergeten. Ze komen uit Toscane, waar ze tien dagen van het ene 'groene' bed and breakfast naar het andere trokken. Heerlijk, kleine particuliere huizen en boerderijen met een paar kamers, waar je bij de lunch regionale hammen en kazen krijgt en 's avonds een fijne maaltijd, gekookt door la signora. Pier kon het niet laten en deed af en toe even een plaatselijke makelaar aan om te kijken of er nog interessante handel tussen zat. Cato vond het best. Ooit werkte hij zeventig uur per week bij een multinational, tot hij overspannen raakte, zo'n vier jaar geleden. Hij bleef werken maar deed dat met grote tegenzin, was altijd en eeuwig zwaar verkouden, aan de diarree of anderszins ziek. 's Avonds stortte hij om tien uur in, en in de weinige uren waarin hij voor haar aanspreekbaar was, had hij het over de zin van het leven, dat hij straks zo in zijn graf lag en niks had gedaan, dat het toch niet uitmaakte wat hij deed op de zaak, dat het allemaal nergens over ging, dat hij zich uitgewoond voelde. Hij stoorde zich vaak aan de kinderen, vond ze verwend.

'De kinderen zien me als wandelende portemonnee,' zei hij tegen Cato.

'Dat komt doordat je nooit wat leuks met ze doet,' zei zij dan. 'Faciliterende activiteiten zoals uitwedstrijden rijden, zien de kinderen niet als iets met hen dóén.' Op een gegeven moment had Cato er genoeg van gehad. Op een etentje bij René was hij om half tien 'even gaan plassen'. Hij was niet meer teruggekomen en ze hadden hem snurkend aangetroffen op de vloer voor de verwarming in de hal.

'Zeg die baan dan gewoon op!' riep ze. 'Dat salaris en die status interesseren mij geen bal. Jou wel?'

Pier nam ontslag.

Onder de diverse therapieën waarmee hij probeerde uit te vinden wat hij dan wél wilde met de rest van zijn leven, zat een week kleien in de Ardèche. Door met zijn handen bezig te zijn en letterlijk te aarden, zou zijn geest kunnen loslaten, was de idee. Murw geluld onder leiding van een dramatisch gescheiden vrouw met haar tot over de schouders waarvan de bovenste helft grijs was en de onderste oranjerood – 'Ik kan nu mezelf zijn en hoef geen enkele schijn meer op te houden, en ik gun jullie dit ook allemaal heel graag', had ze tegen de groep gezegd – nam hij op de terugweg al na een half uur rijden een afslag voor een kop koffie. Hij raakte aan de praat met de uitbater van het dorpscafé en hij hoorde dat er een huis te koop stond. Voor geen geld, vond hij. De eigenaar, die ook in het café zat, bleek twintig jaar voor zijn oude moeder te hebben gezorgd en trok nu ze was overleden naar de grote stad. Eindelijk. Zo zo, dat is toch een hele stap, zei Pier. En waar ligt uw moeder begraven? Was het een mooie begrafenis? Ze konden meteen goed met elkaar overweg. Er werden ter plaatse handtekeningen gezet.

Toen hij bij thuiskomst vertelde dat hij naar de bank moest omdat hij een heel fijn vakantiehuis had gekocht voor 'geen geld', floot Cato hem terug. 'Dat is natuurlijk geen goed idee. Je bent werkloos en we moeten nog maar zien wanneer je weer een baan hebt. Wat is dat voor iets idioots? Je zegt je baan op, besteedt een godsvermogen aan allerlei debiele therapieën van mensen die niet eens psycholoog zijn en koopt ook nog even zonder overleg een huis in Frankrijk. Je houdt niet eens van Frankrijk! Je lijkt wel niet goed snik de laatste tijd.'

Hij had de koop afgewikkeld en het huis met tweehonderd procent winst doorverkocht aan een oud-collega van wie hij wist dat die een tweede huis overwoog. Zo was het gekomen. Nederlanders spreken geen Frans en passen hun kille wijze van zakendoen niet aan in het buitenland. Hij bleek de ideale makelaar in het zuiden van Europa.

Pier stapt uit om het hek te openen. De eigenaar loopt hun tegemoet. Er volgt een lang exposé over de wijze waarop de enorme witlinnen parasol iedere avond moet worden opgevouwen en van beschermend plastic moet worden voorzien, en dat ze alleen met nauwsluitende zwembroeken in het zwembad mogen.

Anneleen belt dat ze er over twee uur zijn, borreltijd. Ze komen direct uit Nederland aangereden en zijn in het holst van de nacht opgestaan om de zwarte zaterdag te ontlopen.

Cato krijgt haar cliënten vaak van bedrijven en soms via een arbodienst of psycholoog. Haar eigen man heeft ze niet naar een nieuwe loopbaan begeleid, er viel in die tijd geen land met hem te bezeilen en zij was de laatste van wie hij iets aannam. De verhuizing naar de provincie had Pier er gewoon doorgedrukt. De kinderen protesteerden in alle toonaarden, zijzelf stond ervoor open maar wilde het de kinderen niet aandoen. Maar Pier had genoeg van het stadse bestaan en was ervan overtuigd dat iedereen buiten de Randstad veel gelukkiger zou worden. Hij wilde ontstressen en onthaasten, en dat wilde het gezin ook, al wisten ze dat zelf nog niet, volgens Pier. Het had nog even geduurd tot hij het huis in Joppe kreeg doorgeseind van een makelaar met wie hij regelmatig contact had. Dit werd het. Tot grote verwondering van Cato waren de kinderen binnen een half jaar gewend. Ze fietsen inmiddels zonder morren vele kilometers naar school in Deventer. Tot haar net zo grote verwondering bleek ze het zelf in Joppe verrukkelijk te vinden. Deventer vond ze de perfecte afmetingen en sfeer hebben voor stadsbezoek. Blijkbaar werd ze oud. Ze hadden, speciaal voor haar, en straks misschien voor de kinderen, een appartement in Amsterdam, maar daar kwam ze niet zo vaak. En als ze er kwam was dat eigenlijk meer voor Matthijs dan voor Amsterdam. Ze vond het goed voor de kinderen dat ze in ieder geval een paar jaar van hun leven elders sleten. Zelf had ze ook altijd gedacht dat je nergens anders kon wonen. Onzin natuurlijk.

Frits komt moe aan, hoewel Anneleen het grootste deel heeft gereden. Hun zeventienjarige dochter springt meteen het zwembad in, de zoon en dochter van Pier, zeventien en vijftien, gaan ook weer te water. De dresscode voor het zwembad wordt met voeten getreden; de jongen gaat liever dood dan te zwemmen in een ballenknijper. Op het terras wordt de citroenlimonade aangevuld met witte wijn, bier en allerlei lekkers dat Pier van het vorige adres heeft meegenomen. Uitpakken stellen ze uit. Alleen de ijskast is ingericht. Pier gaat straks zelf pizza maken, iets wat hij zichzelf de laatste jaren heeft eigen gemaakt in de pizzaoven in de tuin te Joppe. In de woonkamer liggen open reistassen waar de zwemkleding uit is getrokken. Het is nu al een enorme puinhoop en dat zal zo blijven. De Gersteblommetjes zijn niet zo opruimerig. Cato weet nu al dat ze gelazer gaan krijgen met de eigenaar over die verdomde hysterische designparasol als daar een buitje overheen trekt.

Pier en Frits geven samen een hilarische demonstratie synchroonzwemmen, een onderdeel van de Olympische Spelen waar Pier geen genoeg van kon krijgen. Pier wordt door Cato het bad uitgetrokken om aan zijn pizzadeeg te beginnen.

'Anders zijn we straks allemaal bezopen.'

Later, buiten aan tafel, toosten ze op hun bestaan.

'Wat een rotleven, jongens,' zegt Frits. 'Morgen flink wandelen, het is hier schitterend.'

De kinderen protesteren. 'Je had beloofd dat we maar één wandeling hoefden te maken!'

'Ik ga zeker niet mee.'

'Ik ook niet. Wandelen is voor nerds. En ik ga ook niet mee naar de markt.'

'Of naar een kerk uit het jaar nul. Of andere oude brokken bekijken.'

'Ja, zoals begraafplaatsen met plastic bloemen die m'n moeder zo leuk kitsch vindt. We blijven hier gewoon chillen.'

'Goed plan,' zegt Cato. 'Iedereen doet lekker wat-ie wil. Voor je het weet lig je onder de zoden. Jongens, jullie mogen ieder één glas drank. Schenk je even bij, Pier? Ik toost op Floris, dat hij over ons allen moge waken vanaf zijn wolk, en op Do en de kinderen.'

Een paar dagen later begint de zoon van Pier en Cato aan een kruisverhoor over het jaar Magistra '79. Ze zitten te lunchen bij La Gambero Rosso in Cinqueterra, een restaurant waar je in ieder geval één keer in je leven moet hebben gegeten volgens Pier en Frits.

'En je kunt het maar beter op kosten van je ouders doen,' voegt Cato eraan toe.

Piers zoon houdt niet van lang tafelen. Wegens saai. Hij neemt de gelegenheid te baat. Hoe dat precies ging, of het niet raar is om met je broer in hetzelfde jaar te zitten. Frits is in dienst geweest en heeft 'op Havelte gelegen' en herinnert zich een gala waarbij zijn dame door een generaal-majoor werd doorgezaagd over zomertarwe en wintertarwe. En omdat zij zo belangstellend luisterde, kreeg Frits gemakkelijk extra verlof. Pier hoefde niet in dienst dankzij zijn zwakke enkels, door de Gersteblommen vertaald in slappe knieën. De jongen wil weten waardoor ze meer met Floris en Mike en Charles omgingen dan met de rest, waarom die Poppe Ketelaar naar het buitenland was verdwenen en nooit meer iets liet horen – 'dat was altijd al een rare snuiter' – en wat Defares eigenlijk had gestudeerd.

De meisjes luisteren terwijl ze met argusogen alle langsflanerende dames fileren. 'Cameltoe op rechts,' zegt de een.

'Onwijs oud en dan in zo'n broek lopen,' zegt de ander. De vrouw in kwestie is een jaar of dertig, schat Anneleen. Ook erg vinden ze een volwassen vrouw met staartjes, en met een spijkerbroek aan een tafeltje verderop is ook van alles mis.

'Wannabe,' zegt de een, de ander knikt. Anneleen legt uit dat het overduidelijk geen Italiaanse is en ongetwijfeld een Hollandse. Ita-

liaanse jonge vrouwen hebben namelijk stijl, vrouwelijke landgeno-
ten helaas niet, waarop ze een tirade begint over het schouwburg-
en operabezoek.

'Dra-ma-tisch slecht gekleed volk in ongestreken blouses, spij-
kerbroeken, sportschoenen, bij voorkeur verwassen T-shirts, en
boven dit charmante geheel natuurlijk geen make-up.'

De twee meisjes kijken naar Anneleen. 'Jij bent écht erg,' zeggen
ze dan en beginnen een ander gesprek.

Dan gaat de telefoon van Pier.

'Ja, dank je, we hebben het heel goed,' zegt Pier in de telefoon.
'Wanneer? Eh, dat moet ik even overleggen, ik bel je na de lunch
terug, schikt dat?'

Nadat hij heeft opgehangen, zegt Pier dat het Van Weelde was.
Van Weelde is ergens in de buurt en wil langskomen.

'Nee, dit keer niet,' zegt Anneleen. Ze zet haar glas te hard op tafel.

'Volgens mij is hij helemaal niet toevallig in de buurt. Hij zit zich
gewoon thuis te vervelen en jullie hebben hem vast moeten beloven
dat hij "meer dan welkom is".'

'Ik heb er ook geen zin in,' valt Cato haar bij. 'We zitten hier een
week met zijn zevenen, het is een familieding. Echt niet, jongens.'

Pier en de zijnen blijven nog een week langer in dit huis, Frits c.s.
rijden door naar Venetië en moeten dan alweer naar huis; ze hebben
maar twee weken. Bij Pier komt Philip nog een paar dagen langs.
Het zusje van Cato komt ook nog een paar dagen met haar dochter
van zeven en haar nieuwe vriend, en een vriendin van Cato komt
twee nachtjes logeren aan het eind van de week. Bovendien wordt
zaterdag een vriendje van de oudste van Pier en Cato bij de villa af-
geleverd door zijn ouders, die zelf weer aan het werk moeten. 'Daar
kan Van Weelde dan toch wel een paar nachtjes bij?' zegt Pier. 'Dan
is het toch al een bont gezelschap.'

'Of laat hem naar Venetië komen,' zegt Frits. 'Dan nemen wij
hem wel een paar dagen.'

Cato en Anneleen kijken elkaar aan.

'Het is zo langzamerhand "wat doen we met moeder met de kerst" aan het worden. Het is jammer voor hem dat hij geen kinderen heeft, maar dat is wel zijn eigen keus. Waarom moeten wij hem dan altijd van de straat houden? Wat is dat voor iets merkwaardigs?' zegt Cato.

'Ik heb er meer dan genoeg van. Die Van Weelde denkt dat hij ouderlijke rechten op jullie heeft. Dat slaat toch nergens op?'

Frits zegt dat ze niet zo ongastvrij moeten doen. Pier valt hem bij. 'Je hebt toch geen last van die man?'

'Daar gáát het niet om,' zegt Cato. 'Wat moet die man met jullie? Hij is vijftien jaar ouder en geen familie, ook geen vriend. Trouwens, wij hebben wel last van die man, nietwaar, Anneleen?'

'Van W. is wél een vriend,' zegt Frits.

'Hoezo? Waarom? Wat hebben jullie met elkaar, behalve dat je in hetzelfde dispuut hebt gezeten? Magistra is geen familie, hoor. Het is een studentenclub. Stu-den-ten, hoor je me goed? Jullie zijn al honderd jaar student-af, Van Weelde nog een oneindigheid langer. Charles heeft zelfs de eerste regel van het Magistra-lied als ringtone! En dat vinden jullie nog doodnormaal ook. Heel kinderlijk. Jullie zijn hier te oud voor.'

'Hebben jullie vroeger ook bloed uitgewisseld of zo?' vraagt Anneleen. 'Ik vind die Magistra-band ook nogal ver gaan.'

'Misschien is het een wanhopige poging de tijd terug te vinden waarin het leven nog openlag,' zegt Cato.

'Ah, daar hebben we onze huispsycholoog,' zegt Pier. 'Jullie zijn jaloers omdat meisjesdisputen die band niet kennen. Vrouwen zijn überhaupt niet in staat vrienden voor het leven te worden. Hooguit bondgenoten, tot de doelen niet meer overeenkomen. Veel te kritisch ook. Er gaat altijd ergens iets fout om niks. Bijvoorbeeld, iemand draagt een verwassen T-shirt naar de opera. Nou, die kan het dus wel *shaken*.'

'Jullie zijn helemaal geen vrienden. Jullie noemen mensen nog steeds vrienden als je elkaar twee jaar niet hebt gesproken. Philip bijvoorbeeld. Een dikke vriend, maar jullie zien hem nooit,' zegt Anneleen.

'Ja, hij komt toevallig langs deze vakantie, maar alleen maar omdat we op de route liggen,' vult Cato aan.

'Kijk,' zegt Pier opgewonden, 'dát vind ik nou het ergste aan jullie soort. Jullie bepalen voor ons wat een deugdelijke vriendschap is. Jullie moeten van elkaar weten welke tampons jullie gebruiken en hoe je je precies voelde toen je onheus werd bejegend door een medewerker van een helpdesk en dat die en die drie jaar geleden een rare opmerking heeft gemaakt. Lekker belangrijk. Maar als iemand in je vakantiehuis langskomt omdat je op de route ligt, dan krijgt hij een stempel van afkeuring. Ik vind jullie ontzettend geborneerd, dames.'

De volwassenen hebben de volle aandacht van de kinderen. Als Cato eenmaal doorheeft dat die niets meer zeggen en dus luisteren, stuurt ze hen van tafel.

'Gaan jullie even ergens ijs eten of zo. Pier, geef ze wat geld. Wij drinken hier nog iets en rekenen dan af,' zegt ze. 'En volgend jaar gaan we maar naar Malawi, dan liggen we op geen enkele route.'

'Ho, ho, dat moet je niet te snel zeggen. Malawi is het nieuwe pretpark van Afrika. Nadat wanhopige Hollandse dames op zoek naar gewillig vlees Gambia hebben uitgekamd, schijnt de aandacht te zijn verlegd naar Malawi. Ik heb het allemaal gelezen in H P /De Tijd. Omslagartikel. En daarnaast is het land sinds Madonna helemaal *en vogue* om daar met het hele gezin arme negertjes te gaan kijken. Malawi is namelijk veilig en nog gristelijk ook. We kunnen volgend jaar best gaan en afspreken met Matthijs. Bij hem om de hoek.'

'Als er op één plek al drie Magistraten zijn, dan heb je er in *no time* vier. Was Van Weelde "toevallig ook in de buurt". Ik heb er nu al geen zin in.'

Het verdere gesprek levert de dames niets op. Van Weelde mag komen van volgende week woensdag tot vrijdag. Frits neemt hem ergens met de feestdagen, belooft hij Pier.

De vrouwen haken ook af. Ze gaan een stukje lopen. 'Ontstellend ergerlijk vind ik het. Weet je nog dat weekje in Zeeland met het jaar, wanneer was het? Charley was nog aan de borst, herinner je je? Volgens mij waren we met z'n dertigen. Toen kwam hij ook ineens op een avond aanzetten, "want hij was in de buurt".'

'Ja, natuurlijk weet ik dat nog. Hij had zelfs commentaar. Waarom de kinderen zo laat naar bed gingen. Daar had hij last van. Hij moet toen tegen de vijftig zijn geweest. Wij vonden hem natuurlijk al een ouwe zak. Het eindigde ermee dat de jongens in een kring om hem heen zaten en wij met de kinderen aan het klooien waren en de boel opruimden. Echt negentiende-eeuws.'

'Nou ja. Aan de andere kant zegt Pier er ook niets van dat mijn vriendin komt logeren, en die is natuurlijk ook best dominant gezelschap.'

'Maar dat is een goede vriendin, die je al sinds de lagere school kent en die even oud is als jij. Dat is toch geen vergelijk? Goed, het zij zo. Ik zie daar een heel leuke winkel, daar gaan wij even kijken. O, daar komen de kinderen weer. Wat zijn ze beeldig, alle drie. Kijk nou.'

'Inderdaad. Count your blessings, laten we er maar geen aandacht meer aan besteden, zo erg is het nou ook weer niet. Het is een aardige man. Te aanwezig, maar wel aardig.'

'Ik heb toch laatst gegeten met Pieternel?' zegt Cato.

'Ja, dat is waar ook. Hoe was dat? Hoe ging het met haar? Ik heb haar in geen eeuwigheid gezien.'

'Ze zag er goed uit, opgewekt. Ze was blij om weer eens iemand uit het oude clubje te spreken. Sinds ze is weggegaan bij Mike had ze van niemand ooit meer iets gehoord. Niet netjes van ons. Weet je wat ze mij vertelde? Toen ze wegging bij Mike is Van Weelde bij haar op bezoek gekomen. Hij vond het onbetamelijk van haar. En slecht voor Mike. Ze moest achter haar man staan. Dat kwam hij haar even vertellen. En of ze maar even wilde heroverwegen.'

'Echt? Dat kan ik nauwelijks geloven. Jezus. Wat denkt hij wel niet.'

'Ja. Als het nou nog Mikes vader was, dat kan ik me voorstellen. Maar gewoon een ouderejaars uit het dispuut? Overbezorgd zogenaamd, nou, ik vind het ongezond. Wat weet die vent trouwens van relaties? Wat had Pieternel geantwoord?'

'Niks, geloof ik. Ze was stupéfait.'

'Kan ik me voorstellen. Maar wel jammer dat ze geen tekst op voorraad had. Je zou je op zoiets van die man moeten kunnen voorbereiden.'

'Tja, dat kunnen wij in elk geval nu wel.'

Op vrijdagavond wordt er geriskt. Tijdens hun studietijd deden ze dat vaak op het Huis. Niet-bewoners kwamen ook langs, daarna met z'n allen afzakken naar Carels III en nog later in de nacht naar D'Ouwe Herbergh. Mike ging rechtstreeks naar de kroeg omdat hij spelletjes verfoeide. Vond hij 'opgelegd gezellig doen' en het deed hem aan thuis denken. Zijn ouders legden elke zaterdagavond een kaartje aan tafel op een speciaal kleedje dat over het Perzische tapijt werd gelegd. Ze dronken een opgepiept kopje koffie dat over was van de ochtend, en daarna een glaasje sap. Zodra het kleedje tevoorschijn kwam, vluchtte Mike naar zijn kamer. Sindsdien zijn spelletjes voor hem verbonden met troosteloosheid en de geur van zure koffie.

De kinderen van Pier en Frits zijn alle drie fanatiek, maar de jongen kan echt niet tegen zijn verlies.

'Je lijkt Floris wel,' zegt Cato. 'Weet je nog? We gingen een keer een weekend in het huisje van zijn ouders. Toen Floris verloor ging hij ervandoor. Volgens hem werd er vals gespeeld en hadden de dames een bondje gesloten. Het was toen net aan met Do, die niet wist wat ze meemaakte. Uren bleef hij weg, in het donker. Op een gegeven moment gingen we ons allemaal zorgen maken. Do liep naar het raam en daardoor stond hij zwijgend van buiten naar binnen te kijken. En het gezelschap te bestuderen. Ze schrok zich rot toen ze hem zag. Ik zie het nog voor me.'

'Ja, toen hij dan toch maar binnenkwam ging hij meteen naar bed. Heel kinderachtig.'

'Ho, ho, dames, over de doden niets dan goeds.'

'Ach ja, zo heeft iedereen wat. Hou Anneleen in de gaten, jongens, daar zie je niks aan af, maar ze wint wel altijd.'

Ja, die heeft per botox een pokerface gecreëerd, denkt Cato. Ze schaamt zich meteen voor haar eigen gedachte. 'Wie is?'

Er worden meer herinneren opgehaald aan Floris. En aan Do. Hoe Floris bij iedere boreling van een jaargenoot als eerste met Do op de stoep stond. Floris liet dan gewoon alles uit zijn handen vallen. Hoe Floris ze allemaal op vrijdagmiddag belde om te zeggen dat hij zin had om die avond in Brussel te gaan eten, dat hij een tafel had gereserveerd bij Comme Chez Soi en dat hij op ze rekende. 'Opdat het ons ditmaal wel lukt om met elkaar Manneke Pis te ontmoeten.' Of hoe hij zijn jachtvergunning had gehaald en op een gezamenlijk pre-kerstdiner verscheen in een jagersoutfit, inclusief knickerbocker van ribfluweel, met een geweer over zijn elleboog geklapt. Dat hij bij iedere vorm van vorst helemaal opgewonden werd over een mogelijke Elfstedentocht. Licht aangeschoten en zwaar geëmotioneerd belt Anneleen om half een 's nachts met Do. Ze kletsen zeker een half uur, lachen en huilen afwisselend.

Daarna gaan ze naar bed, maar de kinderen blijven nog uren op om te pokeren. Ze moeten de volgende dag wakker worden gemaakt voor de lunch. De rest van de zaterdag brengt het hele gezelschap door aan de rand van het zwembad. Het weer zit in de parasol, constateert Cato landerig. Helemaal vergeten dat ding ooit op te bergen 's avonds. Ze valt tevreden in slaap.

Maandagavond, het schemert al, veert Pier op uit zijn stoel wanneer hij in de verte het fluitje hoort. Het Magistra-fluitje. Philip komt met een rolkoffer over het pad aangelopen.

'Flip. Onwijs gezellig dat je er bent. Cato was al bang dat je het niet kon vinden. Waar ben je aan toe? Ik heb nog een vitello tonnato voor je, ik kan een pasta voor je maken of een flinke portie kaas. Zeg het maar. Biertje?'

Flip zijgt neer in een hangstoel bij het zwembad en Cato trekt nog een fles open.

'Waar zijn de kinderen?'

'Die heb ik afgezet in het dorp. Ze hadden behoefte aan exotische jeugdigheid en komen te voet terug.'

Philip vertelt over de drukke dagen die hij achter de rug heeft met een paar lastige opdrachtgevers waardoor hij tot de vorige avond laat heeft doorgewerkt om alles af te krijgen. Vervolgens vroeg opgestaan en alles in één ruk gereden. 'Heerlijk om hier te zijn, jongens. Daar had ik behoefte aan. En het is precies zoals ik me had voorgesteld. Lauwwarme temperatuur, krekels, sterren, in de verte wat zomers rumoer.'

Om twee uur 's ochtends is er nog geen spoor van de kinderen. Pier en Philip besluiten ze te voet te gaan halen.

De ochtend daarop komt Pier met zakken vol verse broodjes aangezet. Alleen Cato ligt in het zwembad.

'Flip al gezien?'

'Nee, wel wat gestommel gehoord.'

'Ik haal hem wel, anders is het zo jammer van het eten.'

'Schat, eten is niet voor iedereen een obsessie. Laat hem, hij is moe.'

'Zeg, ik heb met hem gewoond, dus ik weet dat hij van vers brood houdt. Ik wek hem met espresso.'

Philip reageert nauwelijks wanneer Pier de kamer binnenkomt.

Pier trekt de gordijnen open. 'Kijk eens wat een uitzicht.'

Dan hoort hij gekreun. 'Ik ben zo ziek, ik kots alles uit. Mogen de gordijnen alsjeblieft weer dicht?'

'Je hebt een kater! Slik een pil, neem een espresso en kom wat eten. Zal ik eieren met spek voor je maken? Dat helpt. Vroeger tenminste.'

'Pier, ik heb migraine. Zou je beneden mijn tas willen halen? Daar zit mijn spuitkit in.'

'Kut, man, waarom heb je dat nu? Je bent met vakantie! Wat is dat, een spuitkit?'

'Haal m'n tas nou maar.' Terwijl hij nog een zin probeert te zeggen, holt Philip kokhalzend naar de wc. Pier kijkt hem verbijsterd na. Overgeven zit niet in zijn systeem. O ja, die tas.

Even later zit Pier naast Philip op het bed en kijkt toe hoe hij uit een cassette een soort ballpoint haalt waarin hij een vulling schroeft. Philip zet het ding op zijn been en drukt de bovenkant ervan in. Maar kennelijk gebeurt er niet wat zou moeten. Philip kreunt en bekijkt de ballpoint. 'Kut. De veer weigert, waardoor de injectienaald niet in mijn been komt.'

'Joh, zit jij jezelf hier te prikken? Wat een ellende. Kan ik iets doen, wil je dat ik het doe? Ik kan het ook, dat heb ik van mijn moeder geleerd. Hoorde bij haar opvoeding.'

'Pier, hou even op met praten, ik word helemaal gek. Mijn hoofd klapt uit elkaar, er zitten twee messen in te boren.' Philip haalt de pen uit elkaar en controleert de veer, schiet ter controle nog een keer waarbij hij de deken injecteert in plaats van zichzelf. De pijn en het vooruitzicht een etmaal te moeten lijden worden hem te veel. Hij zakt weg in zijn kussen. 'Laat me maar met rust. Ik kom wel weer een keer tevoorschijn.'

'Als ik wat voor je kan doen, naar de lokale medicijnman bijvoorbeeld?'

Pier neemt de cassette mee en sluipt de kamer uit. De kinderen krijgen zodra ze beneden komen het strikte gebod stil te zijn.

Pas woensdagochtend is Philip weer de oude. Pier gaat speciaal voor hem naar het dorp voor wederom verse broodjes, en laat hem de rest van de dag de schade inhalen van alles wat hij op culinair gebied heeft moeten missen.

Wat is de verklaring voor de migraineaanval, wil Pier weten.

'Ontspanning, ontlading. Nu het kotsen erbij is gekomen, weet ik zeker dat het migraine is. Vroeger was het gewoon knetterende koppijn. De eerste keer dat ik dit symptoom erbij kreeg, was daags nadat ik de weduwe voor het eerst heb gezien. Dat zat blijkbaar heel diep, de spanning voor de confrontatie met haar.'

'Laten we daar alsjeblieft niet meer over praten. Lijkt me wel zo rustig, want vanmiddag komt Van Weelde. Maar ik snap het.'

'Fijn. Er valt verder ook niet veel over te zeggen trouwens. Geen zorgen.'

'O ja,' zegt Pier, 'Cato wil dat ik je als vrind anderhalve liter kamillethee per dag laat drinken. Ze zegt dat dat helpt.'

Philip kijkt hem vermoeid aan. 'Kamillethee? Geen eikeltjesthee? Werkelijk, Pier. Als het zou helpen zou ik het doen, trouwens.'

Pier steekt verontschuldigend de handen omhoog. 'Ik ben maar de boodschapper. Als ik een glas pis voor je neus zet, weet je dat het moet van mijn vrouw. Met oprecht goede bedoeling overigens. En ik mag je geen chocola meer geven. Krijg je ook hoofdpijn van, zegt ze. Nou ja. Het zal wel loslopen. Biertje?'

Van Weelde belandt in een oase. De kinderen zijn inmiddels geheel in de ruststand gekomen. Ze lezen zowaar boeken. Het is heerlijk, echt vakantie. Wat maakt het ook uit, denkt Cato. Hoe meer zielen hoe meer vreugd. Philip is een onderhoudende gast, en achteraf heeft ze spijt dat ze de vriendschap van haar man en schoonbroer met hem zo normatief heeft beoordeeld. Cato's zusje is dol op haar nieuwe vriend, een stuurs, stil type dit keer. Het dochtertje is een schatje. Ze vindt alles fijn. De kinderen jonassen haar eindeloos het zwembad in en tonen zich de ervaren oppas die ze zijn. Cato's vriendin die ook is aangeschoven, kan het goed met haar kinderen vinden. Ze flirt met Philip, die vlak voor de vakantie zijn zoveelste Parship-relatie heeft beëindigd. Ook ditmaal was het van korte duur.

'Probleem met de meeste vrouwen is dat ze totaal arelaxed omgaan met een relatie. Zodra de eerste date is geweest, beginnen ze te zeuren over de inrichting van mijn huis, over de staat waarin mijn auto zich bevindt, mijn televisiekijkgedrag. De laatste dame stond erop met mij mee naar Italië te gaan om voorgesteld te worden aan mijn vrienden. Dat was meteen het eind van ons prille geluk, want ik had de keus uit stikken of slikken.'

'Dat snap ik niet. Waarom kon je haar niet meenemen? Wat is daar nu zo moeilijk aan?'

'Cato, ik ken haar nog maar net, en waarom moet ik dan meteen mijn hele hebben en houwen delen? Kan ik haar steeds allemaal grappen gaan uitleggen of met een stamboom ernaast aanwijzen wie wie is in dit gezelschap. Nee, dank je wel. Ik heb ook vakantie.'

Van Weelde geeft Philip groot gelijk. 'Je kan niet zorgvuldig genoeg je partner uitkiezen,' zegt hij en hij kijkt hem doordringend aan.

O ja, denkt Philip, stress over de weduwe. 'Maak je maar geen zorgen over mijn partnerkeuze. Nergens voor nodig,' antwoordt hij afgemeten.

Cato wil nu eindelijk wel eens weten hoe het er op zo'n feest voor singles aan toegaat. 'Is dat echt een vleesmarkt?'

Philip biedt haar aan een keer samen te gaan, maar daar wil Pier niets van horen. 'Dat vind ik een mannenuitje, Flip, na de zomer ga ík met je mee. Loopt er wel eens wat rond?'

'Elk type vrouw op aarde is er vertegenwoordigd. Tussen de achttien en de tachtig jaar, groot, klein, met en zonder gebrek, puur natuur of opgedirkt, muurbloemen en opdringerige trollen. Ik wist niet dat er zo veel soorten vrouwen bestonden. IJzingwekkend eng als ze op een kluitje staan. Staan ze je op afstand te keuren en komt de brutaalste op je af.' In herinnering trekt hij alsnog zijn neus op. 'Ik werd op zo'n feest aangesproken door een vrouw met van die lange plaknagels en een piercing tussen haar immense voorgevel. Van die plastic gevallen. Vreselijk.'

'Hoe zag je dat meteen?' vraagt Pier belangstellend.

'Ga door, Philip, laat je niet afleiden, we hebben het beeld. En toen?' vraagt Cato. Ook haar zusje trekt haar stoel iets dichter naar Philip toe. Ze wil hier geen woord van missen.

'Ze zaten te hoog voor die omvang en voor de rest was ze dun. Enfin, die vrouw vraagt, waar haar vriendinnen bij staan, of ik in ben voor een triootje. Dan denk ik: wat dóét die vrouw hier? Die zoekt dan toch blijkbaar geen relatie?'

Cato vindt dat wel een heel erg puriteinse houding. 'Alsof vrouwen niet een man zouden kunnen zoeken puur voor de seks. Dat is neem ik aan een aspect van een singlefeest.'

'En? Heb je het gedaan?' vraagt Pier hijgerig. Hij wordt minzaam door Philip genegeerd. Pier is licht teleurgesteld en verliest meteen zijn belangstelling voor het onderwerp.

Terwijl Philip overgaat op 'taalgebruik in datingmails' – de dames hangen aan zijn lippen – wandelt Pier naar de ijskast. Tijd voor een gezellig borrelhapje. Triootjes prima, denkt hij, maar daten? Nee, hij mag er niet aan denken. Hij wordt al doodmoe bij het idee. Dan moet je met die vrouwen práten, natuurlijk. Als het een beetje tegenzit over hun hond of hun collega's of erger nog, hun ex. Tevreden snijdt hij tomaatjes en mozzarella. Arme Flip, hij gunt hem graag een leuke vrouw. Hij is zelf immers ook gelukkig met zijn vrouw. En zij met hem. Hij heeft spijt van zijn gerommel met de dame van de cursus. De lol was er al snel af en toen gaf het alleen nog maar gelazer. Ze was te opdringerig en had geen begrip voor het feit dat hij natuurlijk gewoon getrouwd was. Hij heeft vooral spijt van wat hij Cato ermee heeft aangedaan. Gelukkig zou Cato nooit vreemdgaan. Hij zou het zeker niet aankunnen als ze dat deed en het zou het einde van een goed huwelijk betekenen. Jammer voor Philip eigenlijk dat vrouwen vrouwen zijn, lastig en zo, althans, de aantrekkelijke dan.

Wanneer Pier de caprese op tafel zet, is Philip net op zijn iPhone zijn mails aan het opdiepen. De dames hebben hem gesmeekt een paar berichten van online-dateressen te mogen lezen.

'Hou eens op, meisjes, laat die jongen met rust. Het gaat jullie niks aan,' zegt Pier.

'Nee, maar je wilt het later wel allemaal haarfijn weten, schatje.'

'Ja, daarom wil ik niet dat jullie het weten, dan kan ik het later ook niet van jullie te horen krijgen. Want vrouwen kunnen hun mond niet houden. Snap je?' zegt Pier.

Hij wordt hartelijk uitgelachen door het voltallige gezelschap. 'Zo ken ik je weer, Pier.' Philip slaat hem op zijn schouder, stopt zijn iPhone terug in zijn zak en snijdt een algemener onderwerp aan. Pier vult zijn mond nog eens.

's Avonds barbecueën ze langdurig op het terras. De zoon van Pier oefent bal-hooghouden bij het zwembad, in een idioot grote zwembroek, waarvan de band hem bijna onder zijn billen de lendenen afknelt. Daaronder is een gifgroene Björn Borg-onderbroek zichtbaar, die tot opluchting van Cato wel zit waar hij hoort te zitten. Zoals wel vaker draagt hij een diadeem.

'Wat zit je haar leuk,' zegt Philip. De zoon lacht.

'Het is gewoon handig met hockeyen,' zegt hij.

'Ja, ja,' zegt Philip, 'het zit je in de genen. Je vader zat vroeger in het Huis ook al met een diadeem op te ontbijten omdat hij vond dat zijn haar dan beter zat als het opgedroogd was. Maar toen was het zeker nog geen mode.'

'Echt?' zegt de jongen. Hij kijkt naar zijn vader in een poging dit beeld voor ogen te krijgen en verliest daarbij de bal. 'Kut.'

'Geen kut zeggen,' zegt Pier.

'Je zegt het nu zelf, ouwe.'

'Ik was gewoon heel erg avant-garde,' zegt Pier tegen Philip. 'Maar nu de diadeem *accepté* is, is mijn voorhoofd helaas te hoog geworden om nog aan de mode mee te doen.'

'Niet zo koket, Pier, je weet heel goed dat dat nog reuze meevalt, krullenbol. Wat vind jij?'

Van Weelde vindt ook dat er niks mis is met Piers haar. Hij stort al sinds zijn aankomst een charmeoffensief uit over alle aanwezigen en is een begenadigd causeur. De kinderen vindt hij goed te doen nu ze in volzinnen spreken en zindelijk zijn en tafelmanieren hebben. En zij hem ook, want hij weet veel van allerlei onderwerpen af. De man lijkt wel een wandelende encyclopedie. Hij vertelt uitgebreid over sterrenstelsels en sterrenbeelden, en weet ook nog wie wanneer wat voor het eerst in de ruimte heeft gedaan. Wat heb ik me nou lopen opwinden, denkt Cato. Ze vindt zichzelf ook hierin achteraf gezien heel onaardig en ongastvrij geweest. Ze stuurt een sms naar Anneleen: 'VW gaat prima. Ik ben een heks.'

De volgende dag gaat Van Weelde geheel zelfstandig naar een of andere kerk in de buurt kijken. Hij komt terug met allerlei lekkers voor bij de thee en met veldbloemen. Hij vult samen met Pier in de keuken twee dienbladen voor op het terras.

'We moeten vast nadenken over wat we gaan doen als het is uitgekomen,' zegt Van Weelde ineens.

'Hoezo?' Pier schrikt ervan. 'Hoezo zou het uitkomen? Ik wil helemaal niet dat het uitkomt. De kinderen! Philip gaat niks zeggen, zo is hij niet. Dat weet ik echt zeker. Als hij die vrouw al blijft zien. Hij weet wat het zou betekenen voor de kinderen als het uitkomt, dat heeft hij er echt niet voor over om zijn eigen straatje schoon te vegen. Zo zit hij niet in elkaar.'

'Of hij is júíst de eerste die gaat praten. Dat denk ik. Ik begrijp het ook nog. Ik kan dat soort dingen gezien mijn levenservaring inmiddels vrij goed voorspellen,' zegt Van Weelde.

Pier is geërgerd. Wat is dat nou, zeg. Philip is in feite de braafste borst van het hele jaar. Dat weten ze allemaal. 'Dat heb je dan mis. De eerste wordt hij zeker niet. Ik heb het namelijk aan Cato verteld.'

Van Weelde reageert niet, behalve dan dat zijn rug een extra bolling krijgt. Hij kijkt naar de grond.

Dan zegt hij: 'Wil je dat de bal gaat rollen? Prima. Heel jammer dat je dat niet even eerst met mij hebt besproken. Dat had ik wel verdiend, vind je ook niet?'

'Nee, ik wil geen rollende ballen. Dat gaat ook niet gebeuren. Dat denk jij al dertig jaar om de zoveel tijd. Het is nooit gebeurd, dus waarom zou het nu ineens wel gebeuren? Kunnen we er trouwens over ophouden? Ik ben hier met vakantie met mijn gezin.' Pier kijkt schichtig om zich heen. 'Kinderen horen altijd alles. Ik wil het er hier verder absoluut niet over hebben. Geen woord meer,' zegt hij.

Hij pakt een blad en loopt naar buiten. Gelukkig, alle vier de kinderen zijn te water. Zijn hart bonst. Is hij naïef? Gaat Philip het toch zeggen? Nou ja, dat moet dan maar. Prima eigenlijk. God, wat heeft hij verschrikkelijk genoeg van dat rotgeheim. Waren ze maar direct naar de politie gegaan, dan waren ze er meteen vanaf geweest. Totaal uit de hand gelopen, die idiote geheimzinnigheid, en het werd met de jaren steeds lastiger om daarop terug te komen. Het was godverdomme een ongeluk. De collectieve schuld komt hem zo langzamerhand de strot uit. Na de vakantie weer bij elkaar komen. Verdomme. Verdomme.

Van Weelde draagt het andere blad naar buiten. Daarna loopt hij weer naar binnen, pakt een boek, kiest een stoel en doet of hij leest. Wat nu? Dit gaat natuurlijk niet goed. Ont-zet-tend vervelend. Nu is Pier ook nog boos op hem. Verdomme. Alsof híj de boel in de war gooit! Hij die de baas en bedenker is van hun oplossing. Píér heeft zijn mond voorbijgepraat tegenover Cato. Waarom, na al die jaren? Door de dood van Floris? Door Philips contact met de weduwe? En ze willen niet dat de kinderen het weten. Wat moet hij doen? Hij zal iets moeten verzinnen. Wéér is hij het op wie de hele boel leunt.

Vrijdag weet Van Weelde het zo te regelen dat Cato hem naar het station brengt. Cato vindt dat Pier ineens een slecht humeur heeft. Wat is er nu weer aan de hand? Laat hem vooral in zijn eentje lach-therapie houden achter het huis. Hoeft niemand hem te zien. Hij heeft eindeloos meegedaan aan lachtherapie in het Vondelpark bij een van de vijvers. Hij knapte er gek genoeg echt van op. Iets met het gelukshormoon endorfine, legde hij Cato uit.

Bij het afscheid voor de villa legt Van Weelde een hand op de schouder van Pier. 'Alles komt helemaal in orde,' zegt hij vaderlijk.

'Wat komt in orde?' vraagt Cato.

'Iets zakelijks,' zegt Van Weelde.

'O. Nou, vertel het dan maar niet aan mij. Dat snappen vrouwen allemaal niet,' zegt Cato. Pier kijkt haar verwijtend aan, Van Weelde merkt haar toon niet op of doet alsof hij het niet merkt.

Op het station parkeert Cato de auto. Ze zal hem netjes op de trein zetten. Ze koopt een perronkaartje voor zichzelf en voor hem een flesje vruchtensap en een sandwich. 'Dank je, heel attent,' zegt Van Weelde.

Op het perron neemt hij een beslissing.

'Cato, ik moet met je praten.'

'O,' zegt Cato. 'Is het ernstig? Je trein komt over zeven minuten.' Ze forceert een glimlach.

'Cato, ik heb gisteren van Pier gehoord dat hij in een zwak mo-ment aan je heeft verteld wat er destijds is voorgevallen. Het onge-val in de groentijd. Aangezien ik de begeleiding van deze groep vrinden tot een van mijn levenstaken heb gemaakt – hoe dat zo is gekomen zal Pier je ook wel hebben verteld – zie ik het als mijn plicht om te voorkomen dat het uitkomt. Ik ga ervan uit dat ik je kan vertrouwen, en ik verzoek je mij hierbij te beloven dat je erover zwijgt. Tegenover iedereen.'

Ze staart hem aan. Ze wordt een beetje duizelig. Je moet maar lef hebben. Ze voelt de adrenaline stromen. Ze slaat haar armen over elkaar en zegt: 'Ik heb aan jou geen geloftes af te leggen. Je bent niet mijn man en je bent niet mijn vader.'

Van Weelde perst zijn lippen op elkaar.

'Goed dan. Ik had gehoopt dit te kunnen vermijden, maar je laat me geen keus. Ik weet dat de relatie tussen jou en Matthijs onbehoorlijk is. Pier ziet dat blijkbaar niet. Ik heb daarom ook geen verantwoording aan jou af te leggen. Je neemt het kennelijk niet zo nauw. Dat Matthijs aan een dergelijke verleiding ten prooi valt kan ik begrijpen, als je in de bush woont en een ontwikkelde vrouw zich aanbiedt. Maar van jou begrijp ik het niet. Een vrind van je echtgenoot nog wel. Dus laten we het als volgt afspreken. Als jij wat te vertellen hebt aan derden, dan heb ik wat te vertellen aan Pier.'

Cato weet niets te zeggen. Met open mond kijkt ze hem aan. Dan draait ze zich om en loopt weg. Maar als ze bijna in de hal staat, bedenkt ze zich. Ze loopt terug naar het perron. De trein komt al bijna tot stilstand. Ze schreeuwt naar Van Weelde.

'Ik laat me door jou niet chanteren, ouwe stinkzak!'

Cato gaat in de auto zitten. Wat nu? Je kunt je op van alles voorbereiden, maar helaas lopen de zaken altijd weer anders. Dit mag Pier niet te weten komen, en al helemaal niet tijdens de vakantie. Maar dat die ouwe gek zomaar eventjes de regie overneemt, kan ze echt niet verdragen. Waar slaat dit op? Waarom komt hij daar nu ineens mee? Ze houdt al bijna dertig jaar haar mond. Heeft er iemand bij Van Weelde zitten stoken? Wie dan? Ze begrijpt er niets van.

Uiteindelijk belt ze Pier. 'Ik doe meteen even wat boodschappen,' zegt ze. 'Ik blijf een paar uurtjes weg, ik wil even eigen tijd.'

'Oké, tot straks, lieve schat,' zegt Pier opgewekt. 'Neem voor mij een kilo kalfslapjes mee. Die ga ik vullen.'

Ze komt om half vijf terug in de villa en begint meteen als een gek op te ruimen.

'Hou daar eens heel snel mee op,' zegt Pier. 'We zijn er vandaag nog gewoon.'

'Nee, we moeten er om elf uur al uit zijn morgen. En daarom heb ik ook geen kalfslapjes meegenomen. Dat kost veel te veel tijd en je maakt altijd zo'n bende van de keuken. Dus,' zegt ze. Haar oog valt op de parasol van vier bij vier meter. Ze grijpt het kreng met beide handen. 'Die moet schoon, daar zat die man enorm over te emmeren!' Tot ergernis van iedereen gaat ze de parasol langdurig te lijf met emmers sop. Het gevaarte wordt steeds viezer en Cato schrobt steeds harder.

'Moet dat ding dood of zo?' vraagt Pier.

'Mam, doe 's normaal. We gaan eten.'

'Ik heb geen honger. Gaan jullie maar eten.' Ze sleurt de parasol het zwembad in en loopt weg.

Ze komen zaterdag om vier uur 's nachts aan in Joppe. Ze hebben twaalfhonderd euro moeten dokken voor de parasol en mogen de villa nooit meer huren. Alle Hollanders zijn smeerlappen, is hun nog toegevoegd, en Hollandse kinderen zijn de allerergste van heel Europa. De kinderen schaamden zich dood. Zodra de volgende middag de kinderen naar de tennisbaan zijn vertrokken, neemt Cato een besluit.

Ze zal die klootzak niet laten heersen over haar leven. Of over dat van Pier. Die vent moet niet denken dat hij ze in de tang heeft. Wie weet waar hij de volgende keer mee komt? Wat moet ze dan doen om van alles onder de pet te houden? Schoon schip dan maar. Zij het in afgezwakte vorm.

Ze vertelt Pier dat ze het wel eens met Matthijs heeft gedaan. Dat het niet veel voorstelde. Dat het in de tijd was dat Pier van slag was en met dat meisje van de cursus, je weet wel, al jaren geleden. Dat het per ongeluk zo was gelopen met te veel drank op.

Pier is zo verslagen dat ze in huilen uitbarst. Vreselijk, wat is dit erg. Was dit het waard, haar affaire met Matthijs? Nee natuurlijk. Ze weet dat ze hier tegenover zichzelf liegt, want het was het meer dan waard. Ze verlangde soms zo vreselijk naar Matthijs, meer dan ze ooit naar haar eigen man had verlangd. Eerlijk is eerlijk.

Ze gaat door. Wat Van Weelde zei op het perron. Dat ze het daarom zegt. Niet om zichzelf te schonen, maar omdat ze geen zin heeft om zich te laten chanteren.

'Jezus. Het is nog een misverstand ook,' zegt Pier. 'Ik had erbij moeten zeggen dat je het al die tijd al wist. Dan had ik dit niet hoeven aanhoren.'

Pier huilt, Cato huilt.

Pier loopt het huis uit, stapt in de auto en scheurt weg.

Cato stuurt na een uur een sms aan de kinderen. 'Willen jullie aub op de club eten? Zet maar op de rekening. Wij gaan slapen, we zijn doodop van het rijden.'

∗ ∗ ∗

Maandag. Do zwaait eerst Mauk uit en pas om half elf Charley, die de eerste twee uur vrij had wegens een nu alweer overspannen leraar biologie. Dit keer stoort het haar niet, ze hebben samen langdurig ontbeten. Do voelt zich ineens energiek, bijna als vanouds. Het fijne weekend met alle drie haar kinderen heeft haar goed gedaan, stelt ze tevreden vast. Ze pakt een papiertje en maakt een todo-

lijst. Tuin en in het bijzonder de eik die dood lijkt te gaan. De dak-
goot, afspraak kapper maken voor een totaal nieuw hoofd, en door
naar de schoonheidsspecialist voor een verfbeurt van wimpers en
wenkbrauwen. Het is een wonder dat ze nog wimpers heeft na al dat
gejank. Ditmaal de afspraken niet afzeggen, heeft ze Charley beloofd.

Tennissen oppakken. Vette aanbevelingsbrief schrijven voor Floris' chauffeur, die zich duidelijk ongemakkelijk begint te voelen bij
praktisch niks doen voor zijn geld en haar voorzichtig heeft gevraagd eens rond te vragen. Mailtje naar de Magistra-boys ertegenaan gooien. Denken over werk voor zichzelf. Niet dat ze het geld nodig heeft, helemaal niet, maar ze was toch al van plan weer wat te
gaan doen. Mauk is al zestien en Charley zal alleen maar blij zijn
met wat minder aandacht van haar. Eens bellen met Cato, die haar
als loopbaanbegeleider misschien op gang kan helpen. Wie zit er te
wachten op een kunsthistorica met amper vier jaar werkervaring,
die twintig jaar thuis heeft gezeten? Tja. Misschien kan ze les gaan
geven aan verveelde pensionado's en huisvrouwen. Tenslotte heeft
ze zelfs Floris leren kijken naar kunst. Hij was van het type 'dat kan
mijn nichtje van zes ook'. Langzaam maar zeker gingen zijn ogen
open. Ze maakte in het begin van hun relatie gebruik van zijn verliefdheid: hij wilde alles doen om het haar naar de zin te maken,
zelfs naar een tentoonstelling gaan. Of, wat hij nog oninteressanter
vond, naar een galerie. Ze sleepte hem overal mee naartoe en
maakte het boeiend. Toen hij wat minder tot-alles-bereid werd, was
zijn belangstelling al gewekt. Hij was het zelfs leuk gaan vinden. En
beleggingsmatig interessant. Het huis hangt vol. Floris, van nature
niet de man van de nuance, bleek een snelle leerling. Gelukkig ook
op het romantische vlak. Op dat gebied had zij hem de ogen moeten openen. Floris was uitzonderlijk aantrekkelijk om te zien, dat
vond iedereen. Zo iemand naar wie je omkijkt op straat. Ze was echt
vereerd dat hij op haar viel. Maar hij bleek geen vaardige vrijer te

zijn, een beetje preuts ook. Hij had zich gelukkig graag laten onderrichten.

Een vriendin had haar verteld dat zij en haar man elkaar nauwelijks meer aanraakten, al jaren niet. Ze vonden dat geen probleem, zei ze. Do was oprecht geschokt. Het was op zich een goed stel, zo leek het, en niet bejaard. Hoe kon dat? Nu ligt ze zelf al twee maanden onaangeraakt in bed. En dat vindt ze wel degelijk een probleem. Ze mist hem. Haar fraaie nachthemdjes heeft ze uit praktische overwegingen ingeruild voor een T-shirt van Floris en sokken. Ze kan zich niet voorstellen dat daar ooit nog verandering in gaat komen. Ze voelt de energie van vanmorgen uit zich wegzakken. De mist daalt weer neer. Ze voelt zich, beseft ze, vreselijk in de steek gelaten. Ze zegt het hardop: 'Je hebt me laten zitten.' Ze schrikt van haar eigen stem. Zou dat normaal zijn, dat je boos bent op je dooie man? Niet aan denken. Zet het van je af. Houd de goede stemming vast.

Er zijn geen excuses meer om de dagen door te brengen met rouw. De mensen om haar heen lijken er ook klaar mee te zijn. Ze vragen niet meer automatisch hoe het met haar gaat, waarschijnlijk uit angst voor een treurig antwoord. Ook alle condoleancebrieven zijn beantwoord, handgeschreven. Dat was tot dusver de klus waarvoor ze al het andere van zich kon afschuiven. Ze moet eindelijk ook een nieuwe afspraak maken met Van Weelde. Daar maar eens mee beginnen.

Ze pakt een sigaret, legt hem weer terug. Ophouden met roken. Het helpt namelijk niet. Ze pakt de telefoon en belt Van Weelde. Ze verwacht zijn secretaresse te krijgen, maar hoort meteen zijn voorbeeldige stem. 'Do, goedemorgen, fijn dat je belt.'

Ze wisselen wat algemeenheden uit. Do vraagt of hij de komende weken ergens tijd heeft.

'Waarom niet vandaag? Er is zojuist een afspraak afgezegd. Zou je kunnen zo rond tweeën?'

Do heeft er geen zin in, maar wanneer wel? Dus ze zal er zijn. Zodra het gesprek is afgelopen steekt ze alsnog een sigaret op. De telefoon gaat, het is de zus van Floris. Do vraagt zich af of mensen in hun agenda zetten dat poor old Do weer eens gebeld moet worden. En hoe lang ze dat blijven volhouden. Heeft ze over tien jaar nog zo veel contact met de zus van Floris? Met zijn vrienden? Wordt ze dan nog gevraagd voor etentjes met alleen maar stellen?

'Het gaat prima,' zegt ze. 'Een stuk beter al, hoor. Maar hoe is het met jóú?'

$$* * *$$

René en zijn vrouw eten bij Charles en zijn vrouw. De laatsten hebben net een lange mail van hun oudste dochter gekregen vanuit een internetcafé, vertellen ze. Ze heeft na een maand Indonesië gewikt en gewogen of ze langer zou blijven of dat ze het oorspronkelijke plan zou aanhouden. Toch maar door naar Thailand. Charles heeft op Google Earth wat vermelde verblijfplaatsen opgezocht. Het is allemaal zo anders dan toen hij dit deed, met Floris. Zijn ouders kregen kaarten en af en toe een krakerige collect call. En vele paden in het Verre Oosten zijn sindsdien volledig platgetreden. De vrouw van René lijkt het best zorgelijk, je dochter zo lang op trektocht in verre, onbekende oorden. Net negentien, het is toch nog een kind, vindt ze. En is het niet veel gevaarlijker dan begin jaren tachtig? Toen was het ook nog niet zo moslimerig, zegt ze. Charles zegt dat haar reisgenoot gelukkig een betrouwbare meid is. Dat vond hij wel een voorwaarde. Als ze maar bij elkaar blijven en een beetje op elkaar passen, dan komt het allemaal wel goed. Hij heeft alle vertrouwen in hun gezond verstand.

Het is de laatste dag van de zomervakantie in deze regio. Officieel begint de school morgen, wat inhoudt dat ze tussen half elf en elf uur moeten komen opdraven om hun rooster op te halen. Aangezien dat ook op de schoolsite wordt gepubliceerd, betekent het een dagje uitstel. En op dinsdag bestaat de schooldag uit boeken ophalen. De kinderen van René hebben de eerste vier van hun praktisch negen weken vakantie schappen gevuld in de Appie. De jongste ging nog twee weken mee op vakantie, de oudste van zestien ging kamperen met vrienden. Wat restte was drie weken zeer aanwezige lamlendigheid en een tv die voortdurend veel te hard aanstond. Ze zullen blij zijn als er eindelijk weer gewoon les is en het sporten weer begint.

René vertelt dat hij Cees heeft gebeld om te vragen of hij als journalist niet iets kan doen voor het vakgroeptijdschrift dat onder hem valt.

'Weet je wat hij zei? Hij zei: "Stuur maar een NAW'tje, dan mail ik dat door naar de redactie." Ik verstond het niet en zei: "Wat is een NAW'tje?" Zegt Cees: 'Naam, adres, woonplaats, dat moet jij toch weten als professional, René.' Blijkbaar heeft hij die gegevens van zijn jaargenoot niet? Pure machtswellust, even laten weten bij wie hier de bal ligt. Voor straf wil ik hem een walgelijke kerstkaart sturen met glittersneeuw en goudopdruk en achterop: *fijne feestdagen*, en dan mijn NAW'tje. Hij vroeg trouwens daarna schaamteloos waarom hij geen uitnodigingen voor jaaretentjes meer krijgt en of we niet meer aan jaareten doen. En of het gezamenlijke oud en nieuw nog staat nu Floris er niet meer is.'

'En natuurlijk kwam het niet eens bij hem op om zelf eens een etentje te organiseren? Wij hebben al jaren slechts een kerstkaartrelatie met Cees. Wilden we juist ook maar eens mee ophouden. In Magistra-verband hoort hij er nu eenmaal bij, maar verder hoef ik hem niet zo nodig te zien,' zegt Charles.

'Cees is altijd al de eikel van jullie jaar geweest,' zegt de vrouw van Charles. 'Maar blijkbaar heeft het collectief zo iemand nodig. Bij ons was Irene het bokje, kunnen jullie je die nog herinneren? Die kleine dikke blonde die altijd zo bloedzenuwachtig was en eeuwig in bodywarmers rondliep? Ze woonde nog thuis, in Amstelveen. Dat vonden wij toen net zo ver als Apeldoorn. Ze moest ook altijd en eeuwig achterop, want ze had nooit een fiets, bloedje irritant. Als we met het dispuut gingen skiën, wilde niemand met haar in de lift. Of op de kamer slapen. Dan was het: wie neemt Irene? We hebben er zelfs wel eens om gedobbeld. Erg, hè? Achteraf geneer ik me dood, het was echt schandelijk. Ze is in het tweede jaar afgehaakt.'

'Nou, zo gaat dat bij ons helemaal niet,' zegt Charles verontwaardigd. René valt hem bij. 'Dat is typisch wijvengedoe, dat wegtreiteren. Bij ons heeft Cees er altijd gewoon bij gehoord. Hij blijft er ook gewoon bij horen, bij het jaar dan. Het is alleen een eikel. Maar wel onze eikel.'

Daarover zijn de heren het hartgrondig eens. Nadat natuurlijk Floris en Do aan bod zijn gekomen – ze vinden alle vier dat Do een sterke vrouw blijkt – brengen de dames het gesprek nog even op Cato en Pier. Geen van beiden heeft hen de laatste weken gesproken. Op ingesproken boodschappen met voorstellen om leuke dingen te doen reageren ze niet. Alleen Do heeft hen nog gezien, maar die had niets bijzonders vernomen. Zou er iets aan de hand zijn?

'Dames, dames, die mensen hebben het blijkbaar even druk of ze hebben iets anders aan hun hoofd. Waarom moet er toch altijd iets zijn?' vraagt Charles. Hij kan zich daar zo over verbazen. Altijd dat zoeken naar ingewikkelde dingen, hij snapt dat niet. Hij wrijft over de pijnlijke verdikking in zijn duim. Althans, als hij eraan zit is het pijnlijk. Een ongevaarlijke cyste, maar hij heeft er genoeg van. Goed dat hij er nu aan denkt.

'Zeg, René, jaars Vermeer, weet je wel, uit '80 of '81, zit die niet in het AMC? Ik heb drie maanden wachttijd om dat dingetje in mijn hand te laten weghalen, daar heb ik dus echt geen trek in. Heb jij zijn privénummer? Of zijn e-mailadres? Misschien staat hij in de lustrumalmanak. Hij kan me wel even naar voren schuiven.'

'Ja, dat bobbeltje is echt een goede reden om het gewone volk langer op de wachtlijst te laten staan, Charles,' zegt zijn vrouw. 'Levensbedreigend.'

Verongelijkt schenkt Charles zichzelf nog eens bij.

'Geen enkel begrip voor mijn ongemakken. Bikkelhard is ze,' zegt hij tegen René. 'Laatst had ik een zware griep te pakken, als het al griep was en geen voorhoofdsholteontsteking of zo, nou, er kon nauwelijks een kopje thee op bed vanaf. Ik was schoolziek, vond ze.'

De vrouwen wisselen een blik. 'Hij was verkouden. Jullie zijn datzelfde weekend gaan fietsen, weet je nog, René?'

René gaat er wijselijk niet op in.

Het etentje verloopt zoals altijd chaotisch, de gesprekken gaan alle kanten op. Obama, de crisis, de domheid van het volk vertaald in PVV-succes, eindexamens, de loting bij geneeskunde, Matthijs, aidswezen, de Groningers die andere heren hebben ingespoten met hiv-besmet bloed.

'Weet je wie er trouwens ook de bak in zou moeten?' zegt de vrouw van Charles terwijl ze de krant erbij pakt. 'Die vrachtwagenchauffeur die dat meisje heeft doodgereden. Wat een vreselijk verhaal.'

Dat van die celstraf vinden de anderen een beetje overdreven. 'Dat is een ongeluk,' zegt René. 'Geen moord.'

'Ja, een ongeluk waar die man zelf ook last van houdt natuurlijk,' zegt Charles. 'Die heeft toch al genoeg straf?'

Maar ze houdt voet bij stuk. 'Hoezo ongeluk? Hij heeft toch een rijbewijs? Hij rijdt toch iemand dood, ondanks alle extra dodehoekspiegels? Het zal je kind maar zijn, ik zou nooit meer met zo iemand kunnen praten.'

Charles staat geërgerd op. 'Gelukkig heeft iedereen altijd overal een mening over. Het is natuurlijk niet te verkroppen voor de nabestaanden, maar voor die man zelf is het toch ook traumatisch? Het is geen opzet van die chauffeur. Dat kun je toch wel snappen?'

Ze kijkt hem verbaasd aan. 'Relax, zeg. Ik vind het gewoon heel erg. Stel je voor dat het een van onze kinderen was.'

'Te gemakkelijk,' zegt Charles. 'Je moet je wel in andere mensen inleven, hè, voordat je dat soort uitspraken doet. Die man heeft natuurlijk een ongenadig schuldgevoel. Probeer je eens te verplaatsen in anderen.' Geagiteerd loopt hij naar de wc.

Zijn vrouw trekt haar wenkbrauwen op. 'Beetje overdreven reactie. Sorry hoor.'

René begint een ingewikkeld verhaal over een artikel, betreffende de staat van de Nederlandse verkeersveiligheid in vergelijking met de rest van Europa, waarop hij zijn tanden stukbijt, maar dat wel af moet omdat de deadline...

'Nee, nog even. Je kunt toch niet zomaar ongestraft iemand doodrijden? Schrijf daar eens een stuk over.'

'Zullen we het ergens anders over hebben? Iets leukers?' stelt René dringend voor.

Wanneer Charles terugkomt duurt het even voordat hij ook weer 'leuk' meedoet met het gesprek.

***

Cato zit achter de computer te werken. Er popt een mail op van de Van Praagjes. Van háár natuurlijk, Charles zou nooit vragen of er misschien iets aan de hand is wanneer Cato niet meteen terugbelt. Inderdaad, ze moet de telefoontjes van de Magistraten beantwoorden, maar ze vindt dat moeilijk zonder te reppen over de problemen met Pier aangaande Matthijs. Ze denkt dat inmiddels iedereen het weet en er een oordeel over heeft. Alsof ze verantwoording heeft af te leggen aan de groep. 'Doe het dan niet', hoort ze zichzelf zeggen. Maar waar moet ze het dan over hebben? Er gaapt een groot gat in haar hoofd.

Tegenover haar eigen man probeert ze haar schuld op alle mogelijke manieren af te betalen, zowel in de keuken als in bed. Dat laat Pier zich allemaal welgevallen, maar hij blijft zich gedragen als een groot gewond dier. Ze is blij dat hij vandaag de hele dag op pad is. Het is voor Pier vlek op vlek, denkt ze, en haar maag trekt alweer samen van schuldgevoel. Wat een ontzettende zooi heeft ze ervan gemaakt. Ze heeft Pier niet alleen belazerd, maar hem ook een vriend afgepakt. En hij was er net al een kwijt. Hoe heeft ze dat nou kunnen doen? Waar ging het nou helemaal over met Matthijs? Ze probeert zich te concentreren op een ingewikkeld levensverhaal van een cliënt.

Dan komt de post. Ze schrikt wanneer ze er een brief van Matthijs tussen ziet. Hoe kan die gek haar nou gewoon thuis schrijven? Jezus, als Pier dat zag. Wat een egoïst is het ook. Het kan Matthijs blijkbaar allemaal gewoon geen donder schelen. Ze scheurt de brief boos open.

Mijn lieve warme zachte ronde poes,

Nooit had ik kunnen denken dat onze relatie aantastbaar zou zijn. Je bent de enige vrouw die ik geestelijk altijd trouw ben gebleven. Vergis je niet, Caatje, in wat je op afstand voor mij al die jaren hebt betekend. De drijfveer om door te gaan met beperkte middelen in de fucking rimboe, tegen de klippen op zieken te behandelen van wie je hoopt dat een op de tien het zal redden in mijn kleine medische post. Hoe moet ik dat nu doen zonder jou? Weet jij het? Ik heb nooit het gevoel gehad dat ik Pier bedonderde omdat wat jij en ik samen hebben iets is wat jij en Pier nu eenmaal niet delen. Dat zouden jullie zonder mijn bestaan ook niet delen, dus Pier mist niets door ons. Dat wij stranden op de klippen van fatsoen en jaloezie verdriet mij zeer. Sterker nog, het maakt me gek. Natuurlijk hou ik van de jongens, maar de diepere reden van mijn gang naar ons kleine landje ben jij altijd geweest. ALTIJD. De Magistraband voel ik al jaren niet meer. Ik vind het zelfs pathetisch. Van W. heeft jou misbruikt in zijn strategie om zijn macht over de groep te behouden. Dat niemand dat ziet vind ik schokkend, en vervolgens dribbelen ze, zoals ze al jaren doen, achter de oude man aan. En waarom? Probeer jij daar maar eens achter te komen, liefje. Mijn hart bloedt.

Cato raakt ervan in paniek. Wat moet ze met deze brief? Wat moet ze? God, wat mist ze Matthijs. Het duurt even voordat ze weer rustig wordt. Ze bergt de brief op.

∗ ∗ ∗

In oktober duikt Matthijs op bij René. 'Gezellig,' zegt René. 'Slaap je niet bij Pier?'

'Nee, dit keer niet,' zegt Matthijs. Hij geeft geen verklaring en René weet dat hij kan vragen tot hij blauw ziet maar geen antwoord zal krijgen. Nou, laat dat dan maar aan de dames over, denkt hij.

Al de volgende dag is het verhaal boven water. Zijn vrouw had altijd al gezegd dat ze dacht dat er iets was tussen Matthijs en Cato. René vond het absurd vrouwengeklets, maar het blijkt waar te zijn. Het is om de een of andere reden uitgekomen, had ze na enig aandringen van Anneleen gehoord. Tijdens de vakantie, schijnt. Wat een soap. Pier had besloten Cato te vergeven. Zegt men.

René besluit het er toch met Matthijs over te hebben, omdat het anders in de lucht zal blijven hangen. Matthijs vertelt dat hij een maand geleden een ansichtkaart heeft gekregen, via de dichtstbijzijnde post van Artsen zonder Grenzen. Het was een oude kaart die blijkbaar uit een verstofte bureaula tevoorschijn was getoverd.

Voorop een jarenzeventiggebouw waarin schoolklassen op kamp gingen in Rhenen. Achterop stond:

Hierbij zeg ik de vriendschap op. Ik wil je nooit meer zien.

Pier

Matthijs denkt dat Pier wel zal bijdraaien.

'Denk je, denk je – hoezo? Ik neem aan dat je hem sindsdien hebt gesproken?'

Nee, dat heeft Matthijs niet. Dat wil Pier toch niet? Matthijs zou niet weten wat hij moest zeggen en wat dat voor nut heeft.

'En nu?' vraagt René. 'Zaterdag wordt Charles vijftig. Grote partij. Daar komen jullie elkaar natuurlijk tegen. Dat kan toch niet zo? Gadverdamme, wat een gezeik. En wat zegt Cato ervan?'

Vriendschap komt te voet en vertrekt te paard, zoals zijn moeder placht te zeggen, herinnert René zich ineens. Ook met haar heeft Matthijs geen contact gehad, zegt hij. 'Ik ga zaterdag gewoon niet. Nou en?'

René vindt het ontzettend vervelend. Zijn vrouw vindt Matthijs een slappe eikel, hij houdt zich op de vlakte en is voortdurend de hort op. Op het feest van Charles wordt het onderwerp zorgvuldig gemeden. Sidney heeft een lied gemaakt dat door het jaar wordt gezongen. Charles zegt dat hij een gelukstelegram heeft gekregen van Poppe. Typisch Poppe. Hij wist niet eens dat telegrammen nog bestonden. Waar hij zat vermeldde het telegram niet. Cato en Pier gedragen zich niet alsof ze in een huwelijkscrisis verkeren. Gelukkig maar. Mike schittert door afwezigheid en heeft zelfs niet de moeite genomen zich af te melden.

René betrapt zichzelf op opluchting wanneer Matthijs een week later vertrekt.

* * *

Bij de eerstvolgende lunch met Wikkie kan Van Weelde een lichte irritatie niet onderdrukken. Die jongen heeft de mond vol van dat meisje Sophie. Op de vraag wat de vader van dat meisje doet, had Wikkie vrolijk verteld dat die een bruine kroeg runt in Dronten.

'Runt hij die of heeft hij die?' vroeg Van Weelde. Dat wist Wikkie niet eens. Moeder was een poldermeid uit Zaandam, die ook achter de toog staat en in Dronten het stadsleven van haar jeugd mist. Hij kan zich niets voorstellen bij het stadsleven in Zaandam. Enfin, geen match voor Wikkie. Twee culturen, dat breng je nooit bij elkaar, maar dat moet die jongen dan maar zelf ondervinden. Hij kan onmogelijk verantwoordelijk zijn voor alles in de opvoeding.

Het ergert hem dat Wikkie niet terugkomt op zijn voorstel voor het tripje naar Atos. Volgende maand, vertelt Wikkie, gaat Do met alle drie de kinderen én deze Sophie een weekend uitwaaien op Terschelling. Hij voelt een zeurderige jaloezie die hij kinderachtig vindt van zichzelf.

Van Weelde vist of er contact is tussen Cato en Do. Wat kleppen die vrouwen allemaal aan elkaar door? Wikkie heeft in ieder geval niets in de gaten, zoveel is duidelijk. Dan kan hij zich niet meer inhouden. Hij is er niet meer bang voor, maar hij wil toch honderd procent zeker weten dat dat archief van Floris geen gevaar vormt.

'Heb jij nog in die Magistra-spullen van je vader gekeken?' vraagt hij zo terloops mogelijk.

Wikkie schaamt zich meteen. Dat archief is duidelijk heel belangrijk voor Van Weelde. Het uitstel zal ook met zijn gevoel voor zijn vader te maken hebben, maar in zijn eigen hoofd is er de laatste tijd geen ruimte voor. Het is alsof hij een groot cadeau onuitgepakt laat. Niet netjes om dat te zeggen tegen Van Weelde, dus vertelt hij, zoals zijn moeder dat noemt, een leugentje om bestwil.

'Ja,' zegt Wikkie. 'Ik heb het bekeken. Heel leuk. Echt leuk om te zien.' Hij glimlacht naar Van Weelde. Die voelt opluchting, ook al had hij er alle vertrouwen in dat Floris zich aan de regels had gehouden. Gelukkig, dat is weer een zorg minder. Wéér komt Wikkie met een verhaal over dat meisje. Hoe lang duurt een verliefdheid maximaal? Twee jaar, meent hij laatst in de krant te hebben gelezen. Zelf heeft hij er geen ervaring mee, die allesverzengende vlam is gelukkig aan hem voorbijgegaan. Nieuwsgierig heeft hij altijd de grote verliefdheden van anderen geobserveerd. Mensen laten zich helemaal gaan in een dergelijke toestand en hebben weinig grip meer op zichzelf, heeft hij vastgesteld. Het woord 'ziekte' kwam ook in het wetenschappelijke artikel voor. Hij moet er niet aan denken. Die gênante situaties waarin mensen dan terecht kunnen komen en de risico's die eraan verbonden zijn! En dat alles voor een biochemische reactie van voorbijgaande aard die op geen enkele logica is gestoeld. En dan mag je nog hopen dat het wederzijds is. Van Weelde vindt verliefdheid eigenlijk een foutje van de natuur. Vriendschap, daar gaat het om, daar heb je wat aan in het leven. Trouwe omgang met een groep dierbare gelijkgestemden. Daarom besluit hij nu geduldig naar Wikkie te luisteren. Dat is zijn taak in dezen.

* * *

Do heeft besloten haar rijbeurt voor de hockey van Charley te nemen. Iedereen wringt zich in bochten om alle verplichtingen van haar over te nemen, maar ze wil dit doen. Rijden, langs de lijn staan, terugrijden. Hoe vaak heeft ze dat al niet gedaan? Hoe moeilijk kan het zijn?

Om negen uur stipt parkeert ze voor de club. Naast haar parkeert een man in een landrover. Hij zwaait. Wie is dat? O ja, de vader van Victorine, ze ziet al jaren alleen de moeder. Blijkbaar heeft hij weekenddienst. Hij komt naast haar staan en wrijft in zijn handen, hij ziet er kouwelijk uit en maakt een babbeltje.

'Gezellig, dat wij samen rijden. Wil je niet liever met mij in de auto meerijden?' Dan bliept zijn telefoon. Hij haalt hem uit zijn jaszak. 'Ik heb ontzettende zin in je, zegt ze. Zie je dat?' Hij houdt de telefoon onder haar neus. Do heeft haar leesbril niet bij zich en kan niet zien wat er staat. Dat hoeft ook niet, want hij zegt het nog een keer: 'Ik heb ontzettende zin in je, zegt ze.' Hij grijnst naar haar en haalt zijn schouders op. 'Weet je wat het is? Geef je zo'n vrouw een vinger, dan neemt ze de hele hand. Denkt dat ik de hele dag de tijd voor haar heb. Die moet echt even terug in haar hok.'

Do vraagt zich af waarom deze man dit met haar deelt. Gelukkig komt de volgende elftalauto aangereden. Deze vader blokkeert zonder enige gêne de ingang van de club, laat de motor draaien en stapt uit. 'Do! Wat goed je te zien hier!' Hij omhelst haar omstandig. Voor douchen was het vanochtend te vroeg, ruikt Do. 'Gaat het weer een beetje? Kinderen? Ik hoor dat Charley het moeilijk heeft. Luister, ik heb een clubgenootje, goeie vent, die doet aan rouwverwerking bij adolescenten. Ik kan je zo zijn nummer geven, of beter, ik doe wel even een belletje voor je ter introductie. Krijg je voorrang, regel ik voor je.' Do ziet dat Charley druk in gesprek is, hopelijk heeft ze het niet gehoord.

Bij de eerste vader valt er nu een kwartje. 'Wat...'

'Floris is helaas overleden,' legt de andere vader uit. 'Wist je dat niet? Hartklap. Vreselijk, vreselijk.' Hij zegt het op een toon alsof zijn allerbeste vriend hem is ontvallen. 'Nou ja, laten we het gezellig houden. Rij je met ons mee, Do? Volgens mij hebben we genoeg auto's.'

'Nee, dank je, ik rij zelf.' Ze roept Charley. Met haar dochter naast zich en drie anderen achterin start ze de auto. Op de uit-club ziet Charley kans haar moeder even apart te nemen. Ze blijkt de ongedouchte vader toch te hebben gehoord.

'Wil die vent mij naar een therapeut sturen? Laat hij lekker zelf naar een therapeut gaan,' sist ze. 'Waar bemoeit die man zich mee? Wat een boeler.'

'Niets van aantrekken, niet op letten, dat doe ik ook niet,' zegt Do.

Op de club gaan de meisjes voor het warmlopen uit de trainingspakken.

'Nou, nou,' zegt de vader van Victorine. 'Dat ziet er helemaal niet verkeerd uit, die dames in die rokjes. Het is dat het nog niet mag van de wet, hè.'

Weer krijgt Do een brede grijns. Hij moet eens iets aan zijn tanden laten doen, denkt ze.

'Ik ga even koffie halen.'

'Oké. Worden we lekker warm van,' zegt de vader en hij knipoogt naar haar. Als ze terugkomt, heeft het olijke type zijn aandacht verlegd naar het spel. Ze tikt hem aan met haar elleboog, de kartonnen tray met koffie in haar handen. Hij legt onmiddellijk zijn arm om haar schouders en drukt haar tegen zich aan.

'Heb je het koud?'

De andere vader staat zich ergerlijk te bemoeien met het inslaan van de meisjes en aanwijzingen te geven aan de coach. En later aan de scheids. Ze loopt snel naar de moeders en die barsten meteen los.

'Vre-se-lij-ke man, de vader van Victorine. Hoe die vrouw wel niet is behandeld, je wilt het niet weten.'

Nee, inderdaad, ik wil het niet weten, denkt Do. Dan beginnen ze, beiden gescheiden, over hun dates. De ene heeft een alleenstaande man ontmoet die tot haar spijt vindt dat ze op al zijn uitjes met zijn drie jonge kinderen mee moet. Terwijl ze toch had gedacht nooit meer naar de Efteling en zwemparadijzen te hoeven. Maar wanneer hij de kinderen heeft, weet hij niet goed wat hij met ze aan moet en mist hij, zoals hij tegen haar zegt, 'de vrouwelijke hand'. Hij heeft haar op wintersport meegevraagd, een lang weekend in zijn huis 'met open haard en alles erop en eraan' in Chamonix, dus dacht ze aan romantiek à *deux*. Bleken zijn kinderen mee te gaan. Ze gaat toch echt niet weer haar skidagen slijten op de kinderwei. De andere moeder heeft verkering met twee mannen, van wie de ene wil dat ze leert golfen en dat ze meegaat naar enge societyfeestjes – zijn vrouw houdt daar niet van – en de andere is een gescheiden marathonlopende chirurg die vrijwel nooit tijd heeft, maar wel altijd pijn aan zijn hamstrings.

Do wil nooit, nooit een andere man dan Floris. Ze weet het duizend procent zeker.

* * *

Dondert de hele wereld in elkaar? Cato belt Anneleen 's ochtends vroeg en vertelt opgewonden over Piers inbraak bij Mike. Tot grote ergernis, woede en zorg van Pier had Mike zich de laatste maanden steeds asocialer gedragen: geen contact onderhouden en zich letterlijk en figuurlijk afgesloten voor de buitenwereld. Behalve dan voor zijn drankleveranciers.

'Pier was al een paar keer op en neer gereden om met hem te praten, maar Mike deed niet open, terwijl Pier zeker wist dat hij thuis was. Hij had via de brievenbus contact gezocht. Vriendelijk, geruststellend, boos, wanhopig. Botte sms'jes versturen: "Ben je al dood?" Niets hielp, ook niet de trucs die hij tijdens een van zijn Landmarkachtige therapieën had geleerd. Bij het derde ritje Joppe-Amsterdam raakte Pier buiten zichzelf, je kent Pier. Hij heeft de veiligheidshamer uit zijn auto gehaald en de ruit bij de voordeur ingeslagen. Zichzelf verwond, natuurlijk. Nota bene Mike zélf had hem 's ochtends gebeld. Dus Pier komt binnen, en als een bang konijn zit Mike op de trap, schuldbewust naar Pier te kijken.'

'Goeie hemel, wat kinderachtig van Mike.'

'Een buurvrouw die de inbraak zag, had de politie gewaarschuwd. Moest Mike uitleggen dat Pier een vriend was en geen inbreker. Pier was verbaasd over het gemak waarmee Mike van stemming veranderde. Politie vertrokken, Mike meteen weer het bange konijn. "Als je zo doorgaat met dat gezuip, dan gaat alles kapot wat je hebt opgebouwd. Niet alleen je bedrijf, maar ook je vriendschap met mij, met ons. Is dat wat je wilt?" Dat wilde Mike natuurlijk niet. Beetje domme vraag, want wie wil dat wel?'

'Wat een verhaal! Het is amper een jaar geleden dat Mike terugkeerde uit Schotland. Volgens mij heeft onze kasteelheer negen maanden in Castle Craig doorgebracht. Frits, Floris, Do en ik zijn zelfs nog bij hem langs geweest. Het leek me geen straf om daar te zitten, het ligt prachtig in Peebleshire. Je kunt er vissen en wandelen. Ik was natuurlijk geen patiënt, dat scheelt vast.'

'Dat scheelt alles, Anneleen. Jij zat met Do toch ook nog even in een kasteel?'

'Stobo Castle? Kind, dat was de hemel op aarde. We hadden een driedaags beautyarrangementje genomen terwijl Frits en Flo stoere jongensdingen gingen doen. Vliegvissen natuurlijk en kamperen. In elk geval lijkt zijn behandeling in Schotland verspilling van tijd en geld te zijn geweest. Gemeenschapsgeld nota bene.'

'Toch is Pier meteen aan de slag gegaan om Mike weer die kant op te krijgen. Zeg, ik hang op, want Pier belt me. Als er wat te melden valt, zal ik dat doen.'

Cato vindt het allemaal even ellendig. Komt dit er ook nog eens bij voor de heren. Dit is geen goed jaar, voor Magistra '79.

Anneleen belt meteen Frits, die tot haar grote teleurstelling onbereikbaar is. Net als Do. Ze vindt het extra triest dat juist een wellnessman als Mike dit allemaal overkomt.

Mike was ooit begonnen bij een aerobicszaaltje in de Jordaan, nog tijdens zijn studie. Eerst als hulpje, en binnen de kortste keren als manager met een eigen hulpje achter de receptie. De lessen zaten al snel zo bomvol dat hij binnen twee jaar, nog voor zijn afstuderen, drie eigen zaken had: The First Gym, The Western Gym en The Gym Centre. Fitness kwam helemaal op in die tijd. In de jaren negentig breidde hij uit naar geestelijke fitness, yoga, en later was hij degene die bikram introduceerde in Nederland. Zelf deed hij nooit iets aan fitness of wellness.

Terwijl de meeste studenten midden jaren tachtig weinig uitzicht hadden op een baan aangezien de werkloosheid records boekte, de jeugdwerkloosheid in het bijzonder, vond Mike een gat in de markt. Hij creëerde zelfs werk en kocht als een van de eersten een appartement, aan de Brouwersgracht in een schitterend gerenoveerd pakhuis. Met boktorren, maar dat wist hij pas na de koop. Afgezien van de boktorrenbestrijding ging het zakelijk gezien in een stijgende lijn. In die tijd liep hij Pieternel tegen het lijf. Die besloot jaren later tijdens zijn zoveelste drankgerelateerde persoonlijke inzinking voor zichzelf te kiezen.

Ze vertelde bij gelegenheid aan Anneleen hoe ze achteraf zag dat ze medeverslaafd was geworden: het redden van Mike werd haar verslaving. Iedereen was in eerste instantie geschokt dat ze haar man liet zitten. Dat kon ze niet maken, weglopen en Mike in al zijn ellende achterlaten. Iedereen stond natuurlijk vooraan met een mening zonder zich ooit te verplaatsen in Pieternels situatie. Althans, dat dacht Pieternel, want er waren er ook genoeg die juist niet begrepen hoe ze het zo lang met Mike had uitgehouden. Maar door haar schuldgevoel zag ze alleen de verwijten om zich heen. Hoe zou Anneleen zelf zijn omgegaan met een verslaafde partner? Frits aan de drank, werkloos, een chronische ernstige ziekte, had ze dat uitgezongen? 'Jullie hebben allemaal een succesvolle partner,' had Pieternel tijdens een discussie geroepen. 'Jullie gaan het liefst alleen maar om met maatschappelijk geslaagde mensen zonder problemen, want anders moet je jezelf vragen gaan stellen over andere vormen van bestaan. En dat is bedreigend.' Daarna was het contact met haar verwaterd.

Anneleen haalt diep adem. Jammer dat het niet tien jaar geleden is. Toen het leven minder gerimpeld was, en zijzelf trouwens ook.

Het was Floris' idee geweest om bij Mike in Schotland op bezoek te gaan, en vervolgens had zij voorgesteld er met hun vieren een vakantie aan vast te knopen. The Highlands stonden al heel lang op haar verlanglijstje. Floris besloot te gaan vissen, en zijzelf toverde de wervende Stobo Castle-folder uit een map. Ooit gekregen van Mike, die de eigenaar van dit Spa-hotel had ontmoet op een beurs over ontslakkingskuren.

De eerste paar dagen van hun trip zaten ze in een oud hotel in Peebles, van waaruit ze gezamenlijk Mike bezochten. Via een mooie route langs de rivier de Tweed slingerden ze door bloeiende heide en over heuvels vol schapen naar het afkickkasteel. Ze reden het hek door, waar links in een bosachtige omgeving zwarte varkens modderbaden namen. Floris voorspelde dat Do en Anneleen een paar dagen later hetzelfde zouden doen, en dan tegen forse tarieven. Ze voelden zich allemaal onwennig, alsof ze aapjes kwamen kijken. Bij het kasteel wapperde de Schotse vlag boven de gemillimeterde grasmat. Op de parkeerplaats stonden een Bentley en een Jaguar, waardoor Anneleen hoopte een glimp van Kate Moss of van andere afgegleden celebs of topsporters op te vangen.

Tot hun verbazing konden ze gewoon doorlopen, er was geen receptie. Binnen werden ze als ongewenste vreemdelingen aangestaard door achterdochtige patiënten die in chesterfields in een grote open ruimte zaten. Een apathische tiener zat zwijgend naast een vrouw, waarschijnlijk haar moeder. Een Nederlander in spijkerbroek en gebreide trui sprak hen aan en stelde voor ze te begeleiden naar een ander deel van het terrein, waar Mike op dat moment zou lunchen. Hij reed voor ze uit op een mountainbike. Ze passeerden verschillende cottages, waarover ze later hoorden dat het allemaal behuizing was van patiënten, parkeerden achter een langgerekt gebouw van rode bakstenen en zagen Mike plotseling uit een deuropening komen. Hij droeg een grijs joggingpak met een roze sjaal. Ondanks de ongebruikelijke vrijetijdskleding onmiskenbaar hun Mike. Zij wisten dat hij niet wist dat ze zouden komen, laat staan dat ze zich nu op een steenworp afstand van hem bevonden.

Floris ging voorop en toen hij dicht bij hem was, floot hij het dispuutfluitje en hij zag hoe Mike enkele ogenblikken later omkeek toen het deuntje aangeland was in een diepere laag van zijn bewustzijn. Mikes gezicht barstte open in een gelukzalige grijns zodra hij doorhad dat zijn vriend Floris voor hem stond. Mike vloog in zijn armen, hield hem op een afstandje om te zien of hij het echt goed had gezien, en klopte hem op zijn rug.

Terwijl hij de rest van zijn bezoek even dolblij begroette, kwam er een jongen voorbij die 'Eey Mikey Pikey' tegen hem zei.

'Getraumatiseerde Golfoorlog-veteraan, aan de coke, goeie vent, uit Glasgow,' had Mike gezegd. En nog knap ook, hadden Anneleen en Do later samen vastgesteld.

Mike had ze rondgeleid en meegenomen naar het Holland House. Vooral zijn Britse collega's waren jaloers op het Hollandse gebouw en vroegen steeds of het was gesponsord door Heineken.

'Over Heineken gesproken, ik kan jullie helemaal niets aanbieden. Misschien kan ik wat koekjes lenen. Ik ben nu verslaafd aan shortbread,' had hij gezegd. Voordat ze werden voorgesteld aan zijn therapeut moesten ze hun bagage laten controleren op geestverruimende middelen. Het scheen wel eens voor te komen dat gasten wat meenamen, zelfs familie. Schokkend vond ze dat, dat je je dierbaren in de afkick aan de dope helpt. Zijzelf hadden het geestverheffende verzameld werk van Konstantin Paustovskij voor hem meegenomen omdat het lange tijd in Russische klinieken was verstrekt bij wijze van antidepressivum. Mike bedankte haar uitvoerig maar maakte het zware pakket niet open.

De therapeut Ewan was een man van rond de veertig, die met een doorleefde kop gitaar zat te spelen in een kantoor. Hij had Mike toestemming gevraagd om zijn vrienden bij te mogen praten over hun 'lovely friend Mikey'. Mikey bleek het in het begin heel moeilijk te hebben gehad tijdens de overstap van de *Primary Care* in het kasteel naar de *Extended Care Unit* waar hij nu zat. Ewan legde vervolgens het zogenoemde twaalfstappenplan uit waarop de hele therapie was gebaseerd. Ze hadden aandachtig geluisterd. Floris mompelde tussendoor dat hij met zijn drankinname niet ver was verwijderd van een vrijwillige opname.

Ewan was zoals vrijwel alle therapeuten ex-verslaafd en daarom een voorbeeld voor Mike dat afkicken mogelijk is. Hij had hun verteld hoe hij als natuurkundestudent in Edinburgh aan de drugs was geraakt en op een goed moment door zijn huisbaas op straat was gezet omdat hij hoorndol werd van alle ruzies die Ewan boven zijn hoofd met talloze vrienden uitvocht. Maar Ewan ontving nooit iemand, laat staan vrienden. Hij was gewoon 'fully screwed up'. Dat was het begin van een lange weg naar een gezond bestaan. 'And Mikey will succeed as well,' had hij hun verzekerd. Hij maakte hun een compliment voor de moeite die ze hadden genomen om naar Castle Craig te komen. Dat zou zeker bijdragen aan Mikes herstel omdat hij nu wist dat hij niet was vergeten, dat hij de moeite waard was. Dat was nogal een emotioneel moment voor ze geweest, door Floris doorbroken met de vraag of Willem-Alexander wel eens kwam hossen in het Holland House.

In de televisiekamer van het Holland House sprak Mike Engels – met meer dan twee mensen was dat de verplichte voertaal. Hij schonk thee en vertelde over het regime. Hoe je al je privileges verloor als je je aan het programma onttrok of in je bed bleef liggen. Dat je dan niet mee mocht naar Peebles om te shoppen. Niet mocht vissen en wandelen. Dat de ochtenden het moeilijkst waren, maar dat zijn humeur verbeterde naarmate de dag vorderde, en dat hij de mensen versteld deed staan met zijn geestigheden. Dat hij zo'n spijt had van wat hij zijn familie, vrienden en natuurlijk Pieternel had aangedaan.

Ze was even gaan plassen. In de dankzij vele corvees brandschone plee hing de tekst:

God, geef me de kalmte om te aanvaarden
wat ik niet kan veranderen,
De moed om te veranderen wat ik kan veranderen,
En de wijsheid om het verschil te weten.

Zit onze Mike toch weer met de Here, dacht ze. Gek is dat. Het is me je wat...

Floris vroeg of Mikes familie wel wist dat hij in Castle Craig zat, want anders zou hij ze persoonlijk op de hoogte kunnen brengen. Maar Mike had ze een kaart gestuurd, terwijl hij ze al in geen jaren had gesproken, en hij vertelde een pijnlijke anekdote over het bezoek van het Magistra-bestuur aan zijn ouders tijdens de groentijd – 'the greentime' had Mike in het groepsgesprek op het kasteel gezegd omdat hij zo gauw geen adequate vertaling had kunnen bedenken. Bij elke feut werd thuis een keer door het bestuur gedineerd, alleen weigerden zijn ouders hun ingebakken patroon aan te passen. Dus werd er geen diner geserveerd, maar een broodmaaltijd met koffie. Om vijf uur. Zijn ouders spraken gedurende de hele maaltijd hooguit tien woorden, het bestuur hield het gesprek manmoedig gaande. Het monotone getik van de mantelklok had Mike tot wanhoop gedreven. Op een goed moment had hij gemompeld: 'Ik heb ze niet zelf uitgezocht,' waarop het voltallige bestuur opstond en zich excuseerde wegens verplichtingen elders. Ze vonden Mike intens onbehoorlijk tegenover zijn ouders, realiseerde hij zich terdege. Nog diezelfde avond was hij met de trein naar Amsterdam gegaan en had hij bij de avondwinkel Holland-België drank ingeslagen. Dat was het begin geweest van zijn problematische relatie met alcohol. Het verhaal was nieuw geweest voor hen allemaal, ook voor Floris en Frits.

Buiten schoten de fazanten naar links en rechts, en liep het bezoek achter Mike aan over een hobbelige weg naar de modderzwijnen, door Mike omgedoopt in modderfokkers. De dieren kwamen nieuwsgierig naar het hek, Mike voerde ze oud brood. Toch een plattelandsactiviteit, grapte hij zelf. Hij kon niet met ze mee om te gaan eten in Peebles. Hij mocht alleen met collega's over straat, zodat ze elkaars toezichthouder waren. Ook wanneer ze mailden in de bibliotheek hielden ze elkaar in de gaten. Weinig privacy dus. En als een collega de regels overtrad, moest de ander dat melden aan de leiding. Mike was gepakt terwijl hij met Van Weelde had zitten bellen, terwijl de groep had besloten dat zijn contact met Van Weelde moest ophouden omdat het destructief werkte. Hij had de verklikker uitgescholden voor 'bloody n s b 'er'.

Na dit verhaal had Mike afscheid genomen omdat hij wilde gaan mediteren, maar eerst de keuken moest opruimen.

Toen Frits, Floris, Do en Anneleen na een zwijgzame rit weer bij het hotel aankwamen, schoven ze in de lounge met elkaar voor de open haard en bestelde Floris vier gin-tonics, omdat hij 'er dorst van had gekregen'. In de aanpalende zaal kwam de plaatselijke Rotary bijeen voor een aperitief. Heren in kilt oreerden erop los, en het ene dienblad Stout na het andere werd binnengebracht.

Ze waren alle vier stil en aangedaan. Weer was het Floris geweest die hun gelatenheid doorbrak. Hij besloot de volgende dag in Edinburgh met Do op jacht te gaan naar een kilt in Magistra-kleuren.

'Per slot van rekening heeft Madonna ook haar eigen tartan bedacht. En wij zijn veel, veel ouder.'

Anneleen wordt opgeschrikt uit haar herinneringen. Frits belt over de laatste berichten omtrent Mike. 'Het is weer helemaal mis. Pier heeft hem meegenomen naar Den Haag om bij de Nederlandse afdeling van Castle Craig een spoedopname in Schotland te bepleiten. Het schijnt te lukken, alleen moet hij het dit keer zelf betalen.'

'Als dat het is. Lijkt me geen probleem voor onze wellnesskoning. Tijd om definitief iets aan zijn eigen welzijn te doen.'

'Ik ga vanavond met Pier een hapje eten. Is dat goed wat jou betreft?'

'Liefje, dat lijkt me heel gezellig voor je.'

'O ja, Van Weelde komt ook.'

'Dan wens ik je veel sterkte.'

Frits haalt Van Weelde op in Muiderberg en rijdt terug naar Muiden, waar ze Pier zullen treffen in een bruin eetcafé aan de haven, normaal gesproken niet het type etablissement waar Van Weelde een voet over de drempel zet. Nu zijn er belangrijker zaken en doet de entourage of de kwaliteit van het eten er niet toe. Pier zit muurvast in de file en laat alvast een dubbele whisky bestellen. 'Schotse, om in de stemming te blijven. Ik adviseer jullie hetzelfde te drinken. Het is niet best met onze Mike. Ik zie jullie zo.'

Van Weelde kan niet vaak genoeg benadrukken hoe het rookverbod in de horeca de kwaliteit van zijn leven heeft verbeterd. Hij is een stuk aangenamer geworden in de omgang en vraagt niet meer meteen om de rekening zodra het eten achter de kiezen is. Daar staat tegenover dat de nazit bij hem thuis na afloop van welk Magistra-diner dan ook in de wijde omtrek van Muiderberg, tot het verleden behoort. En dat is jammer, vindt Van Weelde, want hij liet een van de jongens altijd de haard aanmaken in de rookkamer, waar uitsluitend mocht worden gerookt door de haard zelf, en serveerde glaasjes uit zijn cognaccollectie. De jongens die rookten deden dat dan in de tuin.

Frits en Van Weelde zien tot hun stomme verbazing niet alleen Pier maar ook Mike het café betreden. Hij zijgt neer in een stoel en neemt een flinke slok van de klaarstaande whisky. Pier helpt hem uit zijn jas.

'Ober, heeft u voor mij een pils?' roept Pier.

Van Weelde kijkt naar Mike, Frits kijkt vragend naar zijn broer.

'Vind je het niet onverantwoord om voor Mike een dubbele whisky te bestellen? Ik vind het volstrekt onethisch.' Frits wil het glas wegtrekken, maar Pier houdt hem tegen.

'Ik ben er klaar mee. Niets helpt. Mike is een volwassen vent. Hij zoekt het zelf maar uit.' Mike zit er zwijgend bij. De rest zegt voorlopig ook niets meer.

'Heren, wat zal het zijn?' Pier bestelt een nieuw rondje. 'Met een bittergarnituur, graag. Ik rammel. Daarna willen we een rustige tafel in het restaurant.'

Aan een tafel midden in het restaurant zitten zes dames van een jaar of vijfenvijftig. Ze zijn op hun paasbest gekleed en allemaal voorzien van een idioot rood hoedje, het ene nog kluchtiger dan het andere. Luidruchtig heffen ze het glas, diverse dames in het gezelschap vullen de ruimte met hun snerpende schaterlach. Voor hun omgeving hebben ze geen aandacht, ze etaleren dolle onderlinge pret.

'What the hell?' zegt Frits.

'Die zitten ongetwijfeld manmoedig te vieren dat ook de laatste van de vriendinnenclub inmiddels in scheiding ligt,' sneert Pier. Zijn humeur liegt er niet om. 'Maar wij zitten hier voor een ander probleem.'

Pier heeft blijkbaar de regie en dit bevalt Van Weelde niet.

'Pier, wat is er aan de hand?'

'Dat zal ik jullie haarfijn uitleggen. Mike is erachter gekomen dat hij onmogelijk doeltreffend zijn alcoholverslaving kan aanpakken als hij niet op alle terreinen vrij is om te spreken. Hij drinkt om te vergeten, te verdoven, en zolang hij niet alle trauma's, blokkades en geheimen bespreekbaar maakt, wordt het nooit wat met hem. Vandaar de mislukking van zijn Schotse avontuur. Klopt het tot dusver, Mike?'

Mike mompelt een 'ja' en kijkt verdrietig voor zich uit.

'Hij heeft bijvoorbeeld wel kunnen afrekenen met zijn streng gereformeerde ouders die van de blauwe knoop waren en nooit enige vorm van waardering hebben uitgesproken over Mikes maatschappelijke succes. Dat is winst.'

Zijn onverwachte bezoekje aan Mike in 's Gravenzande staat Frits in het geheugen gegrift. Onder aan een dijk stond op tweehonderd vierkante meter beton een dodelijk saai gebouw, dat het tuindershuis van de Dekkers bleek te zijn. Er was behalve een bijbel geen boek in huis te bekennen. Kale wanden, massief eiken en gaskachels. Frits was in zijn leven nog nooit in zo'n huis geweest. Was het wel een huis? vroeg hij zich af. Mikes ouders waren niet opzettelijk onhartelijk, ze waren zo. Ook buiten hing er een doodse sfeer op het erf waarachter tientallen meters coniferen stonden te groeien, die hem sterk deden denken aan zwartekousenkerkgangers. Mike gedroeg zich niet als de sprankelende jongen die hij kende uit Magistra. Mike was al net zo doods.

'Is er geen kroeg in deze negorij?' Mike loodste Frits in de Lada station van moeder Gersteblom en reed naar het dorpscafé. Samen legden ze een biljartje en dronken ze ontelbare kop-stoten. Hij kan zich niet herinneren hoe ze in Amsterdam zijn gekomen die avond.

'Laten we geen stommetje spelen. Ik hoef jullie natuurlijk niet uit te leggen van welk geheim hij last heeft.' Pier gebaart naar de bar voor nog een pils.

Van Weelde spreekt als eerste.

'Mike, jongen, je stelt me verschrikkelijk teleur. Ik dacht dat we dat al onderling hadden besproken. Hoe lang kennen wij elkaar? Hoeveel tijd hebben we samen doorgebracht? Hoeveel energie heb ik in jou gestoken? Je was als een ongevormd stuk klei in mijn handen dat hongerde naar bewerking. Voorzichtig en met liefde heb ik jou geboetseerd tot een volwaardig lid van de maatschappij. En nu laat je mij, ons, vallen? Ik ben diep in je teleurgesteld.'

Pier wil weten wat Mike hierop te zeggen heeft, maar Mike heeft helemaal niets te zeggen.

'Goed, waar het op neerkomt is dat Mike ten behoeve van zichzelf en zijn genezing onze afspraak wil dissen. Ik vraag jullie hierover je mening. Denk er rustig over na, je hoeft niet meteen een mening te hebben. Kijk, daar komen de bitterballen. Frits, pas op dat je je gehemelte niet verbrandt.'

Mike heeft geen belangstelling en Van Weelde waagt zich niet aan dit snackbarvoedsel. Geen probleem voor de Gersteblommetjes, Mike bestelt nog een dubbele.

'Iemand?'

'Nee, dank je, ik sla een rondje over.'

'Frits, ik bedoel: heeft een van jullie al een mening gevormd?'

'O, dat! Nee, ik vind het lastig.'

'Ik niet. Er is een akkoord getekend waar wij ons allen aan houden, anders had het niet gesloten hoeven worden. Dat is het mooie van een notariële acte. Punt.'

Nooit heeft iemand de discussie aangedurfd met Van Weelde. Dat wil zeggen: hem tegenspreken heeft nooit tot de mogelijkheden behoord. Voor wat hoort wat. Daar is de notaris van meet af aan helder over geweest. Als niet iedereen de afspraak naleeft, ís er domweg geen afspraak. Dan ligt alles op straat. Van Weelde vindt het ontoelaatbaar dat het ongelukkige voorval wordt gedegradeerd tot groepsgesprek met een stel alcoholisten om van een verslaving af te komen. Er zijn grenzen aan het betamelijke. Wat Van Weelde betreft is hier sprake van een ernstige waterscheiding die kan leiden tot excommunicatie van Mike. 'En ik ben heel serieus, jongens. Mike, hou op met dat gefrunnik aan het tafelkleed, wil je?'

Frits stopt het zoveelste balletje in zijn mond. Wat een misère. Kan hij tegenover zichzelf verantwoorden dat hij instemt met de opoffering van Mike ten behoeve van Magistra '79? Mag je een volwassen man die langs de afgrond loopt, verbieden zichzelf te genezen? Nog erger, een jaargenoot maar bovenal een dierbare vriend. Nóg een vriend verliezen. Bij het graf staan en zeggen dat je machteloos was. Walgelijk en hypocriet.

'Pier, wat is jouw mening? Tot nog toe heb je alleen verslag gedaan van feiten.'

'Lastig, lastig. Ik ben geneigd voor het collectief te kiezen.'

'Jij bent niet in Castle Craig geweest. Je hebt niet gezien hoe Mike daar zijn best deed om beter te worden. Hoe hij vol goede moed de lange weg naar herstel had aanvaard. Juist jij als therapie-expert zou als geen ander moeten snappen hoe ontkenning persoonlijke groei in de weg staat. Je hebt me bij herhaling én tot vervelens toe uitgelegd waar dat toe leidt.'

'Zeker, helemaal waar. Je hebt gelijk. Toch is dit geval anders. Hierbij zijn tien anderen betrokken, inmiddels negen, nog los van hun gezinnen. Wat weegt dan zwaarder? Zeg het maar.'

Van Weelde neemt Pier op. Zou deze jongen vergeten zijn dat nota bene hij als eerste heeft gekletst? Tegen een vrouw nog wel.

De ober verschijnt om de heren naar hun tafeltje te brengen. Mike komt ondanks het verschil in jaren net zo moeilijk uit zijn stoel als Van Weelde. De ober schuift Van Weeldes stoel aan en ziet vanuit zijn ooghoek hoe Mike de stoel als rollator gebruikt.

Wanneer iedereen zit somt de ober op welke gerechten er buiten de kaart om zijn.

'Dat kan ik allemaal niet onthouden, ik wil graag het driegangendiner, geen vis en niet te zout.' Van Weelde geeft de kaart terug zonder de ober aan te kijken.

'Dat willen we dan alle vier, alleen hoeft u wat het zoutgehalte betreft geen rekening met ons te houden. En een fles Grüner Veltliner en plat water. Maakt niet uit welk merk. Zo, waar waren we. Eigen belang boven algemeen belang. Frits?'

'Ik ben benieuwd naar jouw mening, Pier.'

'Zoals ik net al zei: ik neig naar algemeen belang.'

'Ik vind dat erg moeilijk. Het zou betekenen dat wij Mike dwingen zich op te offeren voor ons allen. "Ga jij maar lekker naar de klote met je gezuip. We zullen je er met alle plezier bij helpen. Als je het moeilijk hebt, halen we je op, stoppen we je in een warm bed, nemen we je op sleeptouw, zolang je maar niet jouw probleem, ons collectieve geheim als therapeutisch materiaal inzet." Ik vrees dat ik niet achter dat besluit kan staan.'

Mike staat op en excuseert zich. 'Wc, sorry.'

Zodra hij buiten gehoorsafstand is, zegt Van Weelde dat hij niet wil dat Mike tussen de broers komt te staan.

'Ik zou het bijzonder op prijs stellen als je je niet nogmaals met mijn persoonlijke relaties bemoeit,' zegt Pier scherp.

Frits valt zijn broer bij. 'Wij zijn heel goed in staat onze eigen relatie te bepalen. De mening van derden daarover is wat ons betreft niet interessant.'

Van Weelde is zichtbaar gepikeerd, maar reageert niet. De hele situatie lijkt op een *Mexican stand-off*, maar Van Weelde lijkt wel in het voordeel te zijn. Hij gaat binnenkort met pensioen, zijn jongens staan in het volle leven en kunnen vanwege de kinderen geen openheid over hun doodslag gebruiken. Piers geduld met Mikes zelfdestructie is kennelijk op. Hoe krijgt hij ze allemaal weer in het gareel?

De ober brengt voor drie personen de eerste gang.

'Excuseer, we zijn met ons vieren.'

'De vierde heer is zojuist per taxi vertrokken. Eet u smakelijk. De fles wijn biedt hij u aan.'

✳ ✳ ✳

Charles, die met het klimmen der jaren een steeds grotere hekel krijgt aan de winter, raakt in oktober bijna depressief van allerhande voorbodes: pepernoten en chocoladeletters rukken steeds vroeger in het jaar op in de supermarkten. De onontkoombare donkere dagen voor kerst kunnen hem al helemaal gestolen worden. Nu het tegen november loopt, is er geen houden meer aan. Op zoek naar een bus scheerschuim bij het Kruidvat ziet hij dat ook daar de paden geplaveid zijn met marsepein, diverse soorten letters, verkleedpakken en kruidnoten.

Ieder jaar tijdens de herfst overweegt Charles te emigreren naar warme zonnige oorden. Maar dan niet om een *bed and breakfast* te gaan runnen zoals allerlei lieden denken te moeten doen om werkelijk gelukkig te worden. Verder dan de 'ik vertrek'-gedachte komt hij niet, want het hele plan zal om praktische bezwaren toch nooit worden uitgevoerd. De scholen en de clubjes van de kinderen, het gebrek aan sociale structuur en de afwezigheid van vrienden, de Hema, zijn Veteranenelftal.

Jammer dat er van de jeugdige flexibiliteit uiteindelijk zo verdomde weinig overblijft. In retrospectief verbaast hij zich over het impulsieve leven dat hij in zijn studententijd leidde. De keer dat hij met René op de UB zat te studeren op hun favoriete zaal en ze bedachten dat de stap van UB naar UB40 een kleine was. Ze pakten hun readers in en namen de Magic Bus naar Parijs voor een popconcert. Met Floris boekte hij een treinreis naar Split, geen idee in welk land het lag, gewoon omdat ze dol waren op Split Enz. En trouwens ook op Split-ijsjes. Een ander tripje, dat hij samen met de Gersteblommen maakte, ging te voet van het Groninger gehucht Gaarkeuken naar het andere Groninger gehucht Hongerige Wolf. Zonder voedsel. Kijken wie het 't langst kon volhouden. Dat Charles won, stond bij voorbaat vast.

146

Toen hij werd gevraagd voor een serieuze baan op de sociëteit en daardoor wellicht een jaar studie zou verliezen, dacht hij geen seconde na over de eventuele gevolgen en zei volmondig 'ja'.

Jammer dat er voor een uitbundig studentenleven tegenwoordig geen ruimte meer is, vindt hij. Het is geen vergelijk. Dertien jaar over rechten doen, zoals destijds kon, is natuurlijk een ander uiterste, maar het vereiste tempo van vandaag biedt geen ruimte meer voor interessante bijbanen of voor reizen. Of desnoods somber moeilijke boeken lezen bij kaarslicht. Of gewoon rustig ergens over nadenken. Of een mooie almanak maken.

René, die tegenover een meisjesdispuutshuis woont, vertelt hem vreselijke verhalen over de hedendaagse groentijd, die door tijdnood is teruggebracht tot twee weken. De reductie van de periode is gecompenseerd met vooroorlogse ontgroeningsriten. Van Wikkie, die in zijn groentijd zeven kilo was afgevallen en er hologig uitzag, had hij ook zorgwekkende verhalen gehoord. Voor René was een en ander aanleiding om zitting te nemen in de reünistencommissie, die waakt over de veiligheidsmaatregelen die tegenwoordig worden genomen ten aanzien van de feuten. Minimaal toegestane uren slaap, verbod op verplicht comazuipen en een klachtencommissie, eigenlijk een club tegen intern zinloos geweld. Ontzettend jammer dat dit blijkbaar nodig is. De intellectuele uitdagingen van vroeger zijn verleden tijd. Hij herinnert zich nog hoe Floris, gehuld in het geel, het Narcisme moest verkondigen op een drukke zaterdag in de Leidsestraat. Niet geheel ten onrechte had Magistra de ijdele Floris hiervoor uitverkoren. Nog steeds staat er in de kastanje op het Koningsplein NARCISSUS LEEFT gekerfd. Toen het bestuur erachter kwam dat Charles nog nooit een bijbaantje had gehad op school, zelfs niet als oppas, moest hij voor een Magistra-diner een week lang geld verdienen bij de veegdienst van de Albert Cuyp.

Charles koopt bij de drogist uit nostalgische overwegingen dan toch maar een sierlijke chocoladeletter voor zijn vrouw. Hij heeft tenslotte enige jaren voor sinterklaas gespeeld. Ook zoiets, jaren niet aan gedacht. Bijna eng hoe je belangrijke gebeurtenissen kennelijk opbergt in de bovenkamer. Als er geen aanleiding is, zou je er zomaar nooit meer aan denken. Dodelijk jammer.

Samen met René richtte hij ook vanuit de U B De Eerste Amsterdamsche Sinterklaascentrale op en lieten ze tien pakken voor sint en piet maken bij de Gouden Schaar in de Pijp. Dat was een enorme investering; ondanks de overuren die ze draaiden in de week voorafgaand aan 5 december, hebben ze die er nooit uitgehaald. Toch veel lol aan beleefd, nu Charles het weer voor zich ziet. Niet alleen Magistraten huurden de kostuums, bij andere disputen was het ook een hit om je als sint en piet te verhuren aan verenigingen, bedrijven en families. Charles vormde een vaste combinatie met René. René was stukken leniger en kleiner van stuk, dus de taakverdeling was een uitgemaakte zaak.

In de kelder van het Huis was het een komen en gaan van bisschoppen en knechten. Omdat niemand buiten Amsterdam wilde spelen, namen hij en René dat voor hun rekening. Ze rekenden bij voorbaat 'gevarentoeslag' omdat ze zich buiten de ring moesten begeven. God, wat een leed, die keer dat ze al vast kwamen te staan op de Overtoom omdat de auto het midden in de spits begaf. René, gekleed in een belachelijke pofbroek en met baret op, duwde de Eend aan, waaruit de staf als een vlaggenmast door het dak stak. Ze kwamen op alle adressen in de Zaanstreek te laat, verstrikt geraakt in woonerven en galerijflats. Woedende ouders met overspannen kinderen zaten met opgekropte smart te wachten. René had er zwaar de pest over in en was een heel slechte piet. Dat was hij sowieso al, een lolbroek was hij nooit geweest. Nu kon er helemaal geen grap meer af. Charles zelf had geen idee dat je niet tegen die kinderen moest zeggen dat ze volgens het grote boek stout waren geweest. Maar goed, het waren ook wel ontstellende sukkels in hun rijtjeshuizen. Een aanfluiting was het.

De leukste opdracht kwam van een man die belde en om acht sinterklazen vroeg.

'Hoezo acht?' had Charles verbaasd gevraagd. 'En wilt u dan geen pieten?' Nee, pieten wilde hij niet.

'Ik wil gewoon acht sinten, voor ieder eentje.'

Charles had nog gevraagd om wat voor feestje het ging, maar de man had een adres opgegeven en gezegd: 'Kom nou maar gewoon, je zult het wel zien.'

Het bleek te gaan om een relaxhuis, waar ze meteen werden gerustgesteld over de bedoelingen en alle acht dames via hun privé-sint een cadeautje en een letter kregen van hun John. Het was een memorabele avond geworden met de dames van plezier. Charles was in zijn volledige outfit met zijn dame in bad gezet, waar ze samen champagne hadden gedronken. Charles' tabberd golfde in het water, zijn baard was doorweekt. Zij was zeer bijdehand en ze hadden dolle pret. De foto's die de baas had gemaakt, heeft hij jammer genoeg nooit gezien.

Nee, dan dat gezin in wiens huis het onwaarschijnlijk naar kattenpis stonk en dat weigerde te betalen. Toen het dreigde uit te draaien op een handgemeen, riep René tegen de kinderen dat Sinterklaas en Zwarte Piet niet bestonden en als bewijs rukte hij zijn pruik af. 'Jullie ouders zijn leugenaars!' Ze trokken een sprint naar de auto en scheurden naar Noord. Daar, bij het laatste adres, was het een compleet gekkenhuis. Alle aanwezige volwassenen bleken dronken, terwijl de kinderen als wilden door een kleine etagewoning renden. Hij was geschokt over de woonsituatie van die mensen, bespottelijk petit. Charles had van zijn hele leven nog nooit zo'n soort huis vanbinnen gezien.

In de rol van sinterklaas nam hij de vrouw des huizes op schoot en vroeg of ze wel lief was geweest. Zij voerde hem het ene jenevertje na het andere als bewijs van haar gulle karakter. Haar man riep op een goed moment: 'Zeg, sinterklaas, je gaat je staf toch niet aan mijn meissie laten zien, hè.' Maar toen was het al bijna één uur 's nachts en René en hij hadden 'm zelf ook al behoorlijk geraakt. En toch gewoon naar huis rijden. Krankzinnig. Bestonden er wel blaastesten of controles in die tijd? Het was toen niet eens een punt van discussie of zoiets verantwoord was.

Terug op het Huis gingen ze met alle sinten en pieten in hun uit-dossing naar de tent van Manfred Langer in de Vreetsteeg. Helaas, ook alweer eeuwen dood. Al gelooft Charles niet in het hiernamaals, voor hem is het een aangename en troostende gedachte dat Floris zich nu met allerlei leuke, interessante dooien verpoost op de eeu-wige jachtvelden. Zouden ze daar ook al in oktober pepernoten eten?

* * *

Half november, maar in Portugal is het bestaan draaglijk. Geen snerpende windvlagen, geen horizontale regen. Daar is de winter niet deprimerend. Pier wordt iets vrolijker door het vooruitzicht, maar niet veel. Hij gaat er een mooie deal sluiten, weet hij nu al – kan niet fout gaan – en toch heeft hij geen zin in dit tripje. Hij vindt het op de een of andere manier vervelend om een aantal da-gen van huis te zijn zonder zijn gezin, sinds... tja, sinds wanneer? Sinds de dood van Floris? Ja, dat is het.

Op het vliegveld loopt hij meteen door naar de wc. Met geen stok krijgen ze hem in zo'n enge vliegtuigplee. Stel je voor dat hij de deur niet meer open krijgt. Hij kijkt in de spiegel en is tevreden met het spiegelbeeld. Veel narigheid de afgelopen tijd, maar hij blijft aardig overeind. Gek eigenlijk dat hij een aantal jaren geleden zijn moei-lijke periode had. Waar ging dat nou helemaal over? Hij vond zijn werk niet leuk meer. Errug zeg. Zijn hele gezin heeft hij gek ge-maakt met zijn gezeur, zijn therapie en dan ook nog met die gekke juffrouw. Gênant. Dit keer gaat hij niet omvallen. Dat akkefietje met Matthijs moet hij nu maar eens gewoon uit zijn hoofd zien te zet-ten. Was natuurlijk wraakneming van Cato. En Mike schijnt het heel goed te doen in de rehab.

Hij haalt de huurauto op en flirt met de juffrouw, die hem blijk-baar ook best knap vindt en terugflirt. Hij komt volgens planning twee uur te vroeg aan bij de enorme villa naast het prachtige golf-terrein van de klant. Dit huis verkoopt zichzelf, ongeacht de crisis. Serieus geld heeft geen last van de crisis, zoveel is duidelijk. De hui-dige eigenaar kent hij grappig genoeg van de lachtherapie. Prach-tige smaakvolle tuin, alles goed onderhouden. Hij heeft de beheer-der het terras laten optuigen met een teakhouten tafel en stoelen. Hij laat koffie zetten. Zijn opdracht deze ochtend wat lekkernijen te kopen, is uitgevoerd. Hij checkt het huis, gooit boven de luiken open en kijkt het zwembad na. Schoon.

De klant komt met zijn vrouw op tijd voorrijden in de Maserati Quattroporte G T S, die hij graag zelf zou hebben, maar Cato vindt het een pooierbak én het nieuwe type auto voor cosmetische chirur-gen. Hij stelt zich voor als Rob Quispel.

'Quispel. Bekende naam,' zegt Pier. 'Phoenix? Mijn vader had daar al een clubgenoot Dennis Quispel.'

'Phoenix? Dat bedrijf ken ik niet. Is dat van de toiletten? Nee, dat was Sphinx. Mijn vader was fotograaf bij het Helmonds Weekblad. Ik-zelf zit in de handel. Staal, beetje olie erbij.'

'Ik bedoelde de Delftse studentenvereniging,' zegt Pier, die nu pas 's mans lichte Brabantse accent opmerkt.

'Ik heb alleen mavo,' zegt Quispel, 'maar wel de hoogste.'

'Ah! Selfmade man,' zegt Pier snel. 'Dat zijn de besten. The aca-demy of life. Ik kom zelf van de Joke Bruys-mavo, en moet je ons nu zien staan, op een van de mooiste plekjes in Europa.'

Hij knikt de man ontwapenend toe. Deze Quispel was op de oprit al zichtbaar om, maar de vrouw, een *social climber* van de allerergste soort, ziet hij nu, sputtert pro forma tegen. Waarschijnlijk denkt ze daarmee een paar ton te winnen, niet eens haar eigen geld. Dat zijn de moeilijksten, leert de ervaring, dus moet Pier haar zo snel mogelijk op een zijspoor zetten en over de technische aspecten van het huis beginnen. Ze vindt de enorme open haard te klein, de moderne keuken niet modern genoeg en gras vindt ze maar lastig. Altijd komen ze met bezwaren die ze thuis op de foto's ook al hebben gezien, maar die ze nu als wisselgeld inzetten, denkt Pier. Kom, verras me nou eens een keer. Hij doet zijn ding. De man vraagt wat het kost om het huis behoorlijk te beveiligen. Pier zal dat haarfijn voor hem uitzoeken en maakt een eind aan de rondleiding met de mededeling dat hij de volgende kijkers moet gaan ophalen. Nee, hij mag niet zeggen wie, het zijn namelijk B N'ers. Nu wil de vrouw het huis zeker hebben, schat hij in.

Pier laat ze uit en gaat een uurtje afslaan op de golfclub. Al na drie kwartier gaat zijn mobiel, hij herkent het nummer van de klant. Hij neemt niet op. Even een uurtje laten spartelen.

Tegenwoordig heeft iedereen maar een tweede huis, denkt hij. Dat was vroeger anders. Zijn ouders hadden er geen, wat niet gek was met een huisartsensalaris en geen eigen vermogen. Maar op het corps lag het huizenbezit destijds beduidend hoger dan gemiddeld. Hij herinnert zich skivakanties in eigen chalets met gigantische haarden en een auto in de garage, en weekendjes in een houten hut in de bossen van Drenthe, al vijftig jaar bekend als 'de Magistra-hut', waar in de gastenboeken bekende intellectuelen uit het begin van de twintigste eeuw hun loflied zongen op de gastvrijheid van de familie. Het kerstgala, dat traditioneel plaatsvond in maart, was een keer gehouden in een kasteeltje in de Ardennen – in de bijgebouwen stonden onder meer zes klassieke auto's, een liefhebberij van pa. Waarop overigens een vette rekening volgde aan het dispuut wegens 'bijdrage verbruik gas en licht'. In het 'zeilhonk' van de familie van Floris in Heeg hingen in het trapgat foto's van drie generaties gezonde, gelukkige kindertjes in oefenbootjes. Daaraan waren inmiddels foto's van Floris' kinderen toegevoegd. De kleding van de kinderen veranderde in de loop der jaren, de bootjes ook, maar hun koppies helemaal niet. Een net hoofd kun je niet kopen, zegt papa wel eens, en dan krijgt hij steevast op zijn donder van mama, op haar manier, 'Niet zulke gekke dingen zeggen'. Pier lacht in zichzelf. De lieverds. Wat een huwelijk. Hoe doen die oude mensen dat toch?

Het was hem destijds ook opgevallen dat die huizen goed werden onderhouden, maar dat er bij de inrichting altijd leek te worden gestreefd naar zo armoedig mogelijk. De eigenaars van de Magistrahut waren in een moeilijk parket gebracht toen het jaar '79 hun een peperduur espressoapparaat cadeau had gedaan ter vervanging van het lullige oranje plastic jarenzeventigkoffiefilter, waar ook nog een stukje van was afgebroken. Ze wilden het blijkbaar niet, maar vonden het onbehoorlijk om dat te zeggen. Bij hun volgende bezoek hadden de jongens een briefje van de moeder gevonden, die er een weekje was geweest om niet onverdienstelijk bosgezichten te schilderen. Daarop stond:

Schilder bellen kozijnen zuidkant
Hortensia verplaatsen
Roos opbinden
Buitenschoenen mee naar huis voor nieuwe zolen
Melkpoeder en muggenspul kopen
Apparaat kinderen op aanrecht zetten

Dat laatste was ze in ieder geval vergeten, het ding stond in de doos in de voorraadkast, het kapotte oranje filter lag naast de Blokkerkoffiekan op het granieten aanrecht.

Het eerste wat kopers van tweede huizen doen is er een nieuwe hypermoderne keuken in zetten, weet Pier. Alsof ze ooit koken. Laat staan echt koken. Hoe groter de keuken, hoe slechter de kok. De nabijheid van restaurants is belangrijker voor ze dan de afstand naar het vliegveld.

Op het terras van het clubhuis bestelt hij een glas vinho verde en raakt hij aan de praat met een tandarts uit Nijmegen die een eindje verderop een tweede huis heeft. De man heeft eerder een huis gehad in de Provence en vindt het hier ook al te vol worden. Daarom overweegt hij nu sterk een vakantiehuis in Tanzania te kopen, liefst zoiets als de villa van Felderhof, of liever nog in Mozambique. Waar hij overigens voor geen goud permanent zou gaan wonen, stel je voor zeg! Pier gaat er niet op in. Afrika is wat de Côte d'Azur was in de jaren zestig, heeft hij al eerder ontdekt. Je kunt even net doen of je geen Hollander bent in je gated community, zonder de voordelen van het Nederlanderschap te laten vallen. De plaatselijke bevolking negeer je gewoon, tenzij ze het zwembad komen schoonmaken. Neokolonialisme. Nu het kroonprinselijk paar alsmaar naar een van hun landgoederen in Argentinië moet om niet te worden lastiggevallen door het gepeupel dat hun absurde jetsetleventje betaalt, is er voor de tandarts misschien wel een aardig perceeltje in Mozambique te koop. Pier zal zijn handen er niet aan vuilmaken. Hij onderbreekt het gesprek – 'Neem mij niet kwalijk, even een zakelijk telefoontje. Ben zo terug.' Daarna ga ik jouw huis hier voor je verkopen, beste tandarts, maar dat weet je nog niet, denkt hij erachteraan.

De klant van vanochtend wil inderdaad het huis. Pier blijft een paar dagen om de overdracht in gang te zetten en nog wat zaken te regelen. Ondertussen kan hij dan mooi dat huis van de tandarts eens gaan bekijken. Hij bestelt een fles wijn, de tandarts heeft er wel zin in.

Ze kunnen het prima vinden en bestellen eten. Pier voelt zich goed. Hij is goed bezig. Hij leunt achterover.

'En jij, ook met vrouw en gelukkig getrouwd?' vraagt de tandarts.

'Ja,' zegt Pier. Hij voelt ineens een steek in zijn onderbuik. Hartstikke gelukkig getrouwd. Hij draait zijn glas rond. De tandarts kijkt hem met vriendelijke bruine ogen afwachtend aan. Nu moet hij een paar details geven over zijn vrouw. Gvd, denkt Pier. Ik ben het gelukkig getrouwde lulletje.

'Ik moet je iets bekennen,' zegt hij ineens. Hij kan zichzelf niet meer stoppen en vertelt de tandarts een heel verhaal. Hoe hij een affaire heeft met een vriendin van zijn vrouw, een dispuutgenoot van haar nog wel. En dat dit heel onfortuinlijk is en dat zijn vrouw het sinds kort weet en het daar zo ontzettend moeilijk mee heeft. Hij kan er niet meer mee ophouden. De tandarts is onder de indruk, dat is duidelijk. Maar ook geschokt. De verkoop van dat bij elkaar geboorde huis kan hij na dit verhaal vast schudden, beseft Pier, maar het kan hem niets schelen. Op de een of andere manier knapt hij hier enorm van op. Tot hij de volgende ochtend wakker wordt, met een zware kater.

* * *

Een tweede brief van Matthijs op de mat. Cato pakt de brief snel op en kijkt om zich heen, terwijl er niemand thuis is die haar zou kunnen betrappen. Pier is met een leuk huis bezig in Portugal en de vijf hangjongeren, onder wie haar eigen dochter, die zojuist nog achter de computer filmpjes op YouTube bekeken, zijn alweer met onbekende bestemming vertrokken. Hopelijk naar school. Cato rent de trap op naar de zolder waar andere brieven van hem ook opgeborgen liggen.

Liefste,

Ik heb nog eens zitten denken. Zou het niet mogelijk zijn als tussenoplossing elkaar toch af en toe te zien, maar dan met een bewaker erbij of zo? Desnoods met handboeien om. Er is hier niemand in dit godvergeten land tegen wie ik kan praten. Laat alsjeblieft iets van je horen. Hoe moet dit verder?

M

Onder de brief heeft Matthijs een tekeningetje gemaakt van twee geboeide figuren aan weerszijden van een tafel en aan de kop een bewaker met een pet en een knuppel.

Cato lacht door haar tranen heen.

* * *

Vijf weken voor kerst komen de eerste uitnodigingen binnen. Vanzelfsprekend nodigt haar zusje het half verweesde gezin uit voor eerste kerstdag. Cato en Anneleen, die sinds mensenheugenis gezamenlijk die dag met beide gezinnen en schoonouders doorbrengen, bellen allebei afzonderlijk met Do.

'Kom gewoon mee. Onze schoonouders zijn van hoe meer zielen, hoe meer vreugd, dat weet je toch? Nee, je bent geen verplichting, doe niet zo gek.'

Haar overbuurvrouw, gescheiden, ziet kennelijk een oplossing voor haar eigen eenzaamheid. 'Houden we het lekker simpel samen, ik neem ook geen boom.'

Alle ouders van de beste vrienden van haar kinderen gooien balletjes op. 'Mam, waarom niet, dat is ook leuk voor mij,' zegt Charley. Zowel René als Charles en Defares laten hun vrouwen een uitnodiging sturen, zonder dit onderling gecoördineerd te hebben.

Do voelt een golf van zelfmedelijden opkomen waar ze beroerd van wordt. De vaste grond onder haar voeten valt in één klap weg bij zo veel ongetwijfeld welgemeende vriendelijkheid. Ze is in de ogen van al die mensen blijkbaar een kerstgevoelopwekkend geval. En dat is ze ook. Do zelf zou vrouwen in een vergelijkbare situatie ook vast en zeker hebben uitgenodigd. Vooralsnog houdt ze de boel af. De kerstdiners-zonder-einde bij de firma Gersteblom zijn, als ze de verhalen mag geloven, niet haar stiel. Tot diep in de nacht duizenden calorieën wegwerken, spelletjes doen, tussendoor buiten bij fakkellicht jeu de boules spelen (de Joppense variant bij Cato en Pier) of biljartcompetitie in de kelder (Leusden). Do vierde het altijd met de familie van Floris en excelleerde als gastvrouw met een mooi gedekte tafel, een vijfgangendiner, zorgvuldig uitgekozen cadeaus voor iedereen en een verantwoord en smaakvol aangeklede kerstboom met kerstballen van voor de oorlog uit beider families. Floris droeg steevast zijn smoking en ergerde zich als Do een eerder gedragen jurkje uit de kast wilde trekken. 'Werk ik daar zo hard voor, Do?' *Family man* Floris genoot op kerstavond oprecht van de eerste tot de allerlaatste seconde, en nog lang daarna in retrospectief.

Voorlopig zijn het slechts de donkere dagen voor kerst en die vindt ze al erg genoeg, om nog maar te zwijgen van de aanzwellende feestelijkheid. Kerstmuziek in winkels kan ze nauwelijks verdragen. Nu ze erover nadenkt is ze al veel te laat voor de *Christmas cake*, die wekelijks iets lekkers te drinken moet krijgen voor het moment suprême. Een veeg teken, vindt ze, dat het ding in oktober niet één keer door haar hoofd is geschoten. Waar is ze met haar gedachten? De afgelopen vijftien jaar was ze om deze tijd al druk doende met de kerstkaarten, die ze altijd zelf maakte. Een foto van het gezin rondsturen vond ze te afgezaagd, een gekochte kaart te gemakkelijk. Dus werden het voorgeknipte in elkaar te vouwen engeltjes naar eigen ontwerp, piepkleine aquarelletjes van haar hand, of zelfs kleine pe-tit-point geborduurde hulsttakjes met rode besjes achter papieren venstertjes geplakt. Daaronder liet ze Floris en ook de kinderen zo-dra dat kon, ieder zelf hun naam zetten. Zo doe je dat, legde ze de kinderen uit. Met zorg en aandacht, anders stelt het niks voor. Vond ze. Nu kan ze het zelfs niet opbrengen om kaarten te kopen in een winkel. Ze vermoedt dat mensen het haar zullen vergeven.

Cato opent haar derde mailtje in een week tijd van Anneleen over het Gersteblommen-kerstdiner.

> Tootje, vier keuzemogelijkheden voor de werkverdeling. Frits en ik doen de eerste vijf gangetjes, jij en Pier de laatste vijf. Of wij doen alle even gangen en jullie de oneven tot tien. Of we doen het net allemaal andersom. Dan de drank: dit jaar zijn wij aan de beurt voor alles wat wit is (en doorzichtig) met en zonder prik. De rest inclusief frisdrank is voor jullie. Laten we alsjeblieft onze schoonouders in bedwang houden, vorig jaar zijn we ternauwer-nood ontsnapt aan de x-mascake. Daar dreigden ze al in septem-ber mee, geen woord meer over gehoord. Jij?
> Dan Do: wat gaan we met haar doen? Dwingen lijkt me geen goed idee. Maar ik hoop dat ze komt. Deze kerst moet voor haar niet te verdragen zijn. Opa en oma begonnen er uit zichzelf over en vroegen of Do een lievelingsgerecht heeft. Hun handen jeu-ken om haar te bemoederen, lees: vol te stouwen. Voor je het weet worden het dertien gangen, en ik haak altijd al af na vier. Jij komt volgens mij ieder jaar verder. Zit je al op zeven?
> xx Anneleen

Cato zal Pier laten kiezen. Dan is het ook meteen zijn verantwoor-delijkheid als er in zijn ogen iets niet goed gaat. Een mislukt kerst-diner zeurt bij haar man door tot de krokussen bloeien. Als het geslaagd is, heeft Pier zo veel verzwolgen dat hij drie dagen in een gastritische coma verkeert, zodat Cato tweede kerstdag soms alleen naar haar eigen ouders gaat. Of Pier is er wel, maar ligt hoofdzakelijk languit en zwijgend op de bank. Dat haar ouders de tweede prijs krijgen, daar heeft ze zich jaren geleden al bij neergelegd. Haar ouders trouwens ook. De moeder van Anneleen heeft tot een jaar of vijf geleden tevergeefs gesmeekt of ze één keer de eerste kerstdag mocht, maar heeft het sindsdien ook opgegeven.

Als Cato heel eerlijk tegenover zichzelf durft te zijn, zou ze het niet erg vinden als Do en kinderen afhaken. Opgelucht zelfs, want 25 december is inmiddels een instituut geworden, iedereen kent zijn rol. Het hele jaar door moet ze al compromissen sluiten, rekening houden met Jut en Jul. Feitelijk is ze 364 dagen per jaar doordesemd van de kerstgedachte, maar liever niet die ene dag. Lullig maar waar. Zelfs Van Weelde is er niet in geslaagd zich binnen te wrikken. Ze vindt kerst dodelijk vermoeiend en ondanks alle oprechte gezelligheid intens deprimerend.

Wanneer Cato Do belt om haar stemming te peilen, hoort ze een matte stem.

'Do, nog even over de kerst...'

'Cato, hou alsjeblieft op over kerst. Iedereen nodigt ons uit, en hoe meer mensen ons vragen, hoe verdrietiger ik ervan word. Ik heb er nog nooit een seconde bij stilgestaan dat ik kerst anders zou vieren dan ik het tot nog toe heb gedaan. Met mijn man en kinderen. Ik probeer het plaatje voor me te zien. Ik samen met Wik, Mauk en Charley, maar het gaat er niet in. Ik snap niet hoe dat moet. Het vliegt me naar de keel. Ik wéét gewoon dat het niks wordt. Niks. Het ziet er zielig uit, ik ben nu eenmaal geen gangmaker. Ik weet zelfs zeker dat omgekeerd Floris het met de kinderen maar zonder mij wel goed zou hebben. Levendig, luidruchtig. Hij kan dat. Kerst bewijst dat ik niks voorstel, dat ik opvulling ben, dat ik niet uit de losse pols grappig en gevat kan zijn, dat ik...'

'Hé, Do, hou eens op! Je bent geweldig. Je doet het fantastisch!' Cato voelt een vlaag van woede opkomen. Kutkerst. Zo zie je maar. Mensen worden er gek van. 'Natuurlijk was Floris erg aanwezig, maar dat betekent niet dat jij waardeloos bent. Dankzij jou kon Floris schitteren, besef je dat niet? Schitteren vanuit een solide basis. Dat ben jij dus. Even iets anders is de komende kerst. Als je er zo tegen opziet, schuif je de kinderen toch elders onder? Maar wat ga jij dan doen? Misschien vind je het juist wel fijn om alleen te zijn. Je bent natuurlijk welkom bij ons, maar ja, Joppe vind je misschien te ver. Ga lekker je kasten opruimen, borduren, zilver poetsen. O sorry, dat is niet zo aardig, sorry Do. Dat poetsen deed je natuurlijk elk jaar voor je diner. Lekker in je eentje een stom dvd'tje kijken met een zak chips, zou dat niet fijn zijn? Mij lijkt het wel wat, kan ik je verzekeren.'

'Weet je, Cato, ik kom er wel uit. Bedankt voor al je tips.'

Do loopt naar boven, schopt haar Uggs uit en kruipt met kleren en al in bed. Ze zet de wekker op twee uur zodat ze nog wat kan slapen, maar ruim op tijd is om zich te fatsoeneren voordat de kinderen uit school komen. Ze gaat haar bed weer uit om de telefoon uit te zetten en gooit haar mobiel onder een stapel kleren. Als ze eenmaal ligt, heeft ze alle tijd om te bedenken dat slapen geen oplossing is. Ze zou wel jaren willen huilen en slapen, maar dat kan ze niet maken. Haar kinderen moeten en gaan ook verder met hun leven. Ze ziet ze lachen en sporten en afspreken met vriendjes. Do zou een voorbeeld aan hen moeten nemen.

Ze gaat haar bed weer uit, maakt een espresso en neemt met een vel papier aan tafel plaats. Goed, wat wordt het plan. Sporten. Geen prioriteit. Sport wordt ingedeeld bij Geen Prioriteit. Wat moet er bij Prioriteit? De kelder opruimen. Troep van Floris uitmesten. Zomerkleding naar de kast op zolder brengen. Kleren kopen. Is dat prioriteit? Floris vindt van wel. 'Meisjes kunnen niet genoeg schoe-

nen en rokjes hebben.' Heeft Charley altijd handig gebruik van gemaakt. En verder? Ten minste één boek per maand lezen. Een reisje
plannen. De kinderen onderbrengen met kerst. Dat is dus besloten.
De uitnodigingen zegt ze af per mail. Allemaal.

Cato kruipt net weer achter de computer om haar schoonzus een
update te geven als ze een sms krijgt van Pier. 'Waar ben je?' Het
blijft controle-sms'jes regenen sinds haar coming-out. Soms lijkt
Pier even te vergeten dat zijn vrouw hem heeft bedrogen en is er
geen vuiltje aan de lucht, maar opeens kan hij weer in een groef
schieten en achter iedere uitspraak of beweging van Cato bewijzen zoeken dat het nog steeds niet over is met Matthijs. 'Met wie
zit je te bellen?', 'Naar welke foto keek je net?' of 'Ik zag echt wel
dat je net iets wegklikte' zegt hij wanneer hij bijvoorbeeld zijn
vrouw achter de computer probeert te besluipen, alleen heeft
Cato het altijd op een kilometer afstand door. Vrede op aarde en
in de mensen een welbehagen. Ach ja, het is haar eigen stomme
schuld.

Cato sms't hem terug. 'Ben thuis, bel me als je kan ivm kerst-
diner. Er valt wat te kiezen.'

Op eerste kerstdag begint Do na een kop koffie aan het kuisen van
haar huis. Alle kerstattributen gaan eruit. Ze gooit de kaarten die ze
heeft ontvangen in de vuilnisbak, net als de kerstrozen die de chauffeur van Floris haar is komen brengen 'mede namens de vrouw', de
schat. De krans op de voordeur gaat erachteraan, evenals alles wat
op een kaars lijkt. Ook de *Allerhande Kerstspecial* moet eraan geloven.
Weg ermee. Ze praat zich de blaren op de tong om Charley en Mauk
ervan te overtuigen dat ze vanavond echt beter ergens anders kerst
kunnen gaan vieren en dat ze echt, echt waar, liever alleen is. En nee,
ze is niet zielig, ze is alleen niet gezellig.

Ze stelt zich voor hoe Pier en Frits vandaag als generaals de keuken bestieren en hoe Anneleen en Cato lijdzaam toezien. Ze verheugt zich op een noodlesoepje als kerstdiner.

Do gaat met een rol vuilniszakken en een pakje sigaretten naar de kelder om het mes te zetten in een gepasseerd leven. Ze trekt een stoffige doos van Floris uit de stelling met daarin allerlei Magistramemorabilia. Kan ze het maken om een en ander ongezien weg te doen? Ze haalt er een map uit. DOSSIER ONTRUIMING MAGISTRA-HUIS staat erop. Ze bladert erdoorheen. Op het vergeelde papier leest ze dat Magistra in '83 een kort geding heeft aangespannen tegen ontruiming van het gehele pand op last van de brandweer.

'Magistra is een in groot-concubinaat levende informele rechtspersoon die lief en leed deelt, minstens een keer per week gezamenlijk de dis gebruikt, veelvuldig vergadert over het reilen en zeilen van het huiselijk leven en de toestand van huisdier Jansen. Uit een gemeenschappelijke pot halen de Magistraten geld voor kranten, schoonmaakmiddelen en dergelijke noodzakelijkheden: een inbreuk op en afbraak van hun privacy is onaanvaardbaar.'

Do gooit de map in een lege vuilniszak en pakt een boek met hardlinnen kaft uit de doos. Ze bladert door de lustrumalmanak van Magistra. Onder het kopje VARIA staan allerlei uitspraken over jongens die ze kent. Bij Cees Minderhout staat: 'Laat je deur doof blijven voor gesmeek, maar wijd open voor iemand die iets meebrengt.' Chinese spreuk. Achter Mike Dekker: 'De geheelonthouders hebben gelijk, alleen de drinkers weten waarom.' Matthijs Hillen: 'Een baard maakt nog geen filosoof.' Primus et Secundus Gersteblom: 'Niet toegestaan genot doet genoegen.' Do spiedt de pagina's af naar Floris en vindt zijn varium. 'Nemo mortalium omnibus horis sapit.' Geen idee wat het betekent. Maar eens opzoeken. En over het Magistra-huis luidt het varium: 'Per aspera ad astra.' Dat is een bekende. Door het doornenveld naar de sterren.

Do klapt het boek dicht en stopt het in de vuilniszak. Even later haalt ze het er toch weer uit en stopt het terug in de stoffige doos.

Misschien leuk voor Wikkie. Eigenlijk is het beter om de doos in zijn geheel aan hem te geven. God, wat was Floris trots toen Wikkie in Magistra terechtkwam. Ze kan zich herinneren dat de oudste zoon van een vriend die in '76 in Magistra was aangekomen en praeses was toen de lichting van '79 aankwam, in een concurrerend dispuut werd geïnaugureerd. 'Onderbuik nog wel,' meesmuilde Floris opgetogen. Er werd eindeloos over gebeld door de jaargenoten. De man werd bestookt met leedwezenmailtjes en grappen over katholieken, de paus, het spreken met een zachte g en nog zo wat. Toen ze de vader van deze kersverse 'onderbuiker' een keer tegenkwamen op een feestje, barstte Floris uit in het zingen van 'Glo-hohohoria, glohohoria, in excelsis de-o'. De vrouwen hadden het allemaal zwijgend aangehoord: houdt dat corporale gedrag dan echt helemaal nooit meer op bij die mannen?

Do rookt een sigaret en rommelt nog wat in een kist met schaatsen. Zelfs de Friese doorlopers van haar ouders zitten ertussen. De leren riemen zijn verpulverd, maar ze krijgt het niet over haar hart om die antieke ijzers weg te doen.

Ze heeft behoefte aan frisse lucht. Om niet geheel doelloos over straat te lopen, gaat Do naar de videotheek en vraagt de man achter de balie vijf nonsensfilms voor haar uit te zoeken. De man overhandigt haar een stapeltje met de woorden: 'Mevrouw, u moest eens weten hoe blij ik ben dat ik moet werken.' Ze wordt in de loop van de dag gebeld door haar zus, Pier, Cato, Charles, René, Anneleen, de buurvrouw en nog zo wat mensen. Ze neemt geen enkele keer op.

's Middags werkt ze drie vuilniszakken vol spullen weg, waaronder de lievelingsjurk van Floris, de rode lingerieset en het paar rode lakschoenen dat ze vorig jaar met kerst van hem kreeg. Het feest is toch over.

De familietraditie van Floris houdt ze wel in stand: met kerst krijgen de kinderen wat extra geld, door de vader van Floris vroeger het eindejaarsdouceurtje genoemd en door Floris de dertiende maand. Ze logt in en maakt het geld over via internet – wie had een jaar geleden kunnen denken dat ze daartoe in staat zou zijn.

Om zes uur stuurt ze Charley en Mauk het huis uit. In de straat hoort ze diverse auto's arriveren, waaruit mensen komen met flessen drank en schalen met lekkernijen onder zilverfolie. Ze staat er rokend voor het raam in het donker naar te kijken en voelt er helemaal niets bij. Het stel dat bij haar buren met de hysterische hond komt eten, maakt nu al ruzie, tijdens het uitstappen. Ze stelt het alleen maar vast.

Ze zit op de bank voor zich uit te staren wanneer Wikkie ondanks haar dringende verzoek het elders gezellig te hebben, het huis binnenloopt met een huisgenoot. Ze neemt Wikkie even apart in de keuken en legt nogmaals uit dat ze niet feestelijk kan zijn vanavond en dat hij zijn heil beter elders kan zoeken, maar Wikkie weigert kalm om weg te gaan. De vriend ziet er opgewekt uit. Hij lijkt niet gedwongen te zijn tot dit bezoek en stelt handenwrijvend voor een spelletje te doen. Heeft die jongen geen ouders? Morgen eens vragen aan Wik. Na een potje viezewoordenscrabble, waar Do nauwelijks haar gedachten bij kan houden, gaan de jongens chinees halen voor een weeshuis. Do is blij dat ze er zijn. Ze is ontspannen, maar heeft de gekke gewaarwording dat al het geluid maar half binnenkomt, alsof ze in de mist zit.

Om een uur of tien staat Charley alweer in de kamer, met haar vriendin. Ze zeulen een pan met restanten gevulde kalkoen, een bakje kastanjepuree en een bakje aardappelgratin met zich mee – 'Dat was toch over en de groeten van mijn moeder' – en storten zich naast Wikkie op de bank. Vijf minuten later komt ook Mauk, schoorvoetend. Ook hij draagt een tas met bakjes eten – 'dat gaf zijn moeder mee en of je niet alsnog wilt komen'. Even later komt ook de vriend bij wie Mauk at, met chocoladebavarois in een schaal. 'Mijn vader brengt opa nu al naar huis, die trekt het niet meer zo lang. Dus.' Nog drie kinderen uit de buurt arriveren om een uur of elf, blijkbaar allen met dispensatie van hun ouders. De kinderen eten moeiteloos bami met kastanjepuree en nasi met kalkoen en worden steeds luidruchtiger. Deze afterparty bevalt ze prima. De meisjes genieten van de aanwezigheid van de oudere jongens. 'Mevrouw, mevrouw, mag de muziek aan?' De vriendin van Charley wil dansen. Do is ontroerd dat de kinderen lol hebben bij haar thuis. Ze ziet het tevreden aan, maar doet er niet aan mee. Ze kan de gesprekken nauwelijks volgen, maar gek genoeg voelt ze zich helemaal niet slecht. Vaag bedenkt ze zich dat ze een bed voor die jongen uit Amsterdam moet opmaken, maar ze kan zich er niet toe zetten. Om half twaalf sleept ze zich met moeite naar boven zonder het gezelschap te groeten. Zodra ze een voet in de slaapkamer heeft gezet treft ze de man met de hamer. Ze valt bijna letterlijk om. Ze heeft het afgelopen half jaar nooit langer dan drie uur achter elkaar geslapen, zelfs op pillen, maar ondanks de herrie beneden slaapt ze deze nacht als een blok en volkomen droomloos tot drie uur de volgende middag.

* * *

'Wat moeten we nu met oud en nieuw?' Cees was er al in september over begonnen. Als een verwend kind, bang dat zijn feestje door toedoen van een ander niet doorgaat, bleef hij erover doormekkeren. In plaats van zelf met een alternatief te komen, legde hij dit immense probleem neer bij de rest van de jongens.

Vanaf het moment dat Floris het familiehuis in Friesland onder zijn hoede kreeg, vierde Magistra '79 daar ieder jaar oud en nieuw. Althans, de niet-skiërs onder hen. Na sinterklaas stuurde hij een brief met taakverdeling rond. Later werd het een mail, opgemaakt in Excel, waarin hij aangaf wie chef vuurwerk, oliebollen, champagne en eieren was. De hoeveelheden paste hij aan naarmate de kinderen consumptiever werden.

Cees raakte in paniek toen hij na Floris' dood plotseling over een andere invulling van deze dag moest gaan nadenken. Dat zijn vrouw gillend gek is weggelopen begrijpt Charles volkomen bij het openen van diens zoveelste mailtje. Hierin smeekt Cees bijna om met z'n allen naar Charles' familiehuis te gaan. 'Jouw huis in Noordwijk is groot genoeg. En je vindt toch zelf dat je er niet vaak genoeg gebruik van maakt?'

Typisch Cees. Altijd weten wat goed is voor een ander. In dit geval had Cees gelijk. Charles had er zelf ook aan gedacht. En het huis is vrij in die periode, want zijn zussen zitten steevast in de sneeuw met kerst.

Jongens, ik ben anders dan Flo, dus het wordt ook anders. Maar jullie zijn van harte uitgenodigd in de Duinroos te Noordwijk. René en ik zorgen voor drank, de gebroeders G. in hun rol van onvolprezen fourageurs van legereenheden en weeshuizen, brengen vast voedsel in. Dat wordt dan voor het eerst sinds jaar en dag geen kaasfondue met oud en nieuw. Laat iedereen naar believen vuurwerk meenemen (ik ga het niet kopen in België) én alles waarvan hij denkt dat het bijdraagt aan zijn geluk. De deur gaat open op 31 december om 18 uur. Adres bekend. Gaarne tegenbericht.

Jullie Charles

Do heeft laten weten niet van de partij te zijn. Ze meldde dat ze het eerste jaar dit kalenderbepaalde hoogtepunt wil ontlopen om niet steeds te hoeven denken: vorig jaar om deze tijd, toen... Volgend jaar ziet ze wel weer verder. Matthijs is niet uitgenodigd, Mike is er nog niet aan toe en Philip vermijdt gezinsgezelligheid op deze dag door naar Rome of een andere stad waar 'een hoop gebeurt' te vliegen, en

Cees is opgelucht. Hij gaat ook niet naar België voor illegaal vuurwerk, maar zal wat zakken met pijlen inslaan bij de plaatselijke doe-het-zelver.

Pier draait zijn Range Rover het pad op naar de Duinroos en manoeuvreert voorzichtig langs de brandende fakkels. Hij parkeert naast de Volvo van Cees en ziet tot zijn vreugde ook de auto van zijn broer. Binnen brandt de haard en slaat Charles een vat pils aan op een gehuurde tap. Pier en Cato komen binnen met kistjes oesters en mandarijnen. Frits mixt in een emmer oliebollenbeslag en in de garage wordt er gepingpongd door René en alle kinderen, die rond de tafel cirkelen en om beurten de bal terugmeppen naar René. Op de platenspeler een grijsgedraaide lp van de Village People op oorlogssterkte. De andere vrouwen en Defares maken boven de bedden op.

'Gezellig, jongens. Het huis ruikt nog altijd hetzelfde. Muf, vochtig, maar toch lekker.'

'Niet nu al sentimenteel worden, broer. Om twaalf uur mag je huilen. Ga jij die oesters vast te lijf?'

Buiten is het gerommel van vuurwerk al hoorbaar. De kinderen staan te popelen om alvast een deel van de rotjes af te steken, maar dat mag niet. Strikte orders van Cees, schijnt. In de grote keuken, die nog altijd even ongezellig is met tl-verlichting en jaren-vijftigzeil op de grond, dekken Cato en Anneleen de tafel. Pier haalt de rest van het eten uit de auto. Hij ziet in het flauwe schijnsel van een fakkel het gebogen silhouet van Cees.

'Hé, ouwe, kom me even helpen met sjouwen. Ik heb een halve slagerij in de auto.' Cees schrikt en draait zich om. 'Cees, wat doe je daar? Ben je bezig met je vuurwerk? Ik dacht dat we dat van jou pas om twaalf uur mochten afsteken. Of zullen we stiekem samen een paar gillende keukenmeiden de lucht in jagen?' Pier raapt de zak van de grond, maar Cees grist hem uit zijn handen.

Pier schudt zijn hoofd. 'Sorry, Cees, dat ik je bijna heb beroofd van een pijl. Berg het maar snel op.'

'Doe niet zo denigrerend.'

'Doe jij dan niet zo kruidenierderig. Mijn auto is het rijdende filiaal van de lokale delicatessenshop, en jij zeikt over een pijl. Ga je morgen bij het ontbijt je vuurwerk hoofdelijk omslaan? Ik verzeker je dat je van mij geen cent krijgt.' Hij stapelt twee kisten op elkaar en laat Cees in de kou achter. Hij heeft geen zin om zijn humeur te laten bederven door een paar armzalige pijltjes, vooral omdat hij weet wat er straks op het menu staat.

Voorzien van koksmuts probeert Frits te reconstrueren hoe lang geleden het moet zijn geweest dat ze als Magistra '79 voor het laatst in de Duinroos waren.

'Poppe was er voor het eerst niet bij. Dat was geloof ik de eerste keer dat hij ineens echt kwijt was. Later bleek hij maanden in een boeddhistisch klooster te hebben gezeten. Matthijs zat op zijn post voor Artsen zonder Grenzen ergens in Azië, Floris kwam met zijn eerste echte nieuwe auto, een Peugeot 405, een knorrenauto. Het moet rond 1989 zijn geweest. O ja, en Cees hebben we afgehaald van de bushalte, niemand had plaats. Waar is hij trouwens?'

'Staat te rukken in de tuin.'

'Ah, is het weer zo laat?'

'Zullen we hem vanavond definitief royeren?'

'Hé, Pier, kun je ook even rekening houden met alle kinderen hier in huis? Jouw kerstgedachte is dit jaar wel erg snel verdampt.'

'Cato heeft gelijk, broeder. Bek houden. We zijn hier net. Soms vraag ik me af waartoe al die dure en vrijwillige heropvoedingcursussen van jou hebben geleid. Iedere nuance ontbreekt ten enenmale.' Frits roert een handvol rozijnen door het beslag.

'Precies. Dat vraag ik me ook vaak af,' zegt Cato.

'Heel goed, Cato, even meeliften met je zwagert. Als je wilt dat het gezellig blijft, zou ik nu stoppen. Anders heb ik er voor jou ook nog een paar klaarliggen.'

'O jee. Wegwezen dan maar, voordat ik straf krijg.'

Pier haalt de schalen met aardappelpuree uit de hooikist en constateert tevreden dat ze redelijk op temperatuur zijn gebleven. Hij heeft deze kist zelf gebouwd om altijd en overal met zijn eigen, huisgemaakte voedsel aan te kunnen komen. Wild was er met kerst in overvloed, nu gaat hij voor twintig man chateaubriand met een bearnaisesaus maken. Maar eerst de oesters. Pier staat met mes en maliënkolder voor de hand in de aanslag en kiepert ze in passerende monden. Defares spoelt zijn oester weg met bier.

'Charles, leg me nu eens uit. Jullie bezitten dit rietgedekte huis nu al drie generaties. Komt het nooit in jullie op om er bijvoorbeeld een nieuwe keuken in te zetten? Het aanrechtblad van graniet heeft een stahoogte voor pygmeeën, de barsten erin zijn dermate diep dat het onverantwoord onhygiënisch is, de oven vreet energie en de rotanhanglampjes zijn waarschijnlijk de laatste innovatie geweest, ik vermoed in de jaren zeventig. Het is maar een vraag, meer niet. No offence.'

'Het is denk ik zoiets als omgang met een lelijke vrouw. Na verloop van tijd valt het je niet eens meer op. Tot je haar gaat veranderen, dan blijkt dat je aan dat model nogal verknocht was. Nee, Pier, het is geen agendapunt. Ook niet voor de volgende vergadering. Daarnaast ken je zo langzamerhand mijn culinaire kwaliteiten. Kosten op het sterfhuis.'

'Tja, zalig zijn de dommen. Doe mij nog maar zo'n blonde prins. Zeg, waar zijn de meisjes en Defares? Het is zo stil.'

'Volgens René zijn ze een wandeling aan het maken naar de zee. Lekker rustig. René is nu tegen Cees aan het pingpongen. René kan niet wachten hem in te maken.'

'Soms, als ik mijn band met jullie de revue laat passeren en ik kom bij Cees, voel ik dat er weinig van over is. Voor Floris' dood was alles vanzelfsprekend. Ik stond nooit stil bij onze vriendschappen afzonderlijk. Natuurlijk vond ik hem altijd al een uitgekookte krent, maar ik had er niet echt last van. In het post-Floris-tijdperk is er van alles op scherp komen te staan. Wie nog een oester? Ze zijn subliem. Frits? Het is gewoon minder leuk geworden. Kut maar waar.'

Charles zit met zijn voeten op tafel en houdt zijn biertje ter hoogte van zijn kruis. 'Tja. De onvoorwaardelijkheid is verdwenen. Je zou denken dat zijn dood ons hechter zou hebben gemaakt. Maar helaas, ons mooie natuurlijke evenwicht is verstoord.'

Frits komt er met een berg appelen voor de beignets ook bij zitten. 'Laat dat "natuurlijke" maar zitten. We weten immers allemaal hoe we als jaar tot elkaar zijn veroordeeld. Het is een wonder dat het zo lang goed is gegaan. Dat vind ik. Nu blijft kennelijk alleen overeind wat echt is.'

'Frits, hoeveel van die dingen ben je eigenlijk van plan te bakken? Naast die emmer met oliebollendeeg? Zelfs mij lijkt het wat veel.'

'Wat over is, eten we gewoon op. Simpel.'

De broers vallen elkaar ondanks hun gevit nooit af, denkt Charles. Ze zitten alweer gezellig saampjes appels te schillen. Gelukkig, hij houdt van allebei. En hijzelf en René zijn ook vrienden voor het leven, dat weet hij zeker. Philip mag hij ook, ook al ziet hij die veel minder. Zo lang hij Matthijs niet ziet mist hij hem niet echt. Poppe... tja, Poppe. Defares is ook een trouwe klant, maar eerder opvulling dan aanvulling, en van Cees' aanwezigheid heeft hij eigenlijk nu al weer ronduit spijt. Terwijl zijn vrouw toen ze de uitnodigingen verstuurden nog zei: 'Wij hebben maar af en toe last van Cees' karakter, maar hijzelf moet er permanent mee zien te leven.'

Het wordt een chaotische bende, niet in de laatste plaats door de kinderen. Ze spelen de x-factor, waarbij ze hun vaders imiteren die auditie moeten doen als zichzelf. Daarna spelen ze met de moeders Pictionary en ze vinden de karikaturen van Cato hilarisch. In de keuken staat Frits achter de frituurpan en eet Pier de restanten van zijn diner. Defares sms't Do dat ze op haar, de kinderen en Floris toosten, en spreekt de hoop uit dat ze volgend jaar weer in Friesland zullen zijn, als zij dat tenminste wil, uiteraard. Cees wil revanche op René, maar René weigert.

'Volgend jaar misschien. Tot die tijd leid ik.'

De uren tot het grote moment vliegen voorbij zodat ze het bijna missen, maar dan komt de jongste roepen dat ze nú, nú meteen naar buiten moeten. De kinderen lopen meteen naar de grote tuin achter het huis, de volwassenen grijpen jassen, glazen en flessen champagne. Alleen Cees snelt achter de kinderen aan. Er knalt al het nodige buiten terwijl Pier en Charles de kurken ontbloten en de dames hardop de laatste seconden terugtellen, totdat ze ineens Cees boven al het rumoer uit horen schreeuwen. 'Godverdomme, blijf daarvan af. Dat zijn mijn pijlen. Koop lekker je eigen vuurwerk.'

Cees rukt aan de arm van de oudste van Pier, die een plastic zak vasthoudt.

Het duurt even voordat het tot Pier doordringt wat er gaande is. Dan loopt hij op Cees af en geeft hem een duw.

'Doe normaal, idioot.'

'Lamaar, pap, kan mij het schelen,' zegt zijn zoon, maar Pier is des duivels en grijpt Cees bij zijn arm.

'Blijf jij godverdomme van mijn zoon af.'

'Jullie moeten die kinderen eens een keer opvoeden,' roept Cees. 'Net als jullie kennen ze het verschil niet tussen mijn en dijn. Dat vinden jullie niet nodig, want alles is al van jullie, hè!'

Ineens bemoeit iedereen zich ermee. Defares gaat tussen Pier en Cees in staan, Frits gaat Cees ook bijna te lijf en de vrouwen van René en Charles maken sussende opmerkingen en proberen het weg te lachen. De andere kinderen overhandigen de zoon van alle kanten vuurwerk, de veertienjarige dochter van René is zichtbaar geschrokken. Pier wordt weggetrokken door zijn zoon en samen gaan ze een paar meter verderop staan. Pier probeert rustig adem te halen. De dames beginnen met nieuwjaarswensen en zoenen, Cees blijft er even naar staan kijken. Wanneer niemand op hem afkomt om hem te omhelzen loopt hij naar binnen.

De aandacht verlegt zich naar het vuurwerk. De grondbloemen en fonteinen die René speciaal voor de meisjes heeft gekocht, zijn adembenemend, de strijkers en kanonslagen oorverdovend. In de lege flessen stopt Charles lange pijlen die hij met zijn sigaar aansteekt. Cato stoot Anneleen aan.

'Moet je kijken, hij steekt ze wel aan, maar hij kijkt niet eens omhoog naar het resultaat!'

'Het is een serieuze zaak, schat.'

Na een tijdje geeft Charles de sigaar door aan Frits en loopt naar binnen om meer champagne te halen. Zeulend met flessen komt hij terug en kijkt om zich heen.

'Jongens, waar is Cees? Waar is hij gebleven?'

'Die ging toch naar binnen?'

'Ik zie hem niet binnen.'

'Zeker al naar bed, de eikel,' zegt Frits.

Wanneer ook in de verte het vuurwerk wegsterft, gaan ze allemaal handenwrijvend tegen de kou naar binnen en besluit Charles toch maar boven te gaan kijken. Hij krijgt ineens een vermoeden en loopt naar de andere kant van het huis. De auto van Cees is weg.

'Heren, het probleem heeft zichzelf opgelost. Cees is in rook opgegaan. Laten we daar dan ook maar op drinken,' zegt Charles, maar hij kijkt er niet blij bij.

***

In de tuin bloeit de forsythia extreem vroeg, het is nog januari. Do loopt met een kopje koffie in de hand en haar agenda onder de arm de tuin te inspecteren. Hier en daar botten planten uit, sneeuwklokjes kleuren de kale borders kwistig wit. Ze gaat zitten in het prieel dat ze na de zomer heeft laten bouwen door Wikkie en een paar vrienden. Do kijkt in haar agenda wanneer ze op korte termijn weer met Anneleen een paar dagen weg kan om op serviezenjacht te gaan. Tot nog toe is ze maar één keer mee geweest en het bleek een succes te zijn. Voor Anneleen in zakelijk opzicht, terwijl het voor Do een stap op weg naar een normaal leven betekende, een leven dat uit meer bestaat dan allesoverheersende en verlammende rouw.

Nu ze weer iets onderneemt, merkt ze pas hoe lang ze een maatschappelijke buitenstaander is geweest. Al járen voor Floris' dood. Terwijl ze met Anneleen bezig was, genoot ze van de spanning om tussen de puinhopen van brocantes complete serviezen te vinden. Anneleen had een tip gekregen dat er ergens in Wallonië een boerderij werd leeggeruimd. De dames speurden als roofdieren door de stoffige ruimtes, azend op mooi porselein. Anneleen toonde zich een handelaar door de verkoper het idee te geven dat het allemaal weinig voorstelde. Ze onderdrukte haar enthousiasme terwijl ze een schaal van onder tot boven minutieus bekeek. Sterker nog, ze wekte de indruk hem een dienst te bewijzen door te helpen met het leegruimen van het huis. Tijdens het werk droegen Do en Anneleen flanellen handschoenen, al was het maar om hun handen te vrijwaren van al die viezigheid die aan hun tweedehands buit kleefde.

'Do, het is smerig werk, bereid je geestelijk voor,' had Anneleen haar gewaarschuwd. In de auto stonden speciaal geprepareerde kisten om alles veilig te kunnen overbrengen naar Anneleens winkel in Leusden, 'Leusdens Porseleinen Geheim', in de volksmond beter bekend als L P G, zij het niet zo goedkoop.

De dames waren na lang aandringen van Anneleen overeengekomen dat Do op pad werd vrijgehouden én een kwart van de winst zou krijgen. Toen het moment van verrekenen daar was, kreeg Do tot haar stomme verbazing 2500 euro. En dat voor een paar dagen uitermate relaxed toeren door België. Ze kon het geen werk noemen, eerder een volmaakt natuurlijke bezigheid: rondsnuffelen in andermans spullen. Soms bracht Anneleen stukken naar de veiling, als ze overtuigd was van de uniciteit van een schaal, een vaas, een lampetkan of een plateau. Via haar webwinkel verkocht ze wereldwijd. Anneleen deed het goed en ze was blij met de hulp van Do. De tweede toer op de agenda zal naar Tsjechië voeren.

Daarvóór geeft Do een diner om het nieuwe jaar te vieren, het jaar dat ook voor haarzelf een nieuwe start betekent. Ze voelt zich, bijna tweehonderd dagen na de dood van haar man, al een stuk beter. Ook met haar kinderen gaat het redelijk voorspoedig. Charley kruipt nog vaak bij Do in bed. Mauk is minder gesloten dan ze vreesde. Hij gaat met enige regelmaat een weekend naar Wikkie in Amsterdam en dan komen ze zondag samen thuis om als gezin met elkaar te eten.

Het diner is ook bedoeld om haar vrienden te bedanken voor de intensieve steun die haar en de kinderen de afgelopen maanden ten deel is gevallen.

Morgen is het zover. Negen mensen zullen bij haar aanschuiven: de vier Gersteblommen, Philip, Charles en René en hun echtgenotes. Defares staat een dag eerder op de rol voor een ingreep in het ziekenhuis ('Een gênant dingetje voor mannen van onze leeftijd, waarmee ik je verder niet zal vermoeien, lieve Do'), Matthijs zit op zijn post, Poppe, van wie ze drie maanden na het overlijden *out of the blue* een schitterende, lange handgeschreven brief kreeg over Floris met een Franse postzegel op de enveloppe, is adresloos. Mike reageerde op haar uitnodiging met een ansichtkaart. Voorop twee whiskyhondjes, achterop de mededeling dat hij 'er nog niet aan toe is, volgend jaar heel graag. Dan zal ik er zijn. Veel liefs, je Mike.' Cees, die ze na lang twijfelen toch maar had uitgenodigd, hoewel ze van hem als enige niets heeft gehoord na de dood van Floris, heeft haar een week geleden een afgemeten briefje gestuurd dat het hem 'niet gepast' lijkt om te komen. Ze is opgelucht dat Floris het uiteenvallen van zijn jaar niet heeft hoeven meemaken. Ze kan de gedachte niet uit haar hoofd zetten dat als hij er nog wel was geweest, dingen anders waren gelopen. Hij had vast en zeker de boel bij elkaar gehouden. Van Weelde heeft ze overwogen, maar met steun van Anneleen en Cato, en naar haar gevoel van alle vrouwen, heeft ze hem gepasseerd en daar is ze heel tevreden over. Laten we wel zijn: hij zit niet in het jaar, hij is hun notaris.

Tijdens de kerstvakantie van de kinderen is Do ook opgeschoten met de opruiming van de kelder. De geborduurde lap die ze eerder was tegengekomen maar weer teruglegde, heeft ze ditmaal wel bekeken. Toen ze het rafelige ding uitvouwde, bleek het een tafelkleed van vier meter lang te zijn, waar sinds 1916 alle bestuurderen van Magistra hun naam en jaar op hebben geborduurd. Merkwaardig dat het bij hen terecht is gekomen. Ze zal het tijdens het diner aanbieden en voorstellen dat Wikkie het meeneemt, wat voor de hand ligt nu hij zelf op het Huis woont.

Do haalt bij de slager haar bestellingen op, rijdt naar de kaasjuwelier in Haarlem, slaat groente, fruit en kruiden in bij haar favoriete Turk en gaat thuis aan de slag met de voorbereidingen. Ze trekt bouillon van schenkels en soepvlees, laat een netje met een boeket verse kruiden in de pan zakken en zet het vuur laag. Voorlopig heeft ze hier geen omkijken naar. De slager heeft de runderrollades opgebonden, die zal ze morgen aanbraden en in de oven laten garen. Tijdens het aardappels schillen probeert ze een speech te bedenken. Wat heeft ze hun te vertellen? Dat haar leven ondanks de dood van haar fantastische man Floris toch is doorgegaan? Dat ze dankbaar is voor hun hulp en troost? Weten ze dat niet allang? Misschien moet ze gewoon heel kort het woord vragen en dan aan Frits, de oudste van zijn jaar, het kleed overhandigen. Goed dat ze eraan denkt, want het moet nog worden gestreken. Voor zover dat mogelijk is tenminste; hier en daar vallen er al mottengaten in. Ze haalt vast de strijkbout.

De aardappels jaagt ze door de keukenmachine en kookt ze daarna even in melk met knoflook, zout, peper, laurier, kaneel en nootmuskaat. Met het oog op de eetlust van de broers heeft ze een pond extra geschild. Ze stort de pan leeg in een reusachtig bakblik, dekt het af met folie en zet het weg.

Do rolt de lap uit op de strijkplank en legt er een persdoek op. Vanonder de stroomstrijkbout ontsnappen geweldige wolken. Ze walst stevig heen en weer. Dan houdt ze de Magistra-lap voor zich op in de lucht. Tot haar grote schrik heeft ze er nog grotere gaten in gemaakt, vlokken stof vallen op de grond. Do legt hem snel weer op de plank en kijkt of er nog wat te redden valt. Rampzalig, wat een beschamende vertoning als ze morgen dit gehavende vod moet aanbieden! Met pijn in haar buik belt ze Anneleen.

'Kind, trek het je niet aan. Het is juist leuk dat je dat lapje hebt gevonden. Je hoeft helemaal niet te zeggen dat jij iets met die gaten van doen hebt. Pak het leuk in met een lintje en zo, en we praten er niet meer over. Nee, ook niet tegen Frits. Het spijt me dat ik je niet kan komen helpen met de voorbereidingen, ik ben open morgen. We verheugen ons heel erg op morgenavond. Dag lieverdje.'

Do volgt Anneleens raad op en probeert er niet meer aan te denken. Ze gaat in de keuken twee pompoenen te lijf.

Charley verlengt de volgende ochtend de tafel zodat er met gemak tien eters aan kunnen zitten. Do legt er een damasten tafelkleed overheen, dat ze van een oudtante voor haar huwelijk heeft gekregen. Het heeft lange tijd geen dienstgedaan. Do kijkt of de servetten niet groezelig zijn en legt ze naast de borden. Charley vindt het fijn dat er weer eens iets feestelijks gebeurt in huis. Vroeger kwamen er wekelijks gasten over de vloer. Mocht ze mee met papa naar de wijnkelder om hem te helpen dragen.

'Wil je dat ik vast flessen wijn ga halen? Of zullen we samen?'

Do geeft haar dochter een kus.

'Fijn dat je me helpt, snoes. Laten we samen gaan.'

Charley knipt het kelderlicht aan. Ze houdt van het geluid van de ouderwetse schakelaar en van de typische, ietwat vochtige keldergeur.

'Jee, mam, wat is het hier netjes! Het is overzichtelijk. Wanneer heb je dat gedaan? Je hebt zelfs een speciale indeling gemaakt en dozen gerangschikt op jaar. Vet knap van je! Papa is verdeeld in acht dozen! Heb je al besloten wat je met zijn kleren gaat doen, en z'n schoenen?'

Do merkt dat ze voor het eerst op een praktische manier praten over Floris zonder emotioneel te worden. Misschien juist omdát hij nu in dozen zit.

'Wikkie gaat er binnenkort doorheen, er zijn bepaalde pakken die ik graag wil houden. Ze zijn bij de stomerij en daarna berg ik ze op. Dat vind ik een aangenaam idee. Wegdoen kan altijd nog. En als Mauk klaar is met groeien, vindt hij het over een aantal jaren vast leuk om iets van zijn vader te kunnen dragen. Goed, nu de wijn. Zet je vijf flessen rode Enate in de krat en vijf witte Vergelegen? Neem ik de rest mee.'

Do heeft voor de gelegenheid al het tafelzilver gepoetst. Anneleen vond dat ze het weer moest gaan gebruiken, 'want er zijn tenslotte nog vier Bussemakertjes over'. Ze steekt de kaarsen aan, vult de zilveren broodmandjes en de potjes zout en peper. Bij het zout gooit ze een paar korrels rijst. Ze rent naar boven om zichzelf op te kalefateren. In de uitverkoop kocht ze een jurk met zebraprint van

Cavalli en plateauhakken van Burberry. Haar wallen werkt ze weg met concealer. Nobelprijs voor degene die dit heeft uitgevonden. Beneden hoort ze bekende stemmen, Charley heeft Frits en Anneleen binnengelaten. Van Anneleen krijgt ze een prachtig boek over eettafelobjecten door de eeuwen heen. Binnen een half uur zijn alle gasten verzameld.

In de keuken legt Do de kazen op een plateau. Ze kan het geluk bijna aanraken. Ze geniet van haar rol als gastvrouw, ze is het nog niet verleerd. Ook zonder Floris kan ze het goed hebben. Straks komt ze met haar verrassing. Ze roept Charley om de kaas te halen, zelf neemt ze de verpakte lap mee. Ze blijft staan en tikt tegen haar glas.

'Zojuist prees ik mezelf gelukkig dat ik het allemaal nog kan. Jullie hebben ons de afgelopen maanden zo geweldig gesteund. Dankzij jullie heb ik mijn gezin nog enigszins hebbelijk kunnen verzorgen. Tijdens het opruimen, ordenen en archiveren heb ik ons gezamenlijke leven doorlopen. Was Floris er nog geweest, dan was het niet in mijn hoofd opgekomen om een tussenstop te maken en ons leven tot dusver onder de loep te nemen. Door het graafwerk zijn er heel veel mooie, dierbare herinneringen bovengekomen die me terugvoerden naar een periode waarin ik jullie allen heb leren kennen. Door de notities van Floris en zijn soms gedetailleerde aantekeningen uit de studietijd, heb ik voor een deel mijn geliefde wederhelft terug. Charley vond het knap dat ik Floris over acht dozen heb weten te verdelen, wat vreemd is voor een man uit één stuk. Hoe dan ook, Frits, graag zou ik jou als oudste van het jaar iets willen geven wat niet meer bij mij in de kelder hoort, maar via jullie handen door Wikkie kan worden teruggebracht naar het Magistrahuis.'

Pier brengt onmiddellijk een toost uit op Do en haar kinderen, en verklaart dat ze elkaar nooit uit het oog zullen verliezen. Anneleen geeft haar een knipoog wanneer ze het pakje overhandigt aan Frits.

'Wie ben ik dat ik dit mag doen,' lacht Frits. Ondertussen prutst hij het rode lint los, drapeert het om zijn hoofd en vouwt dan het chintzpapier open. Hij weegt het geheel in zijn handen, laat zijn hoofd zakken om het beter van dichtbij te kunnen bekijken en schuift zijn bril van zijn hoofd op zijn neus. 'Wát!'

Do kijkt hem gespannen aan. Frits rolt het pakje behoedzaam uit en kijkt alsof hij een dood gewaand familielid plotseling zijn tuinpad op ziet lopen. Hij slaakt een diepe zucht, legt de lap op tafel, schuift zijn bril weer boven op zijn hoofd en geeft het door aan Pier. 'Broer, de verdwenen loper.'

Opeens is het stil. De Magistraten kijken gebiologeerd naar de lap.

'Wat een lul.'

'Pier, hou je mond. Gedraag je.' Cato kijkt haar man met priemende ogen aan. Do kijkt stomverbaasd naar Pier. Hij trekt een vriendelijk gezicht naar haar, maar is zichtbaar van slag.

René staat op om de loper te bekijken. 'Mag ik mezelf even zoeken? Moet ergens op het eind zijn, want het ding is verdwenen in 1984. Ik weet het nog precies. Samen met Floris en Matthijs ben ik in dat jaar verhuisd omdat het Magistra-huis werd gerenoveerd. Wij kregen alle drie een wisselwoning. Vóór de zomer is de lap verdwenen, wij woonden toen al niet meer op het Huis. Dit is ongelooflijk, zeg. Wie had dat kunnen denken.'

Frits en Philip staan ook op en vouwen samen met René de tafelloper uit.

'Kunnen jullie mij vertellen wat er aan de hand is met deze geborduurde lap waar de gaten in zijn gevallen?' Do steekt een sigaret op.

'Deze lap is de authentieke Magistra-vergadertafelloper, die – zolang het dispuut bestaat, en dat is nu honderddertig jaar – altijd op de bestuurstafel dient te liggen. Als er geen vergadering is, ligt ze achter slot en grendel naast zegel, lak en de Vrouwe. Elk bestuurslid liet zijn naam erop borduren aan het eind van zijn bestuursjaar. Deze lap is van onschatbare waarde en heeft door de vermissing heel wat ellende veroorzaakt.'

'Ellende? Het was een regelrechte ramp. Voor wie de loper niet kent is het een lap, meer niet. Maar dit ding is destijds gemaakt door de dames van Arbeid Adelt. Als ze uitgesmokt waren, borduurden ze hieraan. Moet je kijken, dit is het Huis dat er later bij is geborduurd, en hier is het vaandel. Jammer van die gaten.'

Do staat op en loopt de kamer uit. Ze weet niet wat ze hiervan moet denken. Waarom heeft ze die rotlap niet in de vuilnisbak gedonderd? Ze voelt tranen opkomen. Anneleen loopt Do achterna en gebaart naar Frits dat ze rustig aan moeten doen. Charles steekt zijn hand door een gat.

'Spijtig, je zal maar net dat jaar in het bestuur hebben gezeten. Volgens mij is Van Weelde verdwenen. Man, wat had ik er niet voor overgehad om ook op deze loper te worden vereeuwigd, maar helaas, voor het bestuur werd ik gepasseerd door Matthijs. Zullen we hem sms'en? Ik herinner me nog dat hij Odysseus ervan verdacht de loper te hebben gestolen na een gezamenlijke vergadering bij ons.'

Hij loopt naar de deur en kijkt of Do en Anneleen zich op gehoorsafstand bevinden. Ze staan te praten in de keuken, met de muziek aan. Zachtjes gaat hij in de eetkamer verder.

'Nota bene Floris zelf is met Matthijs en mij naar hun huis gegaan om wraak te nemen tijdens hun borrelavond op de sociëteit. Naast hun gewone vaandel – o.d.y.s.s.e.u.s. in goudborduursel op zwart fluweel, afgezet met gouden tressen, dat vonden wij een graflap, weet je nog – had dat dispuut ook een reisvaandel dat we wilden stelen, dus in een weekend hebben we ingebroken nadat Floris ons bij de buren naar binnen lulde. Via de schouders van Matthijs klom Flo het balkon op en even later opende hij de tuindeur. "Kom binnen, vrienden, *what's theirs is ours*". We hebben vrij lang rondgehangen, er was toch niemand. Eindeloos sigaren gerookt en Hertog Jan gedronken.'

'En, wat hebben jullie meegenomen?'

'Pier, wé hebben niets meegenomen. Floris heeft het een en ander meegenomen. Om te beginnen was hij boos omdat we dat vaandel niet konden vinden. Het zou een doodzonde zijn om het grote vaandel te pikken. *How low can you go*, dus dat hebben we uit z'n kop gepraat. Ook de *Odyssee* goud op snee en in leer gebonden uit de vroege middeleeuwen had hij al in de zak. Heilige parafernalia! Tot zijn geluk vond Flo de hamer waarmee hij vervolgens een glazen tafel kapotsloeg. 'Hierbij open ik de vergadering.' Het komt allemaal weer boven, ik heb hier in geen jaren aan gedacht.'

'Wat een aso. Ik ben verbijsterd! Kenden we deze kant van hem?'

'Sommige dingen kun je maar beter niet weten.'

Cato bemoeit zich ertegenaan en diagnosticeert Floris als licht schizofreen.

René schrijft de verdwijning van zijn vaders horloge voor het gemak ook meteen toe aan Floris. Pier voelt zich 'in de reet geneukt' en Frits vindt de terugkeer van de loper 'bijzonder verdrietig'.

Charles schenkt het zwijgende gezelschap bij. Terwijl hij een slok neemt bekijkt hij de onderkant van het zilveren broodmandje. Wie weet staat er een vreemd familiewapen in gegraveerd. Waarom zou Floris de loper hebben gestolen? Je bent toch niet goed bij je hoofd als je je eigen club besteelt? Wat een deceptie.

Ze spreken met gedempte stem af het hier verder niet over te hebben met Do of hun kinderen. Ze zullen ervoor zorgen dat Wikkie niet degene is die deze door de motten aangevreten vergaderloper terugbrengt naar het Magistra-huis. Daar verzinnen ze nog wel wat op.

Do en Anneleen komen binnen met chocoladetaart en ijs, en gaan weer aan tafel zitten. Do zegt dat ze het een vreemde geschiedenis vindt met die lap. Ze had geen idee. In alle toonaarden zwakken de mannen hun eerdere reacties af. 'Nee joh, Do, dat was allemaal heel normaal, hoor, dat hoorde erbij, elkaars vaandels jatten en zo. Dat deed iedereen, over en weer. Dat moet je zien als een volwassen vorm van indiaantje spelen.'

'Nou ja, volwassen?' vraagt Cato.

'We reageren gewoon een beetje infantiel,' bast Pier. Charles knikt en grijnst Do bemoedigend toe. Philip dist nog een paar soortgelijke verhalen op over andere disputen en verzekert haar nogmaals dat het er allemaal bij hoort, dat zijn gewoon jongensdingen. Cato brengt het gesprek op vakanties.

'Jongens, het is weer bijna zover, jullie jaarlijkse wintersport.'

'Week Vijf Zonder Wijf. Ik kan niet wachten. Wie de naam van de busmaatschappij nog weet waarmee we de eerste keer naar Italië zijn gegaan, is in Week Vijf vrijgesteld van corvee.'

Charles roept, nog voordat Pier de beloning in het vooruitzicht heeft gesteld: 'Havi Travel uit Rijssen met lange ij en dubbel s. De chauffeurs heetten Henk en Hans, en ze zagen groen toen we de volgende ochtend aankwamen in Selva. 's Nachts keken we naar films met Tom Selleck. Om in de stemming te komen bestond het beeld voornamelijk uit sneeuw, en midden in de nacht moest iedereen verplicht de bus uit voor een sanitaire stop.'

'Na de eerste tankbeurt van Henk of Hans bij Shell ging er een handtekeningenlijst door de bus met "Boycot Shell. Stop de apartheid in Zuid-Afrika". En toen zei Floris: "Ik teken niet, want ik spaar voor zachte handdoeken." Do, heeft Flo je ooit met spaarpunten verrast?'

'Ha ha, weet je nog dat Floris een A4 ophing in het Bungehuis, gewoon om te provoceren, met de tekst: "Geëngageerd rechtenstudent zoekt linkshandig meisje om samen op het Museumplein te protesteren tegen de plaatsing van raketten, af te sluiten met intense kruisbestuiving voor wereldvrede"? Lachen man, daar waren die meisjes woedend over. Is nog een zuur stukje over geschreven in *Folia*. Geen gevoel voor humor, natuurlijk, dat soort meisjes. Deden ook allemaal een bijvak Vrouwenstudies, waarbij ze elkaar punten mochten geven onder leiding van een of andere zure oude pot die het niet verder had weten te schoppen dan een lesbevoegdheid. Dat weet ik, want ik heb uit curiositeit ook een werkgroep gevolgd.'

'En wat kreeg je voor cijfer van de groep?'

'Een zesje, want ik was de enige man. Puur seksisme natuurlijk. Die meisjes mochten mij niet leuk vinden van zichzelf. En dat terwijl ik dol ben op vrouwen.'

'Ik ook. Van mij mogen ze ook best in de top. Ik ben voor een selectief quotum, wat jullie? Ik kan me best voorstellen dat ze het goed doen in de raad van bestuur van Ahold. Gaat in feite gewoon over boodschappen doen, maar dan in het groot. Kabels leggen in de woestijn vind ik wat anders, dat is echt een mannenwereld en dat kan een vrouw gewoon...' Het hele wintersportverhaal en het door elkaar geschreeuw van de mannen gaat langs Do heen.

Een uur later, terwijl ze alleen de tafel afruimt, wil ze per se weten hoe het nou zit met die lap. Heeft Floris zijn dispuut belazerd?

Ze belt Pier op zijn mobiel, die zit nog wel even in de auto. In gesprek. Ze belt René. Ook in gesprek. Gadverdamme, wat vervelend. Ze belt Anneleen. Anneleen, die net van Frits heeft gehoord dat Floris na een weekje skiën zijn ski's uit de auto pakte en zei: 'Zo, die gaan we straks even als gejat opgeven bij de verzekering,' put zich uit in geruststellingen.

'Ik had het er net over met mijn eigen Magistraatje. Hysterische kerels, het blijven gewoon kinderen. Hij zit nu naast mij een pruillipje te trekken. Niks van aantrekken, niks aan de hand. Ze kunnen gewoon geen afscheid nemen van hun jeugd. Ga lekker slapen, het was heel gezellig!' Bijval van Frits op de achtergrond. Do hangt op en zucht. Is ze oversensitief?

* * *

Frits wilde Do graag meenemen voor een lunch bij De Bokke-
doorns, maar ze heeft behoefte aan frisse lucht. Dus zien ze elkaar
bij Parnassia op een rustige grijze, doordeweekse dag eind januari.
Frits haalt broodjes kroket met mosterd en twee spa rood en ze
gaan zitten bij de open haard.

'Fijn dat je me de dag na het diner belde. Jullie waren direct na
vertrek allemaal in gesprek en ongetwijfeld met elkaar. En ik zat
met een kater thuis.'

'Verdomde vervelend, Do. Ik begrijp dat je een volkomen andere
reactie in gedachten had.'

'Doe me een lol en wees eerlijk tegen me. Misschien moeilijk
voor jou, maar beter voor mij. Blijkbaar heeft mijn man die zogenoemde vergaderloper achterovergedrukt om wat voor reden dan
ook, en waren jullie aangedaan. Maar niet stomverbaasd. Alsof het
niet echt een verrassing was, leek het, eerder een bevestiging van
zijn gedrag. Ik wou dat ik dat ding had verbrand. Die gaten heb ik er
trouwens in gestreken. Dat je het weet.'

'Geeft toch niet.'

'Ik ben dan wel geen lid geweest, maar ik ben niet gek. Oké, jullie
speelden indiaantje voor gevorderden, maar misschien kun je even
uitleggen wat die zogenoemde mores precies inhouden. Vertel me
gewoon wat ik moet weten.'

Frits die zijn tweede broodje bijna achter de kiezen heeft, veegt
de kruimels van zijn mond. Er is zo veel wat Do niet weet, maar is
dat relevant? Moet ze weten dat Floris en hij samen tijdens die bewuste nacht de bus hebben schoongemaakt? Dat wil zeggen: híj,
want Floris zeurde dat hij 'geen idee had hoe dat moet, schoonmaken, nog nooit gedaan ook' en stond op de uitkijk te roken. Dat
Frits het op dat moment pikte, kwam door zijn verantwoordelijk-
heidsgevoel. De bus moest gewoon vrij van sporen worden ge-

maakt, met of zonder hulp. Hoe kwam het dat iedereen die houding van Floris pikte? Misschien omdat alleen al zijn aanwezigheid veel goedmaakte. Je was gewoon blij wanneer hij er was. Hij was een opportunist, maar ook trouw. En royaal. Weliswaar ook met andermans bezit, maar toch. Frits kijkt wel uit om Do te vertellen over die bus, laat staan over die nacht. Misschien dat hij haar wel iets anders kan vertellen. Iets ergs, maar nog altijd minder erg.

'Voor ons is het een onaangename confrontatie met een eigenschap van Floris die we nou niet zó denderend vonden. Ik herinner me zo goed de ophef die hij maakte om die lap terug te vinden. Dat is achteraf vreemd. Regel 1: je jat niet binnen je eigen dispuut. Dat is een brug te ver. De rest is spielerei. We waren deze kant van hem inmiddels vergeten. Hij is toch onze held, hoor, jouw man.' Frits drinkt van zijn spa. 'Terwijl hij wel een paar onhebbelijkheden had. Wie niet? Zo deed hij wel eens aan proletarisch winkelen, wist je dat?'

'Diefstal.'

'Nee, Do, geen diefstal. Dat is te plat. Tuurlijk is het ontvreemden van etenswaren uit een winkel diefstal. En het declareren bij de verzekering van niet-gestolen spullen ook. Maar toch, in het geval van Floris was het anders. Gewoon omdat hij het met schwung deed. Dus eerst palmt hij de kruidenier in, vervolgens veegt hij een schap chocola in de dubbele voering van zijn jas, maakt er een chocoladefondue van voor het hele Huis, inclusief alle moeders die op bezoek zijn, en iedereen heeft een geweldige middag.'

'Klinkt heel leuk, hoor, maar het blijft diefstal. Waarom verdedig je dat?'

'Je ziet het verkeerd. Floris had veel fantasie en een groot gevoel voor gastvrijheid, dat weet jij net zo goed als ik. Die combinatie liet zijn budget gewoon niet toe destijds, toch organiseerde hij het. En wij genoten mee. Wel denk ik dat zijn gevoel voor de subtiele scheidslijn tussen mijn en dijn bij hem niet zo goed ontwikkeld was. Of zelfs verslechterde naarmate hij een succesvollere dief werd.

Er waren er genoeg die excessief gedrag vertoonden en nu onberispelijke, achtenswaardige burgers zijn. Vergeet het woord dief.'

'Helemaal niet. Dat is exact hetzelfde woord waarmee Floris' zus hem bestempelde. Een dief. Ik heb haar gebeld en het hele verhaal uit de doeken gedaan. Ze vond het Flo ten voeten uit.'

'Ho ho, nou moeten we hier niet gaan overdrijven. Het is een jeugdzonde. Jeetje, Do, iedereen heeft in zijn studententijd wel eens iets gedaan wat niet door de beugel kan. Jeugdzondes.'

'Maar waarom heeft hij in hemelsnaam die lap gepikt? Dat is van een andere orde dan een reep chocola. Heeft hij mij ook bedonderd? Wees eerlijk, Frits.' Ze schrikt van haar eigen plotselinge twijfel.

Hij schrikt ook. Hoe komt ze daar nou weer bij? Daar gaat het toch helemaal niet over?

'Luister, hij heeft ons misschien beduveld met die vergaderloper, maar jou helemaal nooit. Als het wel zo was, zou ik het je echt zeggen. Bovendien zou ik hem dat niet vergeven, ook niet na zijn dood.'

Do wrijft met het papieren servet van haar kroket in haar ogen. Ook dat nog. Frits slaat zijn arm om haar heen en stelt voor om nog even uit te waaien en nat te regenen op het strand. 'We zijn er nu toch.'

Ze lopen gearmd het duin af en zien hier en daar mensen met honden lopen, een jogger, een paard. De zee loopt over in de grauwe hemel erboven. 'Doe gezellig,' had Anneleen hem op het hart gedrukt, maar hoe doe je dat bij deze grauwheid en met een achterdochtige weduwe?

'Hé, Do, je had heerlijk gekookt, dat mag ook wel worden gezegd.' Frits ziet een flauwe glimlach op Do's gezicht verschijnen. 'Los van de loper was de hele avond zeer geslaagd. Zou ik trouwens een keer in die doos mogen kijken? Wat er nog meer aan Magistra-parafernalia is?'

'Dus je denkt dat Floris nog meer heeft gestolen?'

'Do, alsjeblieft, je draaft echt door. Daar is geen sprake van, kom nou. Daar heeft hij tegen mij nooit over gesproken.'

'Daar is het dan ook een geheim voor. Je zei zelf in je speech: geen geheim beter bewaard dan bij Floris.'

Frits vindt het gesprek steeds minder gezellig worden. Zo erg is het nou ook weer niet, van die loper. Bovendien is dat een Magistrazaak. Ze moet er niet van alles bij gaan verzinnen. Een affaire, hoe komt ze erop?

'Zullen we teruglopen en nog iets consumeren? Ik heb best zin in een jenevertje. Jij? Bitterballetje?'

'Heb jij geheimen voor Anneleen? Echte geheimen, geen heimelijke genoegens.'

Hij kijkt naar de branding. Alleen de witte schuimkoppen steken af tegen de grijze omgeving. Hij heeft het koud, vooral aan zijn voeten. 'O, ik heb vast wel wat geheimen voor Leen. Is dat erg? Hebben we dan een slecht huwelijk? Ik vind van niet. Ze hoeft toch niet alles van mij te weten? Ik weet ook niet alles van haar, denk ik. Eigenlijk sta ik daar nooit bij stil. Maar we drijven af.'

'Hoezo, we hebben toch een gesprek? Over wat je als partner wel en niet van elkaar weet? Denk je er wel eens over om een geheim te verklappen? Dat het je alleen te veel wordt, dat het tussen jullie in komt te staan als hinderlijke ballast?'

'Tuurlijk voeren we een gesprek, alleen ik heb helemaal niet zo'n behoefte om op die manier over mijn eigen huwelijk na te denken, laat staan het met anderen te bespreken.' Frits kijkt demonstratief weg. 'Zie je de zee? Kun je je voorstellen hoe ontzettend koud water het is? We zijn een keer met ons jaar een weekend naar Noordwijk geweest, naar het buitenhuis van de ouders van Charles, waar we dit keer zaten met oud en nieuw. We hadden een vat meegenomen voor het hele weekend en een jerrycan met jenever, en zondag waren we brakker dan brak. Floris joeg ons allemaal de zee in. Hij ging als eerste. In een zeiltas had hij voor iedereen een handdoek meegenomen en twee thermoskannen met warme chocolademelk. Dat is toch geweldig, Do? Daar stond weer tegenover dat hij maandagochtend in geen velden of wegen te bekennen viel toen het huis moest worden uitgebaggerd. Maar hij stuurde wel namens ons allen een bos bloemen naar Charles' moeder. Met precies de juiste tekst erop. Dat was natuurlijk ook om haar gunstig te stemmen, want we hadden wel hier en daar schade aangericht. Een gat gebrand in de linoleum keukenvloer, een gordijnrail van het plafond getrokken, dat werk. Maar de moeders van de Magistraten waren dol op hem. Altijd charmant en galant. Als hij de jaarlijkse dag voor de moeders organiseerde – dat was echt zijn *finest hour* – speldde hij bij alle dames een corsage op. Die had hij dan speciaal laten maken. Mijn moeder grapte wel eens dat ze ons een stuk slechter opgevoed vond dan Flo. Waarop wij natuurlijk zeiden dat ze zich er dan maar meer mee had moeten bemoeien, want op het gebied van etiquette waren wij kamerolifanten in vergelijking met hem.'

Do probeert een sigaret op te steken bij windkracht 6. Frits vouwt zijn handen om het vuur. Een wolk rook waait in zijn ogen.

'Ja, mijn moeder was ook dol op hem. Maar bij zijn familie heb ik me in het begin niet erg gewenst gevoeld. Vooral mijn schoonmoeder kon haar onverholen teleurstelling over mijn achtergrond nauwelijks verbergen. Dat uitgerekend haar Floris kwam aanzetten met een meisje van wie de familie niet tot in de vierde graad lid was geweest, was een blamage. Tijdens de eerste ontmoeting vroeg ze van welk dispuut ik lid was. Toen ik een knor bleek te zijn, trok ze haar wenkbrauwen op. Vervolgens bracht ze regelmatig de conversatie op allerlei meisjes die wel lid waren. En met mijn eerste kerst in de familie Bussemaker kreeg ik het boek *Climats*. Dat het even duidelijk was: ik was niet geschikt voor haar zoon. Zij kon zich gewoon niet voorstellen dat er een volwaardig bestaan mogelijk was zonder een corporaal leven. Mijn schoonmoeder sprak de historische woorden: "In mijn tijd studeerde je een jaartje kunstgeschiedenis of Frans zodat je lid mocht worden van het corps, en dan trouwde je met een gelijkgestemde". Later, toen ik goed bleek te kunnen koken, het familiezilver regelmatig poetste en aardig werd gevonden door háár vriendinnen, heeft ze me pas kunnen accepteren. O ja, en ik deed niks met mijn studie, dat vond ze ook "bijzonder verstandig, zodat je Fleuris kunt steunen in zijn carrière". Nee, in het begin was het echt geen lolletje.'

Frits verbaast zich over de bittere toon, die hij helemaal niet gewend is van Do.

'Tja, volkomen misplaatst snobisme. Volgens Anneleen heeft het allemaal te maken met angst. Angst voor een andere taal, angst dat je geen gedeeld verleden hebt als vertrekpunt voor de vriendschap. Ik neem aan dat Floris je toch heeft beschermd?'

'Hij zat behoorlijk onder de plak, vergis je niet. Hij heeft bijvoorbeeld tot de dag van haar dood verzwegen dat hij ooit hasj rookte. Dat mocht ze echt niet weten. Zelfs toen Flo al een goede baan had, vader was geworden, een vrijstaand huis bezat én lid was van de Kennemer Golf mocht er niet over worden gesproken. In het begin van onze relatie probeerde hij zo min mogelijk naar huis te gaan, hij stelde me ook vrij laat aan zijn ouders voor. Als ik daarnaar vroeg, wimpelde hij het weg. Ze was een enorme control freak en misschien dat daar zijn stiekeme gedrag door kan worden verklaard.'

Frits laat de huis-tuin-en-keukenpsychologie graag over aan de meisjes. Hij is opgelucht dat Do spraakzaam is geworden. Blijkbaar heeft dit gesprek dan toch geholpen, denkt hij met een zucht van verlichting. Goed dat Anneleen erop heeft aangedrongen.

'Laten we nu dan echt omdraaien, het is al bijna donker en dan nemen we d'r een. Met vlammetjes. Ik rammel.'

'Ik zou wel willen, heel graag een andere keer, maar ik moet naar huis. Ik moet Charley aan haar huiswerk zien te krijgen, want als ze zo doorgaat met school, kán ze later niet eens gaan studeren. En dat zou ik pas echt jammer vinden.'

$$* * *$$

De maan beschijnt de besneeuwde helling wanneer de mannen zwijgend in het skispoor achter de gids naar boven lopen. Het is kwart over zes in de ochtend en vandaag staan er vier cols op het programma. Het zal de zwaarste tocht zijn van de skivakantie. Sinds een jaar of tien is Magistra '79 overgestapt van een ordinair weekje skiën op een exclusieve toerskitocht met gids en nul komma nul luxe. Ze moeten alles zelf doen: met vellen onder de ski's de berg op lopen, slaapzak en kleding meezeulen én foerage voor de hele dag boven in de rugzak proppen. Mondvoorraad, zoals Floris zei. De enige luxe is de totale stilte en de afwezigheid van allerlei volk op de helling. Soms worden ze onderweg verrast door een sneeuwhaas of een hongerige gems, soms zien ze bloederige sporen en een pak veren in de hagelwitte sneeuw. De gids komt uit Guillestre en kent de Queras op zijn duimpje. Floris heeft hem destijds geselecteerd op leeftijd (net zo oud), beschaving (hij heeft drie boeken over toerskiën geschreven, is dus geletterd), culinaire geaardheid (flambeert tijdens de lunch op butagas meegebrachte sinaasappelen) en verschijning (ook zonder skipak toonbaar). Dankzij George is dit ene weekje afzien een jaarlijks hoogtepunt.

Charles loopt achteraan omdat hij dat de prettigste positie vindt, en werpt een laatste blik op de hut waarin ze de afgelopen nacht hebben geslapen. Geen groter contrast dan tussen hun luidruchtigheid van gisteravond en de volkomen stilte in het ochtendgloren. Tegen de top van de eerste col ziet hij de zon roodgloeiend opkomen. Iedereen loopt in een rustige cadans met glijbewegingen naar boven, hun stok voor zich uit in de sneeuw prikkend. Afmattend. Pas na ruim een uur stoppen ze om de jassen uit te trekken, een slokje water te nemen en een foto te maken. Ze zijn aangekomen in een maanlandschap, glooiende bulten onder een dikke laag sneeuw en geen enkele vegetatie.

'Ça va?' vraagt George en hij maant iedereen te smeren. De zon is al behoorlijk sterk en voorlopig stoppen ze niet. Een tube factor 50 gaat rond, kleurt neuzen, stoppelbaarden en wenkbrauwen wit. Ze nemen om de beurt een slok koffie uit de thermosfles. Het is nog minstens een uur stijgen naar de eerste col, waarna ze zullen afdalen in Italië, Piëmonte. George komt weer in beweging, de rest volgt. Charles als laatste, hij botst zo nu en dan tegen de ski's van Pier.

'Van Praag, hou es even op met dat hinderlijke geduw!'

'Ik wil aandacht. Pier, hoe vond je dat verhaal van George over die lawine?'

'Heeft me nog even uit mijn slaap gehouden. Jou?'

'Het verbaasde me dat hij ons dit nu pas vertelde. Hoe lang kennen we hem, negen, tien jaar?'

'Tien. En het ongeluk was bijna dertig jaar geleden. Het zal je maar gebeuren. Dat je samen met een collega en zijn vrouw een tocht gaat maken en jij veroorzaakt een lawine, en die vrouw wordt door de passerende lawine verzwolgen. Afgrijselijk.'

'Ongeluk.'

'Maar wel roekeloos gedrag in combinatie met een foute inschatting van de sneeuwconditie versus de helling. George zei het zelf: jeugdige branie. Vandaar dat hij ons altijd inpepert jamais, jamais te spotten met de bergen.'

'Ik vroeg hem nog of hij hier ooit sociaal gezien last mee heeft gehad. Weet je wat hij antwoordde?'

'Nee, want ik ging even buiten pissen. Ik vond het nogal confronterend.'

'Dat er als gedragscode onderling niet over rampen wordt ge-sproken. Alle ellende die de gidsen van dichtbij hebben meege-maakt, stoppen ze onder de sneeuw. Anders kunnen ze hun vak niet uitoefenen, en ze willen van elkaar geen helden dan wel daders ma-ken.'

'Ook een zienswijze.'

De laatste klim is straf met korte steile stukjes en veel bochten-werk. Maar dan staat Magistra '79, althans wat ervan over is, naast el-kaar met aan hun voeten Italië en achter zich Frankrijk. Ze staan een poosje zwijgend in de wind, horen alleen elkaars ademhaling. Pier schraapt zijn keel, René frunnikt iets weg onder zijn zonnebril.

'Jongens, om met Floris te spreken: "We staan op het dak van de wereld, hoger komen we niet." Tijd voor een slok uit de heupflacon.' Frits haalt uit zijn zak de platte fles met vijftien jaar oude cognac en toost op Floris. 'We missen je, eikel. Voor het eerst heb ik als eerste de top bereikt en dat wil ik helemaal niet.'

'*Santé*, Floris,' prevelt George, die bij wijze van kaars een survival-zippo in de sneeuw prikt en daarna een kruis slaat. Pier omhelst hem en ze kloppen elkaar lang en hard op de rug. De mannen staan in een cirkel om het flakkerende vlammetje, tot de gids zegt dat ze verder moeten.

* * *

Het is maart, de lentezon maakt de reis nu al aangenaam. Anneleen en Do passeren om twaalf uur 's middags de Tsjechische grens en zijn geschokt over de piepjonge hoertjes die daar langs de weg sto-icijns rokend staan te wachten op klandizie. Sommigen zijn in het gezelschap van een paar kleine kinderen die met niks zitten te spe-len en eruitzien alsof ze van een inzamelkalender voor Roemeense wezen uit de jaren vijftig zijn geplukt. Klanten uit het Westen kunnen zich voor een appel en een ei uitleven in hun auto achter de vele getimmerde 'wegrestaurants'.

'Vreselijk, zeg, wat een treurigheid, die meisjes. Kunnen we daar niets voor doen?' zegt Do.

Anneleen is bang van niet. 'En afwerkplekken in Nederland lijken mij trouwens ook niet echt gezellig.' Anneleen heeft zich al laten voorlichten door Pier, die twee jaar terug in Tsjechië de boel wilde verkennen op het gebied van tweede huizen. De vakantie was geweldig voor de kinderen: overal kon worden gemountainbiket en muurgeklommen en gezwommen. Allemaal spotgoedkoop, zodat het er stijf stond van de Nederlanders. Ook dat was fijn voor de kinderen. Maar met de huizen schoot het niet op. Als Pier er al in slaagde te achterhalen wie de eigenaren waren, zelden slechts één persoon, bleek vaak de helft van hen in surseance. De buitengewoon ingewikkelde wetgeving en papierwinkel in een taal die hij niet kende, deed hem besluiten af te zien van zakendoen in dit land. Geen stress meer, was zijn devies. Maar serviezen zijn een ander verhaal, heeft Anneleen bedacht.

Do heeft zin in het avontuur. Wikkie is deze week thuis om Charley en Mauk gezelschap te houden. De overbuurvrouw houdt ook een oogje in het zeil. Mauk wil ze de verantwoordelijk nog niet geven. Bovendien maakt Charley als ze haar zin niet krijgt gehakt van de zachtaardige Mauk. Charley verheugde zich op deze week. Do heeft de vriezer volgestouwd met gesneden groente en allerlei andere gezonde heerlijkheden, en de keukenkasten gevuld met eierkoeken, ontbijtkoek, Sultana's en noodlesoepjes voor tussendoor. Charley belde al om half negen, ze waren net bij de Duitse grens, om te vragen waar haar gymspullen waren, en haar wiskundeboek was ook kwijt.

'Waar is Wikkie?' vroeg Do.

'Die slaapt nog. Mauk is al naar school, ik had het eerste uur vrij,' zei Charley.

'Verdorie,' zei Do toen ze haar telefoon had weggelegd.

'Zet het van je af,' zei Anneleen. 'Ze vindt het allemaal heus wel. Ze is vijftien! Ze lost het maar op. Niks aan het handje.'

'Weet ik,' zei Do.

Bij de eerste stop vinden ze niet alleen een pracht van een soepterrine en een woest gevormde etagère, maar ook schitterend borduurwerk. Telkens weer op haar strooptochten overweegt Anneleen de handel uit te breiden naar textiel, er is zo veel prachtigs te koop. Ze fêteert Do op een beeldig tafelkleed met klaprozen die eruitzien alsof je ze van de tafel kunt plukken.

'Trouwens, Do, over borduurwerk gesproken: wat vond je van die heisa laatst over die mottige tafeldweil van Magistra? Wat vind je überhaupt van die jaarband? Het rommelt. Volgens mij is er iets aan de hand met dat groenweekendje. Cato deed daar laatst ook een keer heel vreemd over. Die zat echt te vissen. Het is allemaal nogal geheimzinnig. Van Weelde komt langs in het vakantiehuis van mijn zwagertje, en vervolgens komt uit dat Cato en Matthijs aan de rol zijn geweest. Het is mij trouwens een raadsel waarom hij op Cato viel, maar goed. Sindsdien is Frits' relatie met Van Weelde ineens bekoeld. Ook Pier en Cato ontvangen hem niet meer. Er klopt iets niet. Alleen ik weet niet wat en dat kan ik niet uitstaan.'

'Ik weet wel meer niet, blijkt. Ik ben er helaas ook achter gekomen dat Floris tijdens zijn studie aan proletarisch winkelen heeft gedaan. Maar erger nog vind ik die lap, die ik achteraf gezien beter in de open haard had kunnen gooien. Jatten van je eigen vrienden vind ik van een andere orde. Waarom zou iemand überhaupt dat ding voor zichzelf willen hebben?'

'Misschien wilde hij wel dat Magistra het níét had,' zegt Anneleen. 'Frits wil het er niet over hebben. Heeft hij tegen jou nog iets gezegd laatst op het strand? Cato weet iets dat wij niet weten, wedden? Je hebt gezien wat een flapuit Pier is. Kun jij haar niet eens subtiel uithoren?'

'Subtiel uithoren? In jouw geval betekent dat zeker waterboarden?'

'Alles in dezen is geoorloofd, wat mij betreft.'

'Ik weet niet of ik wel nog meer te weten wíl komen, Anneleen. Of dat goed voor me is. Floris is dood. Mijn beeld van hem wil ik liever niet bijstellen. Kun je je dat voorstellen? Het is al erg genoeg om te midden van jullie nota bene tijdens een diner dat ik geef als dank voor alle steun, te ontdekken dat er kennelijk een andere Floris was. Eentje die minder sympathieke kanten had, eentje die ik helemaal niet heb gekend. Ik ben echt niet achterlijk, hoor. Omdat ik als enige van jullie niet lid ben geweest, kreeg ik na al die jaren even een spoedcursus mores. Dat het doodnormaal zou zijn om belangrijke dispuutartikelen van elkaar te jatten. Ik heb er als knor natuurlijk de ballen verstand van, maar zelfs ik geloof zoiets niet. Frits heeft me enigszins gerustgesteld in Parnassia, en daar wou ik het graag bij laten.'

Do bijt op haar onderlip en kijkt strak voor zich uit om haar tranen te bedwingen. Zwijgend rijden ze door onbekend landschap. Anneleen vindt gelukkig een neutraal onderwerp. Benzine. Bij de eerstvolgende pomp gaat ze tanken. Euro loodvrij, ook hier.

'Loodvrij. Dat doet mij denken aan Moger,' zegt Do.

'Huh?' zegt Anneleen, terwijl ze in haar tas naar haar portemonnee graait.

'Boheems glas. Ben ik op afgestudeerd destijds. Cum laude, als ik zo vrij mag zijn. Boheems glas vind ik zo mooi omdat het enerzijds waanzinnig knap is gemaakt en anderzijds toch iets kitscherigs heeft, naar Hollandse smaak. Die vaas in mijn hal, met die ingeslepen irissen, dat is typisch Boheems glas. Heeft Floris me cadeau gegeven toen Charley was geboren. Je zou eens moeten zien hoe ze dat maken. Half ontblote mannen die zwetend het handwerk staan te verrichten, in strakke hiërarchie, met meesters, aangevers, enzovoort. Het kost een eeuwigheid voordat ze meester zijn en het vak gaat meestal over van vader op zoon. Het bijzondere van Moger in

Karlovy Vary is dat ze een eigen formule gebruiken, waardoor hun glaswerk schittert als kristal en toch loodvrij is. Het is hier niet ver vandaan. Zullen we gaan kijken? Je weet niet wat je ziet.'

'Doodzonde dat je daar verder niets mee hebt gedaan,' zegt Anneleen. 'Waarom eigenlijk niet?'

'Tja. Floris werkte zich de blaren, de kinderen, enzovoort. Floris vond het prettig dat ik thuis was. En werken was natuurlijk ook niet nodig.'

'Financieel bedoel je. Nou ja, ik zorg graag voor mijn eigen centen. Ik moet er niet aan denken dat ik getrouwd moet blijven voor het geld. Ik vind het doodzonde dat je die hele studie hebt laten versloffen.'

'Versloffen gaat ver. Ik heb het allemaal bijgehouden, en natuurlijk ook in het begin al die kunstboeken geredigeerd voor uitgeverijen. Dat vond ik leuk, en ik kon het thuis doen. Maar het verdiende zó slecht. Floris vond het uitbuiting. Hij zei ook altijd: "Jij bent veel te lief voor zaken. Als je iets mooi vindt, koop het dan gewoon." Dan zat ik 's avonds laat aan de keukentafel met de hele handel, ik vond het leuk om te doen, maar dan keek hij me aan alsof ik niet goed snik was. Ik ben ermee opgehouden toen Mauk kwam. Nou ja. Zo gaan die dingen toch? Zullen we erheen gaan?'

'Zwetende mannen? Tja. Misschien het laatste dagje even?'

'Karlovy Vary is een mondain kuuroord. Met drankjes, modderbaden en massage.'

'Ah! Nou hebben we het ergens over,' zegt Anneleen. 'Oké, donderdag. Maar dan moet jij beloven dat je alsnog iets met die studie gaat doen.'

'Hoe dan? Wie zit er te wachten op een herintredende weduwe? Ze zien me aankomen! Nee hoor.'

'Dus je wilt niet. Ook goed. Maar als je wel wilt, moet je zelf iets ondernemen. Kijk naar mij, ik heb het allemaal zelf geregeld, terwijl ik niet eens ben afgestudeerd, en ik vind dat heel fijn van mezelf. Ik geniet echt van mijn handeltje. Heb ik Frits niet voor nodig, en trouwens niemand niet.'

'Nogmaals: ze zien me aankomen.'

'Zit je nog niet op Facebook en LinkedIn? Jij moet thuis al je studiegenootjes googlen en dan benaderen. Die zitten nu allemaal op posities met vingertjes in de pap. Gewoon doen. Dan stel je voor een keer te gaan lunchen.'

'En waarom zouden ze met mij willen gaan lunchen?'

'Waarom zouden ze niet met je willen lunchen? Je bent toch leuk? En mensen zijn dol op lunchen. Vooral onder werktijd. Dan is het netwerken ook nog declarabel. Echt, geloof me. Daar komt vast wat uit. Ik heb met half Nederland geluncht toen ik had besloten een business te beginnen. Niks mis mee, hoor. Shit. Afslagje gemist, volgens mij. Kijk even op de kaart.'

Do is lang stil. Heeft Anneleen gelijk? God, wat zou dat fijn zijn. Niet alleen werk, maar ook nog werk in haar eigen oude vak. Iets van haarzelf.

Op donderdag lullen ze zich 's ochtends naar binnen bij Moger. De man die hen ontvangt is gecharmeerd van de kennis en belangstelling van Do. Daar wordt Do heel gelukkig van. Ze is blijkbaar nog steeds niet van de straat. Later koopt ze in de winkel van de onderneming voor Anneleen een parfumflesje, dat naar boven toe steeds feller typisch Boheems groen wordt. In verpletterend regelmatige overgang. Drie lelies geven reliëf aan de buik van de fles. De nerven zijn ingeslepen. Te veel van alles, maar beeldschoon. Ze weet hoeveel tijd de productie van dit flesje heeft gekost. Met de mond geblazen, met de hand geslepen. Ze voelt haar vroegere ontroering bij het zien van een liefdevol gemaakt, uniek stuk vakmanschap.

Wanneer ze 's middags in het hotel bronwater drinken uit een beker met handvat dat tevens dienstdoet als rietje, wachtend op de masseurs, oefent Do in stilte: Zeg, zullen we een keer lunchen? Heb je tijd om te lunchen? Zullen we het er een keer over hebben tijdens een lunch?

* * *

Terug van de trip verzamelt Do moed. Ze heeft een lijstje voor zich liggen met drie telefoonnummers. De eerste is van haar vroegere hoogleraar, toen nog gewoon docent. Hij had destijds onbetamelijke belangstelling voor haar. Ze vond hem toen stokoud, want al vijfendertig en vader. Hij droeg onwelriekende ribfluwelen jasjes met roos op kraag en schouders, en hij had een stomme bril. Hij wilde met haar uit eten om het over de studie te hebben. Niet eens lunchen, maar dineren. Hij had al diverse studentes achter de kiezen, had ze gehoord. Dat kon ze zich niet voorstellen, maar ze had jaargenoten die hem verdomd interessant vonden. Eén keer was ze met hem naar de kroeg gegaan, na een college. Hij had een huilerig verhaal over zijn huwelijk opgehangen en was handtastelijk geworden. Nou ja, dat zou hij nu ongetwijfeld achterwege laten. Hij vond haar destijds het grootste talent van haar lichting. Tot haar grote ongemak zei hij dat ook tijdens colleges, wat spottend gegiechel van haar medestudenten opleverde. Natuurlijk. Hoe dan ook: hij zat nog steeds op de faculteit.

De tweede is van een studiegenoot met wie ze het goed had kunnen vinden. Zij was punk, altijd in het zwart gehuld, met zware zwarte randen om de ogen, negen gaten in beide oren en ze liep op kistjes. Ze gingen tijdens de studie veel met elkaar om en hadden grote pret samen, hoe totaal verschillend ze ook waren, maar het contact was verwaterd nadat Do was getrouwd. Dat Do met corpsleden omging had ze nog kunnen verdragen en vond ze ondanks haar onverholen afkeur ('Nazi's!') zelfs buitengewoon boeiend, maar het gezinsleven stond te ver van haar af. Toen Do dik in de luiers zat, was de vriendschap beperkt tot het uitwisselen van kaartjes. Ze maakte naast haar studie kunstwerken van afval. Do hielp met het aanleveren van materiaal. Deze vrijgevochten antimaatschappelijke vrouw was tegenwoordig hoofdredacteur van een gerenommeerd glossy kunstblad. En, zag Do op afbeeldingen bij Google, ze ging inmiddels strak in de designkleding gehuld. Dat vond ze enigszins teleurstellend. Waarom werd iedereen toch altijd zo gewoon? Zijzelf was altijd gewoon geweest en gebleven, maar van haar had ze dat niet verwacht. Ze waren op de faculteit een opmerkelijk duo geweest. Ze hoopte dat haar vroegere vriendin nog wel creatief was met haar afval, maar ze was bang van niet.

De derde was in die tijd een vriendelijke, verlegen knul. Ze had met hem twee scripties geschreven. Ze aten samen macaroni met ham en kaas (dat maakte zij) of spie (zijn specialiteit) en tikten om de beurt een paragraaf. Intussen luisterden ze naar de Bonzo Dog Doo-Dah Band en Spandau Ballet. Zou ze die scripties nog ergens hebben? Volgens de punkvriendin was hij stiekem hopeloos verliefd op haar. Volgens Do was hij totaal niet geïnteresseerd, want hij had nooit ook maar de kleinste hint gegeven. Nu werkte hij achter de schermen bij het tv-programma *Tussen Kunst & Kitsch*.

Ze schraapt haar keel en toetst het eerste nummer in. De professor is niet bereikbaar. Kan de secretaresse een boodschap doorgeven? Nee. Ze probeert het later nog wel, zegt ze. Het zweet breekt haar nu al uit.

De volgende. Dat wordt natuurlijk niks. Wat moet die vrouw nog met haar, een saaie burgertrut? Die zit echt niet op haar te wachten natuurlijk. Haar hart bonst. Ze wordt doorverbonden, zegt de telefoniste. Ze heeft al bijna snel opgehangen als ze de stem van haar oude vriendin hoort.

'Do! Wat leuk. Ik las in N R C dat je man dood is. Mooi klote.' Do haalt adem. Het gaat haar een beetje te snel. 'Ik ben blij dat je belt,' gaat het verder. 'Ik had dat natuurlijk zelf moeten doen, maar je weet hoe die dingen gaan.'

'Ja,' zegt Do. Verder weet ze even niks te zeggen. Of te veel.

'Hou je nog steeds van geraspte worteltjes met suiker en citroen? Zie je er nog zo goed uit?' Do hoort de vertrouwde lach. Ze voelt een enorme last van zich afvallen. Deze vrouw reageert alsof ze elkaar gisteren hebben gesproken. Het was altijd al een kanjer, denkt ze. Waarom heeft ze dit in godsnaam laten verwateren?

Na wat losse flodders zegt Do: 'Ik zie op internet dat je het zwart hebt afgezworen. Heb je dan ook vaste verkering en kinderen, een golden retriever en een Volvo station? Zeg alsjeblieft nee.'

'Geen kinderen, bewust, wel een man. Sort of. Lat. Verder redelijk tot rust gekomen. Kom, laten wij snel lunchen. Veel te lang niet gesproken.'

Do's hart springt op. Ze hoeft de zin niet eens zelf uit te spreken. Ze zullen elkaar volgende week treffen.

De Kunst & Kitsch-man is met vakantie. Dat komt nog wel. Ze gaat de berg strijkwerk te lijf en dwaalt af met haar gedachten naar het verleden. De studietijd, toen alles nog openlag, toen alles nog kon, toen alles nog helemaal eigen keus was.

* * *

Frits en Pier zitten samen in de auto naar hun ouders. Ze bespreken een aanstaand diner. Van alles hebben ze al georganiseerd in hun leven.

Een mosselmarathon.

Acht gangen haute cuisine, natuurlijk met coquilles uit Normandië en ortolanen, waarbij iedereen op zijn Frans met een servet over het hoofd het vogeltje in één keer naar binnen moest steken om daarna de botjes uit de mond te peuteren. Had Pier in een Frans kookboek gelezen, dat dat zo hoorde.

Zeer geslaagd was het diner Op Retour, waarbij als eerste het toetje werd gegeten en er werd teruggewerkt naar de soep, want Frits werd veertig, dus hij was *over the hill*, vandaar.

Daarop was een lentediner met alleen maar groen eten gevolgd, met alles van avocadodip en kervelsoep tot spinaziepasta en groene gel-o.

En een diner met alleen maar vloeibaar voedsel, ter gelegenheid van het feit dat Pier 'ze op het droge had' in de tweedehuizenbusiness. Het bestond uit soepjes, shakes en groentesapjes, en eindigde met toch maar een vette bek met zijn allen in de buurtsnackbar.

Ook hadden ze ooit voor het jaar een heel zwijn geprepareerd, maar dat was uitgelopen op algehele dronkenschap omdat het beest niet gaar viel te krijgen en pas om half een 's nachts op de borden kon. Anneleen was die avond naar de film geweest en had na thuiskomst iedereen de autosleutels afgepakt. Sommigen bleven slapen, zodat het bacchanaal de volgende ochtend werd afgesloten met enorme hoeveelheden gebakken eieren. Anneleen kreeg zelf bijna een kater van de aanblik van de heren alleen al.

Ter gelegenheid van hun vierde lustrum kookten ze hun smerigste diner: 'eten als een Magistraat'. Het betrof een aaneenschakeling van eenpansmaaltijden zoals ze die op het Huis hadden bereid. De recepten werden destijds getest door de culinaire subvereniging A Fabis Abstineto en gingen niet verder dan snelkookrijst uit geperforeerde zakjes, vermengd met ragout uit blik en overgoten met mandarijnenpartjes, tevens uit blik, alles au bain-marie verwarmd, dat dan weer wel. Of aardappelpuree met zoute haring en peterselie. Of chili con carne met goedkope rookworst als carne. Rijst met brokken kipfilet en fluorescerend gele kerriesaus. Het was een topavond, al werd er vooral veel naar het eten gekéken.

'Het heeft nog kleur, die ragout. En ik kan de rijst ook nog als zodanig herkennen. Zo was dat niet, hoor, vroeger. Langer doorkoken, jongens!'

Dit was ook de avond waarop Pier bekende dat hij het jammer vond dat de kinderen uit de luiers gingen omdat hij zo gek was op Olvarit. Jarenlang was hij iedere dag begonnen met een fruithapje. Vaak nam hij er stiekem ook nog eentje voor het slapengaan.

Nu vinden ze dat er een diner moet komen omdat de zomer in het verschiet ligt. Ze zoeken een thema. Misschien een diner bestaande uit voedsel uit alle werelddelen, en dan kunnen ze ondertussen hun vakantiebestemmingen bespreken. Maar Frits wil weer eens gewoon lekker eten, geen zootje. Dan liever een Australische barbecue. Het weer is er al mooi genoeg voor en een grote fik stoken is altijd leuk. Pier is ooit in Australië met vakantie geweest. Prachtig land.

'Niet echt vrouweneten alleen,' zegt hij tegen zijn broer. 'Veel vlees.'

'En verder?'

'Nog meer vlees.'

Ze denken na over een etentje voor alleen maar mannen. En zo komt het gesprek op het jaar. Ze hebben elkaar weinig gezien na Week Vijf. Hun vrouwen hebben regelmatig contact met Do. Die is goed bezig, stellen ze tevreden vast. Wikkie heeft het lidmaatschap van Magistra opgezegd, hebben ze gehoord. Hij vond er niet zo veel aan. Dat vinden ze toch jammer, maar hij moet het zelf weten. 'Ik vond het achteraf ook leuker dan toen,' zegt Frits.

Pier beaamt dat. 'We romantiseren het allemaal steeds meer. Maar onze jaarband is natuurlijk wel bijzonder.'

'Wás, broertje, wás. Ik vond die toestand op het diner bij Do gênant. Echt een deceptie. Ik was blij dat de jonge Magistraten geen lastige vragen stelden toen ik ze de tafelloper ging brengen. Ze vonden het geloof ik alleen maar mooi. Ik heb nog bier zitten drinken met die boys. Ze hebben tegenwoordig vier keer per week een wérkster op het Huis. Moet je je voorstellen. En ze wonen er maar kort met die huidige studiedruk. De tijden zijn veranderd. Het is zakelijker geworden.'

'Wij hebben anders ook heel zakelijk onze bek gehouden.'

'Gelukkig wel.'

Het gesprek komt weer op vlees. Ze ruziën over de vraag welk stuk vee het geschiktst is voor de barbecue. Frits zal de sauzen doen.

'Net als bij dat Franse diner zeker,' zegt Pier. 'Die citroenmayo van jou schiftte steeds. We hebben uiteindelijk een citroen door een Calvé-pot geroerd.'

Frits lacht. 'Zijn we toch nog een beetje gemakkelijk in de keuken. Weet je nog dat we op het Huis wekenlang op zoek zijn geweest naar de oorzaak van een allesverzengende, steeds erger wordende stank? Of woonde jij er toen al niet meer? We schroefden zwanenhalzen open, we haalden de plinten onder het keukenblok weg op zoek naar dode ratten, we gooiden liters Glorix over de keuken, en het werd alleen maar erger. Uiteindelijk deed René in een vlaag van helderheid de oven open. Die werd helemaal nooit gebruikt. René stormde meteen de tuin in om te kotsen. Bleek iemand er een pan vleessalade in te hebben weggezet na een avondje met een meisjesdispuut een paar weken eerder. De inhoud bewoog nogal. We vonden dat René de pan moest verwijderen aangezien hij toch al had gekotst. Ten slotte werd hij zo gek van het gebrek aan daadkracht en van de discussie over wiens schuld het was, dat hij de pan inderdaad in zijn geheel de gracht in heeft gekieperd, met een zakdoek voor zijn neus.'

'Kolere. Er staat me vagelijk iets van bij. Zo ranzig als we toen leefden, onvoorstelbaar nu. Met z'n allen één douche en niemand die slippers droeg.'

'Alsof iemand daar ook maar aan dácht.'

'Tegenwoordig mag je niet eens meer zonder slippers douchen bij dorpse zesderangs voetbalclubs. Kan je nagaan.'

'Ook het gebrek aan privacy vonden we doodgewoon. In je blote snikkel wachten tot de douche vrij was. En als je geen schone kleren meer had gewoon bij een ander een T-shirt uit de kast trekken. En al die dierengeluiden die dwars door de bordkartonnen muurtjes heen drongen. Jaars Visser hield er de bijnaam De Blusser aan over, weet je nog? Dat waren pas ongewenste intimiteiten waarop je auditief werd vergast.'

'Niet alleen auditief. Helaas ook ongewenst visueel. Ik stond laatst langs de lijn op het hockeyveld, staat daar ook Helena van Mook. Kun je je die nog herinneren, met die jetsers? Haar dochter speelde tegen de mijne. Ze begon een praatje, maar ik kon alleen maar denken aan de ochtend dat ik bij Charles de kamer binnenliep en dat hij haar op de knietjes aan het beffen was. Ze keek me recht aan en Charles had natuurlijk niks door. Beetje pijnlijk was het.'

'Toen of nu? Die Helena heeft trouwens wel meer kamers op het Huis bezocht. Los van De Blusser.'

'Ah, de jouwe ook?'

'Niet zo persoonlijk worden meteen, broer.'

'Mij best. Ze is uiteindelijk met een knor getrouwd, bleek.'

'Tja, knorren moeten ook een vrouw. Hoe dan ook had ik het Magistra-tijdperk voor geen goud willen missen.'

'Ik ook niet. We zijn er bijna. Ik bel ze even.'

Hun ouders hebben graag dat Frits en Pier hun aankomsttijd aankondigen, zodat de koffie vers is en de broodjes direct uit de oven op tafel kunnen.

* * *

Do roert wat in haar soep maar eet niet. Ze heeft het te druk met luisteren. De man in grijs krijtstreeppak tegenover haar vertelt een mooi verhaal over zijn grootvader. Het was haar al meteen opgevallen dat deze man ook kan luisteren naar haar verhalen en oprecht geïnteresseerd is. Met het verhaal over de grootvader krijgt ze een college Tsjechische geschiedenis mee. Ze geniet.

Het restaurant is helemaal goed. Geen toeristenfuik, maar ook geen pretentieuze tent; daar heeft ze een nog grotere hekel aan. Het is er ouderwets, ongedwongen gezellig, het eten is heerlijk, de bediening vriendelijk, ze is op haar gemak. Wat lijkt deze man absoluut niet op Floris, stelt ze nogmaals vast. Hij heeft donkere krullen en groene ogen en is even groot als zij. Op haar palen van hakken steekt ze boven hem uit en dat lijkt hij leuk te vinden. Gek dat ze een compleet andere man toch zo aantrekkelijk kan vinden. Borstelwenkbrauwen, wie had het kunnen denken. Maar ja, Do zag laatst haar gescheiden buurvrouw, die precies kon omschrijven hoe haar ideale man eruit moest zien, vol trots aan de arm bungelen van een man die geen enkel uiterlijk kenmerk vertoonde van dat ideaal. Alles is dus blijkbaar mogelijk. Dat deze Luboš heel goed kan flirten, draagt zeker bij aan de feestvreugde. Een en al charme. Do beleeft haar particuliere Praagse lente.

In het vliegtuig speelde ze de film in haar hoofd nog eens af. Hoe hij op de bank in haar hotelkamer tegen haar zei dat ze niet bang voor hem hoefde te zijn, dat ze best wat dichterbij mocht komen zitten. Hoe hij met zijn hand over Do's haar streek en haar toen kuste. En ze hem godbetert nog terugkuste ook. Of hij net zo lekker rook als Floris durfde ze niet te zeggen, maar hij kon wel goed zoenen. Ze voelt een echo in haar buik.

Misschien gaat het wat snel, maar wat zou dat eigenlijk? Nog maar een maand geleden was ze op hem afgestuurd door haar vroegere punkvriendin. Doodnerveus was ze geweest. Deze man, een gerenommeerde Praagse professor in de kunstgeschiedenis, was als gastconservator een tentoonstelling aan het inrichten in het Národní Museum. Daaronder waren topstukken van Boheems glas. Ze mocht er een verhaal over schrijven voor het kunstblad van haar vriendin. Ze kreeg er nauwelijks voor betaald, maar dat kon haar niets schelen. Het was een mooi artikel geworden, want deze man sprak in hele zinnen en was meeslepend enthousiast. Hij had zijn stinkende best gedaan het haar zo gemakkelijk mogelijk te maken, overlaadde haar met informatie. Toen hij haar mee uit eten nam, vroeg ze zich af of dat gebruikelijk was: dat de professor met een scribent uit Holland zijn avond doorbrengt. Het was een bijzondere avond geworden. Nadat ze de tweede dag met een vrouw van het museum was meegelopen, ging ze terug naar het hotel om vast wat aantekeningen uit te werken. Ze kreeg van de receptionist een enveloppe. Hij verontschuldigde zich voor het feit dat hij die avond andere verplichtingen had en hij had een kaartje voor een concert ingesloten.

Terug in Bloemendaal had Do hem na een week zwoegen het verhaal in het Engels gemaild. Per ommegaande kreeg ze een uitgebreid antwoord. Er ontspon zich een levendig mailcontact en al snel drukte ze regelmatig op de knop 'vernieuwen' om te zien of hij zich weer had gemeld. Na twee weken mailde hij dat hij een lezing zou geven in Berlijn. Had zij misschien zin, gezien haar interesse in zijn onderwerp, daarnaartoe te komen? Ze bleef tien minuten naar het beeldscherm staren en klikte vervolgens gedecideerd het mailtje weg.

Maar de volgende dag belde hij haar op, met zijn vreselijk fijne stem. '*I am not a married man, looking for a secret adventure abroad,*' zei hij. Do ging naar Berlijn. En begon *a secret adventure abroad.*

Thuis bekijkt ze foto's van haar en Floris en voelt ze zich schuldig. Aan de andere kant: zou Floris haar dit misgunnen? En zou hij zelf lang hebben gewacht? Waarschijnlijk was hij allang besprongen door allemaal hunkerende dames, althans dat beweert Anneleen. Op tafel staat de enorme bos bloemen die Luboš heeft laten bezorgen, ze bloosde ervan toen ze ze in ontvangst nam. De bezorger grijnsde breed toen hij dat zag en wenste haar veel geluk. Maar voorlopig houdt ze het voor zich. Als ze het afgelopen jaar in de spiegel keek, dan dacht ze vaak: je wordt oud. Je ziet eruit zoals je je voelt: een stokoude dweil. Nu denkt ze: ik ben mooi. 'Goh, wat zie jij er goed uit', hadden verschillende mensen al tegen haar gezegd, enigszins verbaasd. Wat is een betamelijke periode van rouw na de dood van je man? Gelukkig heeft ook daarover ongetwijfeld Jan en alleman een mening, denkt ze. Typisch Nederlands. Belangrijker in dezen zijn de gevoelens van haar kinderen. Die houdt ze voorlopig helemaal buiten schot.

Inmiddels heeft ze ook een paar keer gesproken met haar oude studievriend die bij *Tussen Kunst & Kitsch* werkt. Ze twijfelt er niet aan dat ook daar iets uit gaat komen. Een heel nieuw leven ligt er voor haar. Wie had dat gedacht tijdens haar maandenlange diepe wanhoop na het overlijden van Floris? Ze heeft zelfs Skype geïnstalleerd en trok er tijdens een apocalyptische regenbui op uit om bij de plaatselijke computerboer een webcam te kopen. Als een giechelende puber zit ze met een koptelefoon op met Luboš te skypen. En omdat hij haar vaak niet kan verstaan, zegt hij: 'Dó, eat-e your microphone.' Do zweeft.

* * *

Dagelijks zoekt Do op Marktplaats naar schatten uit Bohemen. Zodra de kinderen naar school zijn, de keuken is opgeruimd en ze boodschappen heeft gedaan, kruipt Do achter de computer. Ze kijkt eerst of Luboš haar heeft gemaild. Ze twijfelt direct aan de oprechtheid van zijn gevoelens als er nul bericht van hem in haar postvak zit. Ze haat die onzekerheid. Ze is verdomme een volwassen vrouw; betrek toch niet altijd alles op jezelf, houdt ze zichzelf voor. Misschien heeft hij duizend-en-een goede redenen gehad om niet te mailen. Tot laat gewerkt, gasten, moe, krant gelezen, internetstoring, niets te melden, god mag weten wat.

Had ze nou maar niets met hem gedaan, dan was haar een hoop ellende bespaard gebleven, weet ze nog van vroeger. Dat het blijkbaar niet uitmaakt hoe oud je bent, had ze niet kunnen bedenken.

Dan maar naar Marktplaats. Do beschouwt het als werk, jagen op bijzondere stukken, hier en daar duiken vazen op met geslepen patronen, soms stuit ze op een advertentie die ze doorstuurt naar haar professor in Praag. En als het hem wat lijkt, gaat ze bieden. Voor de handel, ze verkoopt het daarna weer door via Anneleens winkel. Op de vreemdste plekken in Nederland is ze inmiddels geweest, bij wildvreemden thuis. Soms komt ze niet verder dan de voordeur, vaker krijgt ze nog net geen rondleiding. Huizen met muffe geuren, huizen vol opgetaste troep, huizen die na het overlijden van moeder door de kinderen worden uitgeruimd. Onbegrijpelijk vindt Do de grove wijze waarop mensen met hun geschiedenis omgaan. Fotoalbums met vergeelde kiekjes liggen in kartonnen dozen bij de voordeur te wachten op het grofvuil. Verzamelingen waar iemand zich decennialang gepassioneerd op heeft toegelegd, worden ontmanteld met één worp in de ondergrondse vuilnisbakken. 'Wat moet ik met die rommel,' zei de zoon bij wie ze een karaf met glaasjes kwam kopen toen Do bijna struikelde over vijfenvijftig jaargangen Libelle. Do kende iemand die ze er zeer blij mee kon maken, en met hulp van de zoon laadde ze vijfenvijftig jaar maatschappijgeschiedenis in de achterbak van haar auto.

Nu is ze onderweg naar Monster. Rijdend door het Westland ziet ze een aaneenschakeling van glastuinbouw, met om de vijf kilometer een Kruidvat en een Blokker, de pijlers van Neerlands huishouden. De etalages kleuren al oranje met het oog op de naderende Koninginnedag. Ze kent niemand die van aardewerk eet dat bij Blokker vandaan komt. Toch moet íémand het doen. Ongetwijfeld is Blokker ook de hofleverancier van die geurkaarsen en stinkzakjes die acute hoofdpijn veroorzaken zodra de chemische nabootsing van vanille, lavendel en roos zich verspreidt.

Do is veel te vroeg en rijdt het centrum in op zoek naar koffie. Ze vindt een parkeerplek vlak bij het dorpscafé en gooit sleutels en telefoon in haar tas. Wanneer ze wacht om de straat over te steken, stopt een auto en laat haar voor. Do steekt haar hand op bij wijze van bedankje en loopt door. Dan wordt er getoeterd. Ze kijkt geschrokken om, maar ontspant wanneer ze een bekend gezicht ziet. Twee zelfs. Mike en Pieternel. Mike maakt een u-turn en stopt ter hoogte van Do.

'Do, wat brengt jou in vredesnaam naar Monster?' Mike helt over naar het rechterraampje, over Pieternel heen, en steekt zijn hand naar buiten. Do drukt er een kus op en zoent Pieternel door het open raampje.

Do kan geen passend antwoord geven. Boheems glas is te buitenissig en schreeuwt om uitleg. Bovendien blokkeren ze het verkeer.

'En jullie dan?'

'Tot hoe laat ben je hier? Kom anders bij ons langs, ik geef je het adres.'

'Hoezo bij jullie langs?' Do weet niet beter dan dat Mike na de *rehab* begeleid is gaan wonen. En al lang is gescheiden van Pieternel. Maar ja, zelf was ze ook van de ene op de andere dag weduwe; zo zie je maar hoe snel de realiteit kan veranderen.

'We wonen op de oude kwekerij, een eindje buiten het centrum. Mijn vader is eind december overleden. Pietje, geef jij Do even ons kaartje.'

Do leest MIKE DEKKER, OASIS CLEAN FARMING.

'En daar zijn jullie de rest van de dag?'

'Kom gewoon, gezellig. Ik reken erop, Do.'

Do staart naar het visitekaartje en leest nogmaals Clean Farming. Wat zou hij in hemelsnaam verbouwen? Ongetwijfeld iets biologisch. Ze heeft geen zin meer in ranzige koffie van de dorpskroeg en gaat terug naar haar auto. Dan maar te vroeg bij haar Markt-plaats-handelaar. Luboš heeft Do geleerd de koopwaar overtuigend met een kennersoog van alle kanten te bekijken, nooit uitbundig enthousiasme te tonen, op het onverschillige af, en weinig tijd te besteden aan oeverloos kletsen en onderhandelen. Zelf voegt ze 'respect' voor de eigenaar toe. Ze wil niet arrogant of gevoelloos overkomen. Ze heeft een geprepareerde tas met plastic luchtkus-sens bij zich om het glaswerk veilig over te brengen. In het halletje bekijkt Do het oranjebruine art-decotoilettafelstel. Ze vindt het adembenemend en besluit snel tot zaken te komen. Voor 35 euro mag ze alles meenemen. Ze is blij met haar buit en neemt snel af-scheid. Voor ze Monster uit rijdt, stopt ze bij een banketbakker om tompouces te kopen. Daarna vindt ze wonder boven wonder zonder veel moeite Mikes erf. Onder aan de weg ligt een huis dat geheel in de steigers staat en waar verschillende aannemersbusjes geparkeerd staan. Ook Mike is kennelijk gezwicht voor goedkope Oostblok-kers; twee van de vier busjes hebben een Tsjechisch kenteken. Do loopt het erf op met een zoekende blik. Een van de Tsjechen gebaart naar achteren terwijl hij 'Mike, Mike' zegt. Als ze hem in het Tsje-chisch bedankt, staart hij haar verrast na.

Mike omhelst Do. 'Vertel nou eens, meid, wat je in deze negorij uitspookt.'

'Lokale handel.' Do laat haar aanschaf zien en vertelt over haar nieuwe oude passie.

'Ik wíst dat er veel meer in jou schuilde dan alleen fantastisch ko-ken. Dus je bent weer met je oude professie bezig. Geweldig. Do op zakenreis, weliswaar in het Westland, maar toch.'

'Ho ho, ook internationaal. Mijn mentor zit in Praag en samen trekken we eropuit. Er valt nog veel te vinden aan Boheems glas, topstukken die in het museum thuishoren. Luboš is behalve hoog-leraar ook conservator en hij...'

'Luboš. Zoals je kijkt als je zijn naam uitspreekt... Heb je een amant?'

Do kijkt verschrikt. Ze voelt zich betrapt, want niemand weet van haar en hem. Althans, ze heeft het niemand verteld, ook niet aan Anneleen. Maar blijkbaar gedraagt ze zich als een bakvis.

'Wat fantastisch voor je. Is het wederzijds? Luboš, Luboš. Het klinkt lekker als je het loom uitspreekt. Hij heeft vast een grote snor, zoals het een echte Tsjech betaamt. Kijk maar naar de mannen hier op het erf.'

'Ja, vertel jij eens wat, Mike, met die mannen op je erf, Pieternel bij je in de auto. Wat doe jij allemaal, en wat doe je hier? Dit was toch het bedrijf van je ouders?' Do is blij dat ze van onderwerp kan veranderen.

Ze pakt zijn visitekaartje erbij. 'Oasis Clean Farming. Wat ga je verbouwen?'

'Ik ga hier samen met Pieternel een kwekerij beginnen voor afgekickte lieden. Op de een of andere manier vind ik het zelfs weer leuk om in de grond te wroeten en met groei bezig te zijn. Kom, ik geef je een rondleiding. Straks zal ik je fourneren.'

Do zakt met haar hoge hakken weg in de klei, soms springt ze op losse tegels. Mike biedt haar zijn hand en leidt Do naar een roestig spoor.

'De lorrie van de oude kwekerij. Ga maar zitten, ik trek het karretje over het spoor. Als kind vond ik dit geweldig. Het enige leuke van het hele bedrijf. Mijn vader was zeer godvruchtig en streng, lol trappen was er niet bij, en ravotten op Zijn gewijde grond al helemaal niet. Als ik met vriendjes werd betrapt terwijl we een wedstrijd deden wie er zo snel mogelijk per lorrie van de ene naar de andere kant kon komen, kreeg ik huisarrest. Dat was op de middelbare school. Mijn vader geloofde streng, vooral in ploeteren. In het zweet uws aanschijns zult gij brood eten, totdat gij tot de aarde wederkeert. Ja, Do, Genesis 3:19. 's Avonds zat hij te knikkebollen in zijn stoel, bekaf van het harde werken. Hij bemoeide zich weinig met me. Soms probeer ik me te herinneren wat hij zei, hoe hij sprak, maar hij sprak bijna niet. Mijn beste herinnering aan hem is de lorrie. In de zomervakantie wekte hij me 's ochtends vroeg, terwijl het hele Westland nog sliep, en dan zette hij me op de lorrie met een stapel brood en trok me in de schemer over zijn land. Soms wees hij een vogel aan of joeg hij konijnen weg. Achterin stond een frambozenkooi en dan gingen we samen plukken. Vaak gaf hij mij de grootste en rijpste vruchtjes. 'Jongen, ze zijn zo zacht als het vel van een onschuldige baby.' Ik vroeg me altijd af of een schuldige baby niet zacht zou zijn. Verder gebeurde alles zwijgend, maar hij zag er tevreden en ontspannen uit. Ik voelde me volmaakt gelukkig, uitverkoren door mijn vader. Zodra de eerste arbeiders het terrein op kwamen, was de ban verbroken. Ik ging terug naar huis, waar moeder in de keuken bezig was om kannen koffie te zetten. Ik sloop naar boven en kroop mijn bed weer in.

Do, kun je je voorstellen dat hier op vijf hectare straks allemaal ex-verslaafden aan de slag gaan? We gaan groente en bessen kweken, kippen houden en ik wil vier hangbuikzwijnen. Dieren hebben zo'n goede invloed op mensen. Op Castle Craig zag je degenen die de varkens moesten verzorgen echt een andere blik krijgen, geraakt door levende wezens. De oude voorman van mijn vader, die nu in de vijftig is, wordt hier de chef. Zo'n nuchtere boer heb je nodig, geen gezeur en gezweef graag. Met ijzeren hand de AA en NA'ers aansturen werkt het beste, want anders ga je ten onder aan hun gelieg en gemanipuleer. En ik kan het weten. Mijn Klaas Zuydgeest is nog net niet van de blauwe knoop, maar wel gortdroog.'

'Indrukwekkend, Mike. Wat een fantastische plannen.'

Mike is één brok energie.

'Het blijft niet bij plannen. Een goed ondernemer ben ik altijd geweest, dat compliment kan ik mezelf nog net geven. Ik ben in een vergevorderd stadium van gesprekken met de gezondheidszorg en heb me al door alle ambtelijke rompslomp heen geworsteld. Zo'n ideetje valt niet bij iedereen uit de omgeving even goed, kan ik je vertellen. Dan gaan er mensen zwaaien met bestemmingsplannen enzovoort. Sommige zijn bang dat hun antieke hangklokken worden gejat door het onverbeterlijke tuig dat hier gaat rondwaren. Maar de eerste aan wie ik mijn plannen voor de zorgboerderij heb ontvouwd, is de aanpalende tuinder. Een stugge man, zat twee jaar boven mij op school. In de klas zei hij ook nooit wat, maar hij is wel met de belle van de klas getrouwd. Inmiddels al tien jaar weduwnaar. Borstkanker, had ik gehoord. Ik wilde per se open kaart spelen. Dat wil ik voortaan over alles. Hij ging tegenover mij zitten aan de keukentafel en zei geen woord tot ik klaar was, dus ik ging maar door, tot ik echt niets meer wist toe te voegen. Alles heb ik verteld, mijn dieptepunt, Schotland, het principe van bemoeizorg, de hele rimram. Daarna zei hij een minuut lang niks. Zijn gezichtsuitdrukking veranderde al die tijd geen moment. Ik vreesde met grote vreze. Toen zei hij: "Het is goed. Je vader had het ook goedgevonden, hij was geen slecht mens." Toen had ik even niks meer te zeggen. Hij begeleidde me naar de deur en gaf me een stevige eeltige hand.'

'Wat adorable!' zegt Do. 'Waarom is deze lieverd niet hertrouwd? Geef hem op voor Boer zoekt vrouw.'

Mike weet dat Do dit oprecht meent, lacht haar dus niet uit en leidt haar weer naar de woning. Ze snakken naar koffie. 'Voortaan zonder verrassinkje erin,' zegt Mike.

Do rijdt stralend weg uit het Westland. Ze is gelukkig met het nieuwe geluk van Mike en Pieternel. Op dit soort momenten mist ze Floris verschrikkelijk, ze wou dat ze het goede nieuws met hem kon bespreken. Ze doet het evengoed in haar hoofd en belt vervolgens Anneleen.

'Weet je bij wie ik net koffie heb gedronken? Mike en Pieternel! Het gaat heel goed met ze en ze gaan een kwekerij met afkickers beginnen.'

'Ik dacht dat alle ex-verslaafden kok werden? Van de coke aan de kook, toch?'

'Hè, goh, doe niet zo flauw. Luister, hij was na zijn Schotse avontuur inderdaad weer helemaal teruggevallen in zijn oude gedrag. Hij heeft afgelopen najaar met wat oud-collega's van Castle Craig in een woongroep gewoond in Den Haag. Op een avond heeft hij Pieternel gebeld, die hij nauwelijks had gezien na de scheiding.'

'Begrijpelijk van haar en heel verstandig.'

'Hoe dan ook, het is toch weer helemaal goed gekomen met ze, maar, en let nu goed op, onder voorwaarde dat hij Van Weelde nooit meer ziet.'

'Zei hij dat?'

'Ja, en zij beaamde dat volmondig. Van Weelde is voor haar altijd de kwade genius in Mikes bestaan geweest, ze heeft hem nooit vertrouwd.'

Do heeft al tijden niet meer aan Van Weelde gedacht. Ze heeft andere dingen aan haar hoofd. Met kerst had ze een brief van hem gekregen waarin hij de wens uitsprak in contact te blijven, al was het maar vanwege de nagedachtenis aan Floris. Er zat iets dwingends in zijn toon dat haar niet beviel. Ze had hem een gekochte kerstkaart met zilverglitter teruggestuurd, die hij vast ordinair zou vinden, met 'Beste wensen, Do', en daarmee was hij meteen de enige die een kaart had gekregen.

Anneleen vraagt wat Pieternel precies tegen Van Weelde heeft.

Terwijl Do een absurde inhaalmanoeuvre maakt en de afgesneden automobilist toeterend zijn vinger naar haar opsteekt, vertelt ze: 'Volgens Pieternel heeft hij Mike verslaafd gemaakt. En gehouden. Mike zei er wel bij dat hij snapt dat het zijn eigen verantwoordelijkheid is, maar volgens hem heeft Van Weelde nooit rekening gehouden met zijn zwakte. Die zette steevast een gevuld glas voor zijn neus. Hij had zelfs een tijdje bij hem gelogeerd na het overlijden van Floris, zoals in zijn studententijd, en toen is hij weer bezweken. Elke ochtend opstaan met goede voornemens, maar om twaalf uur de eerste versnapering. Dan zei Van Weelde: "Wil je vast een digestief voor de lunch?" Schandalig toch?'

'Goed, als dat zo is, dan is het inderdaad schandalig. Heeft hij dat allemaal verteld?'

'Ja, joh, hij was een spraakwaterval. Je kon wel horen dat er vele therapeutische sessies overheen zijn gegaan, het jargon vliegt je om de oren. Zelfverwezenlijking, twaalfstappenplan, ontkenningsfase, rouwfase enzovoort. Hoe dan ook, ik vind het fantastisch wat ze nu gaan doen.'

'Ik ook. Het zal mij benieuwen, eerst zien. Heb je nog handel gevonden trouwens?'

'Ja, maar ik moet nu ophangen. Ik geloof dat ik maar beter met twee handen kan rijden. Ik bel je vanavond.'

Thuis raapt Do de post van de mat. Het absentieoverzicht van de school van Charley laat ze nog even ongeopend. Ze wil zich op dit moment niet ergeren. Ze heeft een handgeschreven brief gekregen van een vriendin, kom daar nog maar eens om. Wat fijn, die gaat ze straks in alle rust lezen. En er is een kaartje van Wikkie, die ze gelukkig het belang van kleine attenties als een handgeschreven ansicht heeft bijgebracht. Er staat: 'Gaat het goed? Ik kom dit weekend niet naar huis, mam. Volgende week weer, oké? Heb gisteren een prachtige wandeling gemaakt in de Diemer Vijfhoek met Sophie. Zo mooi is het daar!' Ze zet de kaart in het zicht in de keuken. Het is de eerste keer dat er een meisjesnaam valt die niet in een hele rij van mensen is opgenomen, denkt ze. En ze weet zeker dat Wikkie het met deze Sophie in een onderaardse zompige grot ook mooi had gevonden. Dan ziet ze een enveloppe van het notariskantoor, maar het adres is handgeschreven. Vreemd. De glimlach verdwijnt van haar gezicht. Ze rukt hem open.

Lieve Dorothee,

In het belang van Willem Frederik wend ik mij tot jou met het volgende. Mij kwam ter ore dat jullie oudste zoon het lidmaatschap van Magistra heeft opgezegd.

Ik begrijp dat hij gezien de onverwachte dood van zijn geliefde vader een moeilijke periode doormaakt. Hij is derhalve niet in staat om nu de juiste beslissingen te nemen. Het is de taak van de volwassenen die om hem geven hem voor fouten dan wel vergissingen te behoeden. Ik begrijp heel goed dat jij gezien dezelfde omstandigheden niet in staat bent om deze kwestie in goede banen te leiden, maar ik weet dat jij net als ik de belangen van je kinderen altijd naar eer en geweten zult behartigen. Ik neem in dezen graag de taken van Floris over. Het zal geen verrassing voor je zijn dat ik altijd een groot zwak heb gehad voor Floris, en daarom doe ik dit graag. Ik weet zeker dat Floris de beslissing van zijn oudste zoon zeer zou betreuren en ik denk dat jij dit net zo goed weet als ik. In dit soort zaken aangaande jullie geliefde kinderen kun je mij beschouwen als een voogd. Dierbare Dorothee, jij bent het zakenleven en het maatschappelijk leven niet gewend, maar geloof me, het lidmaatschap van Magistra opent deuren die anders gesloten zullen blijven. Willen wij allemaal niet het allerbeste voor hem?

Ik stel daarom voor dat ik op onze volgende maandelijkse lunch het belang van zijn toekomst en de voortzetting van de familietraditie met hem bespreek. Hij is de derde generatie binnen Magistra en dit is iets wat niet uit jeugdige onbezonnenheid dient te worden verbroken. Ik ga ervan uit dat je geen bezwaren hebt tegen mijn ingrijpen, maar schrijf je deze brief omdat ik niet buiten jouw medeweten wil opereren.

Het is niet gebruikelijk dat leden die hebben opgezegd weer zomaar kunnen aanzeggen, maar aangezien ik ruimschoots bijdraag aan het lustrumfonds ga ik ervan uit dat er wel iets te regelen valt. Je kunt dit gerust aan mij overlaten en erop vertrouwen dat deze onfortuinlijke tijdelijke dwaling tot een goed einde zal worden gebracht.

Graag wil ik je binnenkort fêteren. Ik heb een bijzonder aardige nieuwe lunchroom ontdekt. Mag ik je daar mee naartoe nemen?

Alle goeds!

Do leest de brief van Van Weelde drie keer. De eerste keer in onbegrip, de tweede keer in verbijstering, de derde keer in blinde woede. Wat denkt die idioot wel niet?

Ze vist haar telefoon uit haar jaszak en zoekt het nummer van Wikkie. Om hem te vragen vooral niet met Van Weelde te gaan lunchen. Dan bedenkt ze zich. Kinderachtig. Nee, toch niet Wikkie bellen. Ze belt nogmaals Anneleen.

'Do! Hoe is het sinds een half uur geleden?'

'Luister en huiver. Ik lees voor.' Do leest de hele brief voor.

'Jezus!' zegt Anneleen. 'Het moet niet gekker worden. Wie denkt dat mannetje wel niet dat hij is? Je vader of zo?'

Nu Do het gelijk aan haar zijde vindt bij Anneleen, wordt ze nog bozer. Ze heeft ontzettend genoeg van die man. Zeker aangezien dit boven op dat verhaal van Mike komt. Anneleen raadt haar aan eerst rustig na te denken voordat ze reageert.

Anneleen gaat achter de computer zitten om haar zakelijke mails te checken, maar kan zich niet inhouden. Ze mailt Cato: 'Weet je wat de Godfather heeft geflikt? Hij heeft Do per brief meegedeeld dat hij met Wikkie gaat eten om de opvoeding ter hand te nemen. Wikkie moet terug in Magistra. En dan zegt hij er ook nog bij dat Floris dat zéker zo zou hebben gewild. Dat is toch morele chantage?'

Cato mailt meteen terug.

'Ja, daar is hij goed in. Dat van mij en Matthijs kwam hem ook goed uit, heeft hij ook lekker gebruikt. De lul.'

Anneleen leest het antwoord van Cato nog een keer. Wat bedoelt ze?

Ze tikt: 'Wat bedoel je?'

Het duurt nu even voor ze antwoord krijgt. Shit, denkt Cato. Dat was 'een beetje dom' van mij. Hoe draai ik me hier uit? Jezus, wat dom. Dat krijg je van dat stomme gemail. Je denkt dat je in je eentje bent en in gedachten praat, maar eens getikt blijft getikt. Negeren, denkt ze, misschien denkt Anneleen er niets van. Maar ze kent Anneleen langer dan vandaag. Ze krijgt vijf minuten later nog een mail: '???'

Cato zet haar computer uit. Ze belt Do.

'Zo, dat gaat snel!' zegt Do. 'Maar goed. Wat vind jij? Ben ik nou overgevoelig en hysterisch?'

'Nee, natuurlijk niet. Het is echt the bloody limit. Nog even en je moet aan Van Weelde vragen hoe laat je kinderen 's avonds thuis moeten zijn. Die vent heeft al veel te veel invloed op de mannen, dat zij dan maar zo, maar van de kinderen blijft hij af. Althans van de mijne.'

'En van de mijne,' zegt Do.

'Wat ga je nu doen? Hem bellen en zeggen dat hij moet opsodemieteren?'

'Ik laat het even liggen. Eigenlijk zou een van de mannen met hem moeten praten. Dan leggen we dat Magistra-verhaal bij de Magistra-mannen neer, waar het hoort.'

'Ik zal het bespreken met Pier,' belooft Cato. 'Hoe was je trip laatst? Nog nieuwe artikelen op stapel? Laten we het over de leuke dingen in het leven hebben.'

Wanneer Do ophangt voelt ze zich een stuk beter. Wat kan haar die stomme notaris ook schelen? Wikkie laat zich echt niet piepelen door die man. Die zal hem zelf wel vertellen dat hij zich met zijn eigen zaken moet bemoeien.

Dan komt Charley thuis, diep verontwaardigd. Ze heeft van haar mentor op school haar absentielijst voorgelegd gekregen, waarmee zij volgens de mentor bijna rijp is voor de leerplichtambtenaar. He-le-maal onterecht natuurlijk, volgens Charley. O ja, en haar fiets is kapot. De mentor is gek en ziek gestoord en trouwens ook dik en hij kan niet luisteren en de gymleraar heeft de pik op haar zodat ze meteen een briefje moet halen als ze echt maar tien seconden te laat is, hij trekt zijn broek debiel hoog op en ze is gewoon echt vergeten weer naar school te gaan na die tussenuren en die keer dat ze drie uur te laat kwam was omdat...

Van Weelde verdwijnt uit Do's hoofd.

* * *

Zondagavond wordt er met zijn allen bij opa en oma Gersteblom gegeten. Opa heeft blanquette de veau gemaakt, Frits heeft een tarte tatin met peren bereid, die kan zo de oven in tijdens het hoofdgerecht, en Pier haalde na aankomst drie Hanos-kratten uit de achterbak met in ieder krat twee levende kreeften onder natte kranten, en zelfgemaakte mayo. Cato vindt het zielig om levende kreeften in kokend water te gooien en had gehoopt op bijval van de dames, maar ze krijgt geen sjoege.

Bij de tarte tatin haalt Pier een brief uit zijn binnenzak.

'Jongens, deze lees ik even voor. Opgediept toen ik op zoek was naar post van Floris. Het is een brief van jou, papa, uit 1981. Flo en ik pasten samen op de jassen bij een ontvangst op het Paleis op de Dam, zo'n Magistra-bijbaantje, en daar was Juliana bij aanwezig. Wij verveelden ons urenlang rot tot de gasten weer zouden weggaan. Toen zijn we Juul en Benno gaan spelen. Floris wilde natuurlijk de prins zijn, kon hem verdomd goed nadoen trouwens, en ik liep rond in de bontjas van Juul. Dat vond ik nogal wat, ik was als de

dood dat we zouden worden gesnapt. Floris vond dat wel een spannend idee, maar het gebeurde niet. We hebben je toen samen een
kaart geschreven, in de wetenschap dat je de lol er wel van zou inzien. Luister.

Waarde zoon, beste Floris,

Dank voor jullie fraaie prentbriefkaart. De voorstelling kwam
mij vagelijk bekend voor. Is dat nou wat men een windmolen
noemt? Helaas sloeg de schrik mij om het hart toen ik de
boodschap op de achterzijde las. Stiekem rondparaderen in de
bontjas van onze Juliana? Terwijl die jas aan jullie was toever-
trouwd, als garderobejuffrouwen? Werkelijk, is er dan niets
meer heilig? Republikeins gedachtegoed mag dan de kop op-
steken in Amsterdam – 'geen woning geen kroning' is het
motto meen ik – maar volgens mij wonen jullie voor een stel
snotneuzen toch in een waarachtig paleis, zij het niet op kosten van de belastingbetaler. Zijn jullie wellicht vergeten dat
wijlen Wilhelmina onverschrokken via een illegale zender
vanuit Engeland het volk moed insprak? Hoe zij vlak na de
oorlog met baggerlaarzen aan en met gevaar voor eigen leven
voet aan wal zette, volkomen ondervoed, het hongeroedeem in
het lijf waardoor het slechts léék of zij weldoorvoed was? Be-
denk, beste Pier, hoe Juliana zich verlaagde tot het niveau van
het volk, daarin Beatrix bijna met zich meeslepend! Dat wil
niet zeggen dat jij kunt opklimmen naar het Hare! Bernhard,
beste Floris, heeft kapitalen naar Nederland gehaald. Hoeveel
goeds is hiermee wel niet gedaan? Ik noem het opschilderen
van een aantal paleizen, het onderhoud van privélandgoederen
enzovoort. Jongens nou toch. Wees vooral beducht voor verandering van de oude normen en waarden. Floris, ik zal contact moeten opnemen met je ouders opdat we jullie alsnog

naar Zwitserse kostscholen kunnen sturen, waar men manieren leert, vlekkeloos Frans en sinaasappels eten met mes en vork.

Groeten, ook van mama/mijn vrouw

PS Bijgesloten een bankbiljet, uit te geven aan shoarma en oranjebitter.

Frits kende het verhaal niet en vindt het typisch humor van pa, Anneleen vindt het ook dolkomisch en bovendien echt iets voor Floris, de kinderen vinden het een verhaal uit de prehistorie, maar Cato, die doorgaans alles van haar schoonvader grappig vindt, zit zichtbaar met haar gedachten elders.

'Help jij me even met opruimen?' vraagt Cato na het eten aan Frits.

'Tuurlijk,' zegt hij, 'je bent immers mijn favoriete schoonzus.' Hij stapelt bordjes en bestek, en volgt haar naar de keuken.

'Kunnen we een afspraak met elkaar maken?' vraagt Cato terwijl ze een schort aan Frits overhandigt. Hij kijkt haar niet-begrijpend aan. 'Ik wil je ergens over spreken.'

'Waarover dan?' vraagt Frits.

'Het is nu geen goede gelegenheid,' zegt Cato zakelijk. 'Wanneer kun je?'

'Dat hangt ervan af waar het over gaat,' zegt Frits jolig.

'Niet nu.' Ze spiedt naar de deur of er iemand binnen gehoorsafstand staat.

'Catootje, Catootje, maak me niet gek. Anders kan ik niet slapen straks. Voor de draad ermee. My lips are sealed.'

'Indeed, Frits. Net als de mijne.' Ze ergert zich, ze weet niet precies waaraan. 'Ik wil het hebben over het groenweekend. Zo goed? Ik weet wat Anneleen niet weet. En daar krijg ik steeds meer moeite mee. Ik hou al dertig jaar mijn mond. Ik doe natuurlijk niets achter je rug om, maar ik wil het er in ieder geval met jou over hebben. Bijvoorbeeld over de gevolgen als Anneleen erachter komt.'

Frits staart haar verbijsterd aan.

'Bel mij hier alsjeblieft morgen over,' vervolgt Cato. 'Ik zal niks zeggen als jij denkt dat dat op een scheiding uitloopt, maar denk erover na. En nu afwassen,' zegt Cato. Ze spuit de halve fles afwasmiddel in de volgelopen gootsteen en steekt haar handen tot aan haar ellebogen in het sop.

Frits belt na thuiskomst met Pier, die al lag te slapen. Pier is al twee dagen door Cato doorgezaagd over het onderwerp. Ze wil niet meer dat zij als enige Magistra-vrouw van het ongeluk af weet. Van alles heeft Cato erbij gehaald, van Van Weeldes actie in Italië (wat hem natuurlijk ook dwarszit), tot haar ergernis over Piers gebrek aan wezenlijke communicatie en vermogen tot inleving, en over het gebrek aan vermogen tot wezenlijke communicatie van mannen in het algemeen en van alle mannen in het bijzonder, waar hij dan weer niets van begreep.

Frits maakt Pier een compliment omdat Cato dertig jaar haar kaken op elkaar heeft gehouden.

'Moet je tegen haarzelf zeggen, dat is namelijk wel terecht,' zegt Pier.

'Ik zeg het nu toch?' zegt Frits.

Pier vertelt Frits hoe Van Weelde Cato had klemgezet op het station in Italië, hoe hij dreigde dat haar affaire met Matthijs zou uitkomen als ze zich niet aan zijn regels zou houden, over de brief van Van Weelde aan Do en de verspreking van Cato tegenover Anneleen in haar mail. Frits begrijpt eindelijk waarom Pier Van Weelde ineens niet meer trekt.

'Oké, fuck it. Ik zal het Anneleen vertellen.'

Het blijft even stil.

'Denk er eerst even over na,' zegt Pier. 'Je zegt dan wel dat je al die jaren iets hebt achtergehouden.'

'Dat moet dan maar. Ik heb er schoon genoeg van,' zegt Frits.

'Ja, eens,' zegt Pier. 'Zet hem op.'

* * *

's Gravenzande, 18 mei 2009

Lieve jongens,

Ik zou bijna willen beginnen met: het is mij zwaar te moede... En hoewel dit klopt, zeg ik het liever in mijn eigen woorden. Deze brief krijgen jullie allemaal. Afgelopen jaar was een klotejaar. Ondanks alles (de dood van onze geliefde vriend, mijn terugval) is het voor mij ook het jaar van de ommekeer. Het is nu of nooit. Het project dat ik ben gestart samen met Pieternel is de lakmoesproef: gaat het me lukken en blijf ik droog, of zal ik weer in mijn verslaving vervallen? Dat is het laatste wat ik wil, en ik weet zeker dat dit het laatste is wat jullie voor mij willen. Ik ben jullie al veel dank verschuldigd.

Van W., de Don, of de Godfather, zoals onze meisjes hem noemen, is de voeder en hoeder van mijn drankprobleem geweest. Ik denk niet dat jullie enig idee hebben hoe hij mij in zijn greep heeft gehouden. Naarmate ik ouder werd en ons collectieve geheim verder weg raakte in de tijd, is het juist in steeds heviger mate mijn leven gaan beheersen. Het voelde als een onderhuids gezwel dat op steeds meer zenuwen begon te drukken. Door er niet over te praten, zelfs onderling, zou het wel wegebben, dachten we. Voor mij gold dat niet. Door in een permanent benevelde toestand te geraken kwam de pijn niet al te veel aan het oppervlak. Na Schotland dacht ik mijn leven weer in de hand te hebben, tot ik logeerde bij Van W. Ik vertelde hem dat mijn genezingsproces werd gehinderd door ons gezamenlijke geheim en dat ik zo niet langer wilde leven. Als een hongerige hond op zoek naar een prooi, is hij net zo lang om me heen gaan cirkelen met tal van ethische vragen tot ik uiteindelijk maar één antwoord kon geven, namelijk dat niemand gebaat is bij opening van zaken. Schluss en kop dicht. Ik voelde zo'n walging over mezelf dat de stap naar drank zo weer bleek gemaakt.

Jongens, ik hou zielsveel van jullie. In zekere zin zijn jullie het mooiste wat mij ooit is overkomen. Familie moet je zelf kiezen; jullie zijn mijn familie. Ik kan me nauwelijks voorstellen zonder jullie te leven. Maar ik wil en kan geen enkele omgang meer hebben met Van W. Jullie zijn vanzelfsprekend vrij om met hem te blijven optrekken, maar weet dan dat ik definitief afhaak, voor mijn eigen heil. Want met hem wil ik honderd procent zeker nooit meer iets te maken hebben. De houdgreep waarin wij hebben geleefd, heeft mij uiteindelijk weinig goeds gebracht. Het heeft me jaren gekost om dat in te zien.

Jullie Mike

Pier leest de brief nog een paar keer en belt Frits.

'Heb je de brief van Mike al gelezen?'

'Ja. We hebben het fout ingeschat. Ik dacht altijd dat hij de koelste was van iedereen.'

'Nou ja, de koelste, de koelste. Ik vind het ver gaan om Van Weelde de schuld te geven van je drankmisbruik. En dat het weinig goeds heeft gebracht, hoezo? Hij heeft ons wel uit de gevangenis gehouden.'

'Blijkbaar had Mike dat liever gehad. Dan was hij er klaar mee geweest. Als we al de bak in waren gegaan. Dat valt achteraf gezien nogal te betwijfelen. Ik begrijp hem wel.'

'Frits, achteraf weet iedereen altijd alles. Vind ik wel erg makkelijk.'

'Oké, maar de vraag is: wat nu. Nu komt het erop aan. We moeten blijkbaar kiezen.'

'Kiezen tussen Mike en Van Weelde is voor mij niet zo moeilijk, broertje. Weg met die ouwe afperser. Oprotten. Cato wil hem natuurlijk überhaupt nooit meer zien.'

'Matthijs ook niet, denk ik,' zegt Frits.

'Die zal ik maar even laten passeren.'

'Sorry, ik bedoelde dat niet gevoelloos tegenover jou. Heb je al anderen gesproken?'

'Nee. Ik zal Charles bellen.'

'Ik bel René.'

'Oké.'

Zodra Frits de verbinding verbreekt wordt hij gebeld door Philip. Philip heeft Defares al aan de lijn gehad.

'Dat het zó diep lag bij Mike wist ik niet, jij?'

'Nee,' zegt Frits. 'Pier vindt het ver gaan je verslaving bij iemand anders neer te leggen. Dat is inderdaad nogal wat.'

'Ik vind het ook ver gaan. Wat niet wegneemt dat ik ook genoeg heb van dat eeuwige geheim. Wat mij betreft maken we allemaal schoon schip.'

'Jij hebt geen kinderen, Philip, dat ligt ietsje anders.'

'Ja, dat is waar. Maar mag ik je eventjes herinneren aan het feit dat ik reed, en dat ik dus degene ben die aansprakelijk is? Ook al heb ik dan toevallig geen kinderen?'

'Flippie, mag ik je even herinneren aan het feit dat Floris aan het stuur trok, zoals wij allemaal heel goed weten, ook al hebben we het er nooit over, en dat wij er allemaal als bange konijnen vandoor zijn gegaan zonder dat wij heel zeker wisten dat hij al dood was? Jij hebt niet meer schuld dan wij. God, denk je dat nu na dertig jaar nog steeds? Dat meen je niet, man, dat vind ik echt zuur. Heb je daar wel eens met iemand over gepraat?'

Frits klinkt oprecht begaan en aangedaan. Philip vindt het ontroerend en blijft even stil. Nee, hij heeft nooit een therapeut bezocht. En ja, hij wil toch van dat geheim af, het brengt niets, ook de kinderen hebben er geen baat bij, snappen ze dat nou echt niet?

Hij zegt: 'Ook voor de kinderen is oud zeer beter te behappen dan een geheim, zeker op deze leeftijd. Dat denk ik echt.'

'Wat een onzin. Een geheim is geheim, daar weten de kinderen niets van, dus schaadt het niet. Klaar.'

'Ik ben het niet met je eens. En er is geen sprake van dat ik Mike in de steek laat.'

'Nee, dat wil ik ook niet. Oké. Ik bel Charles. En nog iets: ik heb het aan Anneleen verteld.'

'Goed zo,' zegt Philip. 'En is ze weggelopen?'

'Nee,' zegt Frits.

'Zie je wel? Zie je nou wel? En dat doen je kinderen ook niet. Dat weet je eigenlijk best. Je moet alleen even door de zure appel heen bijten en dan is het voorbij. Tot later.'

* * *

'Als hij me dit tien jaar geleden had verteld, had ik mijn koffers gepakt. Maar inmiddels heb ik geaccepteerd dat mannen gewoon compleet anders in elkaar steken dan vrouwen en reken ik hem dat gebrek aan vertrouwen niet aan,' zegt Anneleen. 'Het is gewoon des mans. Als je er niet over praat, is het er niet.'

Ze zit met Cato aan tafel in restaurant Chartier in Parijs. Ze hebben een tentoonstelling bezocht, crêpes gegeten, voor een godsvermogen geluncht op de bovenste verdieping van het Centre Pompidou en zich wezenloos gewinkeld, en ze genieten nu van mayonaise-eieren, choucroute en het zoveelste glaasje spotgoedkope slobberwijn. Alleen al het in de rij staan voor dit restaurant was een feest.

'Dus nee, ik was niet woedend, ik vond het eerder zielig voor Frits dat hij dit in zijn eentje heeft moeten dragen, *no offence* ten aanzien van Pier of de vriendjes van '79. Het was een ongeluk, verdomme! Het was natuurlijk veel beter geweest als het meteen was uitgekomen. Gewoon normaal volwassen gedrag. Het is Van Weelde die het heeft omgevouwen tot een moord. Wat een onnodige ellende allemaal voor al die jongens. Vreselijk.'

Cato knikt steeds. 'Je wilt niet weten hoe vaak ik mijn tong heb afgebeten tegenover jou. Echt, het was nauwelijks te doen. De dood van Floris heeft het allemaal weer naar boven gebracht.'

'Ik vind het knap van je, echt.'

'Dank je.'

'Pieternel weet het natuurlijk ook.'

'Hoezo?'

'Luister, als je na zo veel jaartjes weer bij elkaar komt, maak je schoon schip. En Mikey Pikey is in Schotland gepokt en gemazeld in het confessionwezen. Ik verwed er een doos champagne om dat hij het haar heeft verteld.'

'We zullen haar eens mee uit eten nemen. Vind je niet?'

'Zeker. En Do?'

'Tja, moeilijk.'

'Ik heb uren en uren met haar in het autootje gezeten. Het lijkt mij sterk dat zij het wist en dat het dan niet ter sprake was gekomen.'

'Maar als ze het niet weet, dan moet ze er ook niet achter komen.'

'Waarom niet? Ik vind het toch ook geen ramp? Dat wil zeggen, ik was wel geschokt door het verhaal. Mijn eigen man betrokken bij iemands dood, op zeer jeugdige leeftijd. Probeer het maar eens voor je te zien als je eigen kind bijna net zo oud is als hij toen was,' zegt Anneleen.

'Ja, het is natuurlijk vooral vreselijk triest. Maar in Do's geval kan ze het niet bespreken met Floris. Dat is toch anders. Dan verander je een beeld van haar geliefde die er niet meer is. Dat is niet eerlijk.'

'Ik denk dat Do dit heel goed aankan. Nogmaals: we hebben het niet over moord. Dat is het zo ongeveer geworden door het onder de pet te houden, maar dat was het gewoon niet.'

'Wie weet waar Van Weelde haar mee zou chanteren. Over vreemdgaan kan het gelukkig niet meer gaan nu Floris dood is. Die man is een regelrechte intrigant, verpakt in mooi taalgebruik en wellevendheid,' zegt Cato.

'En dat briefje over Wikkie deugt natuurlijk ook totaal niet.'

'Nee, compleet van de pot gerukt.'

'Is Pier er inmiddels een beetje overheen, het gevalletje Matthijs?' Anneleen is blij dat ze eindelijk deze vraag durft te stellen. Tot dusver heeft ze het onderwerp vermeden, al snapt ze zelf niet precies waarom.

'Hij heeft het er nooit over, behalve als hij een stok nodig heeft om de hond te slaan. Dus als we ergens onenigheid over hebben en hij krijgt zijn zin niet, dan komt er altijd een snerpende opmerking over mijn onbetrouwbaarheid.'

'Tja, het gaat ook ver natuurlijk. Met Matthijs!'

'Nou niet de maagd Maria uithangen, Anneleen. Alsof jij hem niet leuk vond.'

'Dat is wat anders dan het doen.'

'Jij durft niet, dat is wat anders dan het uit principe niet doen. Wat ik nog het ergste vind is dat Pier denkt dat ik het deed om hem terug te pakken voor die vrouw uit de therapiegroep. Alsof ik het met tegenzin deed, alleen maar voor Pier. Mannen denken echt dat vrouwen eigenlijk niet willen vreemdgaan en het alleen maar doen om hen te pesten.'

'Ze vinden het ook echt wat anders. Frits vindt het bijvoorbeeld veel erger dat jij het deed dan dat Pier het deed.'

'Want? Hoezo? Omdat het zijn broer is zeker! Ja, logisch. Dat is gewoon partijdigheid.'

'Nee, omdat het voor een man niks voorstelt. Dat zei hij.'

'Wat een onzin. Wat een eikel.'

'Ho ho, wel mijn eikel, Cato. Kijk, als een man het doet is het een vergissing en is hij ten prooi gevallen aan natuurlijke driften...'

'... of hij werd verwaarloosd door zijn vrouw en dus was het haar schuld. Of hij is verleid en kon er niks aan doen. Maar als een vrouw het doet is het algehele onbetrouwbaarheid en een persoonlijke belediging. Zo werkt dat. Zo denken ze.'

'Nou, dat weten we dan nu, Cato. Niet meer doen dus.'

'Voor Pier is het ook een onverdraaglijke gedachte dat hij nu voor een aantal vrienden met hoorns rondloopt. En hij heeft mij drie keer op hiv laten testen. Dan riep hij: 'Weet jij veel waar die smeerlap hem daar in Afrika allemaal in hangt?"

'Dat weet je toch ook niet?'

'Dat heb ik toch gevraagd? Jezus!'

'En dan weet je het? Doe niet zo naïef.'

'In ieder geval had ik geen enge ziektes.'

'Heb je nog iets van hem gehoord?'

'Nee,' liegt Cato. Om haar leugen af te zwakken zegt ze er naar waarheid achteraan: 'Niet meer gezien.'

'Knapperdje.'

'Mijn nieuwe minnaar zit dichter bij huis,' zegt Cato met een uitgestreken gezicht.

'Wat? Dat meen je niet!' Anneleen is geschokt, maar ze vindt het tegelijkertijd enorm interessant. Zou ze zelf ook niet... Ze zucht.

Cato lacht haar uit. 'Ja, joh, Wappe, de dirigent van het Jopper zangkoor. De lokale *catch* van de eeuw. Ik maak maar een grapje, hoor.'

Anneleen kijkt haar aan. Zou het?

'Kom jij op die buitenlandtripjes nou nooit eens een interessante meneer tegen?' vraagt Cato.

'Ik let er niet zo op. En jeetje, we zijn ouwe wijven, hoor.'

'Dat denk jij.' Ondanks je *bloody* botox, denkt ze erachteraan. 'Do heeft daar in Praag ondertussen wel prins Paprika achter zich aan. Dat heeft ze niet gezegd, hoor, maar ze heeft het wel vaak over die man, en ik voel aan mijn water dat er iets gaande is met die Lolos of Lubok, of hoe hij ook mag heten.'

'Nou, dat heeft ze dan heel handig gedaan, een kunstprof. Maar ze heeft er tegen mij niks over gezegd. Dus. Je ziet vast spoken. Ik denk niet dat Do in staat is om Floris zo snel te vergeten.'

'Kom op zeg, wie zegt dat ze Floris is vergeten? Hoe kom je erbij. Wat zegt dat nou. Hij leidt haar af en Do laat zich afleiden. Wat is daar mis mee? Ik denk dat als ze een minder dominante man had gehad, Do heel andere talenten had ontwikkeld. Misschien dat ze zich onder leiding van die prof gaat ontpoppen als een grote in de kunst, weet jij veel. Ze is wel cum laude afgestudeerd. Ooit. Ze is allesbehalve dom, onze Do.'

'Ja, maar zo'n Oostblokker, ik weet niet, hoor, is dat nou wel een geschikte partij voor Do? Kennen we geen leuke dokter voor haar, of een verlaten advocaat? Daar heeft ze toch veel meer aan. Veel gemakkelijker ook, voor iedereen bedoel ik. Zo iemand kennen we toch wel? Iemand die dezelfde taal spreekt, die hetzelfde leventje leidt. Ik heb een leuke man in de straat wonen, net zo'n type als Floris. Zal ik die twee eens samen voor een etentje vragen?'

Cato zucht. 'Ach Anneleen, wat is er mis met een ander soort man? Laat die vrouw toch lekker klooien met die snor.'

Dan krijgen ze twee cointreau aangereikt van de ober.

'Die drankjes heb ik niet besteld,' zegt Anneleen. 'Jij toch ook niet?'

De ober wijst op twee heren aan een tafeltje verderop. De heren heffen het glas.

Cato proost terug.

'Wat doe je?' zegt Anneleen.

'Kijk niet zo zorgelijk,' zegt Cato. 'We kunnen toch wel even een praatje met ze maken? Je hoeft echt niet meteen met ze naar bed, hoor.'

Een van de mannen, een Brit, loopt naar hun tafeltje en vraagt of ze mogen aanschuiven.

De schoonzussen rollen uiteindelijk om half drie hun hotelbed in.

'Nou Anneleentje, dat was toch een heel leuke avond? Wanneer ben jij voor het laatst op kroegentocht geweest? En je bent nog steeds een brave echtgenote! Bovendien altijd handig, een contact in Londen, toch?'

Anneleen zucht en valt al snel in een diepe slaap. Ze is totaal vergeten het gelkussentje tussen haar borsten te stoppen dat volgens de producenten ervan de vrouw behoedt voor een verkreukeld decolleté in de ochtenduren.

$$* * *$$

Het is tien uur 's ochtends. Do werd om zes uur wakker van de hond van de buren, een mormel met een stamboom en uitpuilende ogen, dat bij nacht en ontij in de tuin wordt uitgelaten en behept is met een allesdoordringend kefje. Omdat ze dan toch te vroeg wakker was, alweer, is ze de tuin in gelopen om met de hand slakken te rapen, dat kan het beste vlak na zonsopgang. Die beesten uitdrogen met gif vindt ze zielig, rapen en in de prullenbak dumpen gek genoeg niet. Daarna heeft ze de pis van de poes in de bijkeuken opgeruimd. Het beest van ruim achttien jaar is bijna blind en lijdt aan allerlei kwalen; waarschijnlijk is het ook licht dement, maar ja, *in sickness and in health* enzovoort, incluis de duizenden euro's die ze al aan de dierenarts heeft overgemaakt.

Vervolgens heeft ze zeker een kwartier Pilates bedreven op de grond naast het echtelijke bed. Ter compensatie heeft ze daarna een boterham met een dikke laag chocopasta gegeten en een sigaret gerookt. Floris maakte vaak opmerkingen als: 'Nog een stuk taart, zou je dat wel doen?' Zelf was hij doorgaans behoorlijk gedisciplineerd. Haar Tsjechische minnaar vindt het fijn om haar te zien eten en zeurt ook niet over dat roken. Luboš vindt haar gewoon leuk zoals ze is. Ze schaamt zich meteen diep voor deze geestelijke ontrouw aan Floris, bovendien is het niet eerlijk. Tenslotte heeft ze zich zélf jarenlang uitgehongerd uit angst dat Floris haar een beetje te dik zou vinden. Ze heeft zich in het huwelijk gewoon te afhankelijk op-gesteld en niet omdat dat moest van iemand. Die tijd heeft ze nu ge-had. Ze heeft zich met de professor van het begin af aan zelfstandi-ger getoond. Dat vindt hij grappig, lijkt het. Maar een relatie is gemakkelijker als je elkaar net kent, en elkaar bovendien niet altijd ziet, dat weet ze donders goed. Tegelijkertijd is ze er onzeker over juist omdát hun contact op afstand blijft en niet dagelijks wordt ge-voed. De keren dat ze elkaar zagen, moest ze haar gêne voor haar blote lichaam steeds weer overwinnen, hoe enthousiast hij ook over haar is.

Voorlopig is de kans klein dat ze elkaar snel zullen zien. En als ze heel eerlijk is tegenover zichzelf, vindt ze dat niet eens heel erg. Zal ze hem bellen, ter afleiding? Hij is vele malen spannender dan de mannen uit haar omgeving. Maar dan, wat moet ze zeggen? Wat deelt ze behalve de liefde voor dat Boheemse glas nog meer met deze man? Ze kan hem niet eens lastigvallen met alles wat echt be-langrijk voor haar is, met haar verhalen over haar familie en vrien-den, die hij niet kent en ook nooit zal leren kennen zoals zij. En nog veel belangrijker, over haar immense verdriet om Floris.

Do heeft het nieuws aangezet, haar e-mail gecheckt en toch weer ge-noten van een lief en grappig mailtje uit Praag, haar benen gescho-ren – het is tenslotte mei – en vervolgens Charley haar bed uit ge-timmerd en naar school gedirigeerd. Charley eist een briefje voor de schooladministratie omdat ze ongesteld is en dan 'natuurlijk' niet kan gymen. Ze tikt een briefje op de computer waarin staat dat haar dochter 'wegens ongesteldheid niet kan gymen'. Floris had het prachtig gevonden, weet Do, en dit briefje graag geschreven. Zijn meiske wordt groot. Maar Charley is woedend over de inhoud van het briefje. Het moet over. 'Dat is te expliciet! Schrijf iets als "om medische redenen"! Dit ga je toch niet opschrijven? Jezus! Je kunt toch beter een ziekte hebben dan ongesteld zijn?' Do moet lachen en zegt dat ze niet zo opgewonden moet doen. Dat leidt uiteraard tot nog meer opwinding. Do wordt boos, hoewel ze weet dat het niet helpt. Ze mist in dit soort situaties de onomstotelijke zelfverzekerdheid van Floris. Tot haar opluchting verlaat Charley niet lang daarna het huis, stampvoetend en het lange haar achteroverzwiepend voordat ze de voordeur achter zich dichtknalt.

Door de straat hoort ze een opgevoerde scooter voorbijscheuren. Afgelopen zaterdag heeft een oude vriendin uit Laren haar op een feestje verteld over hun weekend daarvoor. Zij was met haar man naar een congres. De jongens van negentien en achttien hadden ze achtergelaten met een volle ijskast en de belofte dat zij goed huisvaderschap zouden betrachten. Omdat het congres te saai was, waren vader en moeder zaterdagavond laat al naar huis gekomen. Daar troffen ze vele blote tieners in diverse samenstellingen aan. Overal lagen lege flessen, de peuken waren uitgetrapt op het parket. De keukenvloer lag vol gebroken glas. De enige niet-blote tiener lag met zijn laarzen aan in coma in het echtelijk bed. Naast een opgedroogde plak kots. Toen haar man eindelijk alle 'gasten' het huis uit had gewerkt en hij net wilde beginnen zijn zoons flink de oren te wassen, werd er aangebeld. Daar stond een pizzakoerier met vijfentwintig pizza's. Dat was de druppel. Haar man was totaal geflipt. De pizzakoerier kreeg het geld naar zijn behelmde hoofd gesmeten.

Gelukkig is deze situatie ondenkbaar in haar gezin. Of toch niet? Mauk vertelde haar dat een medescholier met ADHD zijn ritalin opspaart en verkoopt aan kinderen zonder ADHD die erop trippen in het weekend. Ze was echt geschokt. Het leek haar nog wel zo'n aardige jongen, deze dealer, ze kent hem wel. Gewoon zo'n knul op een scooter. Niet dus. Zouden die ouders dat weten? Allebei medisch specialist, maar thuis blijkbaar niet.

Do herinnert zich ineens dat Floris toen de kinderen nog klein waren nooit naar het strand in Wijk aan Zee wilde. Hij werd zo depressief van alle rolstoelers van Heliomare, die altijd in een rijtje voor de strandopgang stonden. Ze hadden het daar een keer over tijdens een etentje, toen Pier zei: 'Daar heb ik een remedie tegen, die depressieve gevoelens. Je moet je gewoon voorstellen dat al die rolstoelers aangereden pizzakoeriers zijn.' Dat vonden alle heren een hele goeie. Zijzelf vond het een nare, misselijke opmerking. Dat vonden ze overgevoelig van haar. 'Kom op zeg, waar is je gevoel voor humor?'

Nu heeft ze andere zaken aan haar hoofd. Gistermiddag is er een doos bezorgd met een tafelornament. Zij moet beoordelen of dit waarachtig Boheems glas betreft. Ze hoopt het. De bevrediging van het zien van echt werk is groter dan de bevrediging van het ontmaskeren van een nepper. Ze maakt de tafel vrij. Ze zet de vaas met bloemen op de grond en legt de schoolspullen van Charley op de trap. Dan trekt ze haar witflanellen handschoenen aan, opent de doos en gooit het bubbeltjesplastic op de grond. Uit de doos diept ze een ornament op in alle schakeringen rood. Het straalt de doos uit. Kan het haar eigenlijk schelen of het nep is? Het is prachtig. Ze zet het voorzichtig op tafel. Dan gaat de bel en Do kijkt verstoord om zich heen alsof de onaangekondigde gast meteen in de kamer staat. Wie belt er nou aan om tien uur 's ochtends? Ze zucht, doet haar handschoenen uit en loopt naar de deur.

'Hai,' zegt Pieternel. 'Stoor ik?'

Do is verbaasd. Vanwaar dit onverwachte bezoek? Ze kussen drie keer, enigszins ongemakkelijk.

'Jeetje, Pieternel. Leuk je te zien, gezellig. Zo zie je elkaar tien jaar niet, en nu twee keer achter elkaar. Wat een verrassing! Kom binnen. Koffie?'

Pieternel loopt achter haar aan naar de keuken. Do drukt op de toetsen van het espressoapparaat en vist een stuk zelfgemaakte appeltaart op een bordje uit de ijskast. Drie dagen oud, moet kunnen. Ze opent de keukenkastjes en speurt naar koekjes. Weinig kans, met die niets ontziende kakkerlakken van pubers over de vloer. Maar je weet nooit, misschien is er iets eetbaars in plastic verpakking aan hun aandacht ontsnapt. Ondertussen babbelt Pieternel over de boerderij. Er zijn inmiddels acht afgekickte verslaafden bij hen ondergebracht, die therapeutisch werkzaamheden verrichten. Ze mogen er verblijven onder voorwaarde dat ze clean zijn. Pieternel speelt moeder-overste. Mike runt de normale boerenwerkzaamheden, doet de dagopening en de dagafsluiting met de gasten en is verder altijd aanspreekbaar voor ze. 'Toen je toevallig bij ons langskwam, was alles nog in de aanloopfase,' zegt ze, 'maar het begint nu vaste vorm te krijgen.'

Do vindt het fantastisch dat Mike en Pieternel dit doen.

'Je moet erg veel van hem zijn blijven houden, ook toen jullie uit elkaar waren,' zegt ze. Ze schrikt van haar eigen woorden. Onbetamelijk eigenlijk, om zoiets te zeggen. Maar ze krijgt een brede glimlach van Pieternel.

'Ik vind het helemaal niet erg hoor, dat je zoiets zegt, integendeel. Dat altijd leuk-en-gezellig-zijn levert uiteindelijk niet zo veel op. Ik vond het zo leuk om je te zien bij ons. Ik heb jullie allemaal gemist, hoor, toen Mike en ik uit elkaar waren. De weekendjes, de vanzelfsprekendheid, echt. Alleen komen de wezenlijke problemen nooit aan de orde, en dat is jammer. Mike is trouwens nog steeds helemaal clean. Ik sta mijzelf inmiddels toe te hopen dat het zo blijft.'

Do schaamt zich. Toen deze vrouw het niet meer trok met Mike, heeft ze zich niets aan haar gelegen laten liggen. Natuurlijk was dat moeilijk. Je verlaat niet alleen je man, maar ook zijn hele sociale umfeld. Wat een klotewijven zijn ze eigenlijk, dat ze Pieternel zo hebben laten barsten.

'We hadden contact met je moeten blijven houden,' zegt ze. 'Er is geen enkel excuus. Pure lamlendigheid van ons. Het spijt me echt. We hebben wel geprobeerd Mike te helpen, maar jou niet.'

Ze zitten inmiddels in de loungetuinstoelen, die ze nota bene een maand voor het overlijden van Floris heeft aangeschaft als voorschot op zijn verjaardagscadeau. Het huilen staat Do ineens nader dan het lachen. Waar gaan al die zogenaamde vriendschappen voor het leven eigenlijk over? Allemaal eigen-komt-eerst. Zolang het niet te ingewikkeld wordt is het goed. Anders houdt het meteen op. Pijnlijk maar waar.

Pieternel helpt haar niet uit de brand.

Do staat op.

'Laat mij je rondleiden door de tuin. Dan krijg je een exposé over plantjes, bloeiers van Floris die je ook ziet in de juiste Home and Gardening-glossy's. Goed?'

Pieternel volgt haar en geeft tips. 'Dat is zevenblad. Uitroeien. Dat gaat woekeren. Je rozen hebben schimmel. Zie je dat niet?'

Ze gaan weer zitten. Wie schiet er eerst? Pieternel.

'Ik kom hier om iets met je te bespreken.'

'Dat vermoedde ik al,' zegt Do met een klein stemmetje.

'Wij hebben het contact met Van Weelde verbroken. Dat accepteert hij blijkbaar niet. Hij heeft ons een brief geschreven waarin hij zegt dat hij bij ons wil intrekken wanneer hij niet meer zelfstandig kan wonen. Hij zegt dat Mike hem dat verschuldigd is.'

'Wat?'

'Ja, de man heeft een ontstellende plaat voor zijn kop. Geen sprake van natuurlijk dat dat gaat gebeuren, maar er is nog iets wat mij stoort. Hij zegt dat hij met Floris een overeenkomst heeft dat hij bij jullie zou komen wonen op zijn oude dag. Hij krijgt allerlei gezondheidsproblemen, schijnt. Hij zegt nu dat jij dat niet aankan en suggereert dat jij het beter vindt dat hij bij ons komt wonen, omdat wij de ruimte hebben. Ik kan het niet verdragen dat Floris, sorry, hij kan dan wel dood zijn maar toch, of jij, voor ons denkt te kunnen bepalen dat wij Van Weelde moeten nemen.'

'Maar daar weet ik helemaal niets van!'

Pieternel ratelt door.

'Ik heb die absurde bijna ziekelijke dwang om voor die "ouwe poep" Van Weelde te zorgen, jarenlang gepikt, maar nu niet meer. Er valt niks meer af te lossen. Eerlijk gezegd heb ik nog liever dat Mike weer gaat drinken dan dat wij Van Weelde in huis nemen. Of, eigenlijk gaat dat waarschijnlijk samen. Ik pik helemaal niks meer van dat Magistra-gelul, want als puntje bij paaltje komt, levert het niks op ook.'

Pieternel komt op stoom. Alle vriendelijkheid verdwijnt op slag uit haar gezicht. Do kijkt haar verbaasd aan. Zo heeft ze Pieternel nog nooit gezien. Ze weet trouwens ook niets te zeggen. Pieternel gaat door.

'Ik heb van niemand van jullie iets vernomen toen het misging. Het is over tussen Mike en Pieternel, dus is Pieternel geen onderwerp meer in jullie leventje. Dus. Wat ik kom zeggen is dit: als jullie hebben beloofd om hem te nemen, dan doe je dat maar, ook al is Floris er niet meer bij. Het spijt me zeer, maar ik laat mij die man niet door Magistra '79 in de mik splitsen. Mike kan hem niet meer verdragen. Ik kan die man al heel lang niet meer verdragen. Als jullie je verantwoordelijk voelen, nemen jullie hem zelf maar. Ruimte zat.'

'Sorry, hoor, maar ik volg je even niet. Waar heb je het over? Ik weet niks van afspraken over of met Van Weelde. Dat heb ik net toch gezegd? Je geeft Floris en mij de schuld van je eigen probleem.' Do wordt nu ook een beetje pissig. Wat is dit voor een overval ineens, ze zit hier nota bene in haar eigen huis. 'Als je Van Weelde niet wilt, dan zeg je toch gewoon nee? Wat heb ik daarmee te maken?'

'Wat jij daarmee te maken hebt? Kom op zeg. Ik hoef geen rekening te houden met jouw kinderen, ik hou alleen nog maar rekening met Mike. Mike heeft de jongens allemaal geschreven dat hij Van Weelde op geen enkele manier meer in zijn leven wil.'

'Wat bedoel je in godsnaam? Daar weet ik niets van, ik heb geen brief gezien. Kom je hiernaartoe gereden om te zeggen dat ik die man moet gaan verzorgen? Hoezo? Doe eens even normaal, zeg! En wat hebben mijn kinderen hiermee te maken? Kun je weggaan? Ik heb werk te doen.' Do is inmiddels rood aangelopen. Haar handen trillen en ze staat op.

Pieternel bestudeert haar scherp. Dan zegt ze: 'Weet je, volgens mij ben jij niet op de hoogte. Sorry dat ik je uit je evenwicht heb gebracht. Sorry, ik heb me ergens heel erg in vergist. Ik ga naar huis.'

'Op de hoogte waarvan?' vraagt Do.

'Het wordt hoog tijd dat wij Magistra-vrouwen eens een serieus gesprek gaan voeren,' zegt Pieternel. 'Nogmaals sorry. Ik spreek je.' Ze loopt de deur uit en laat Do nog even in haar keurige veilige sopje gaarkoken.

Zodra ze in de auto zit pakt Pieternel haar telefoon. Ze stuurt een sms naar Cato. 'Kunnen wij binnenkort afspreken?' Do is blijkbaar altijd beschermd geweest. Wie nog meer? Ze kan bijna niet geloven dat die stomme kerels over zoiets hun mond houden tegen hun bloedeigen vrouw. Nou, dat zal dan wel normaal zijn bij zogenaamd nette mensen. Die hebben nooit problemen, daar gaat altijd alles goed. Maar zo is ze zelf toevallig niet getrouwd.

Do staat met haar handschoenen aan naar haar rode ornament te kijken. Het is vast nep, denkt ze boos. Wat een strontvervelend en intimiderend gesprek was dat. Do kan nauwelijks verdragen dat haar de les wordt gelezen in haar eigen huis. En dan dat toontje! En dan blijken haar rozen ook nog eens schimmel te hebben, 'zie je dat niet?'. Ze pakt haar object en draait het om. Het is niet nep, stelt ze al snel vast.

Do's boosheid maakt plaats voor schaamte. Na jarenlange vriend-schap en optrekken als stellen, hebben ze Pieternel gewoon uit het vriendensysteem gegooid. Heel erg. Stel je voor dat zij zelf zonder pardon was gedeletet na het overlijden van Floris. Dat zou toch ver-schrikkelijk zijn geweest? Vanuit Pieternel gezien is haar actie eigenlijk helemaal niet zo gek, bij nader inzien. Ze zal straks de schoonzussen bellen. Ze moeten maar een andere oplossing verzin-nen voor de oude dag van de Godfather. Ze kan zich niet concentre-ren, pakt het rode gevaarte weer in en stort zich op de kamer van Mauk. Hier kan zelfs de werkster niet tegenop. Do gaat de immense bende te lijf. Hier is haar taak volkomen helder.

Pieternel is bijna thuis en heeft erge spijt van haar gedrag net bij Do. Dat was nergens voor nodig. Het arme schaap wist kennelijk nergens van. Ze neemt gas terug, niet ook nog even een bon scoren. Thuis meteen bellen en excuses aanbieden, neemt ze zich voor. Dan belt Cato.

'Ik kreeg net je sms,' zegt ze. 'Heb je zin en tijd om op korte ter-mijn uit eten te gaan? Kun je vrijdagavond? Dan gaat Anneleen ook mee. We hebben denk ik veel te bespreken.'

'Goed idee. Laat maar weten waar ik hoe laat moet zijn. Ik zit in de auto en bel niet handsfree, dus ik hou het kort.'

'Prima, ik bel je nog,' zegt Cato en ze hangt op.

Die weten het dus wel, stelt Pieternel opgelucht vast.

* * *

Wel zes keer heeft Anneleen Frits het hele verhaal laten vertellen en elke keer had ze weer nieuwe vragen naar details die Frits absurd vond. Hij was het na de tweede keer al beu. Frits had erover ge-klaagd bij Pier.

'Ze wil zo ongeveer weten wat we voor onderbroek aanhadden. En wie precies wat zei op welk moment en hoe er dan bij werd gekeken. Gek word ik ervan.'

'Ja, laat de details maar aan de dames over. Alsof het ertoe doet. Alsof je dat nog weet dertig jaar na dato. Hebben jullie het over de kinderen gehad?'

'Daar moeten we gezamenlijk iets over afspreken. Of we vertellen het ze alle drie, of niet. Het is tenslotte naaste familie. Wat vind jij?'

'Ik geloof dat het er niet meer toe doet wat wij vinden nu onze meisjes het weten. Dat ligt geloof ik niet meer binnen ons beslissingsveld.'

'Nou, je doet je best maar. We moeten dit wel in de hand houden, broer. Morgen gaan ze eten met Pieternel, dat bevalt me helemaal niks.'

'Met Pieternel? Hoe dat zo ineens? Die hebben elkaar toch jaren niet meer gezien?'

'Ik wil niet dat de vrouwen nu met dit akkefietje aan de haal gaan. Misschien had ik het toch niet moeten zeggen.'

'Waarom laat Anneleen het niet gewoon rusten? Cato heeft er toch ook altijd haar mond over gehouden? Het ging haar pas weer storen na die charmante actie van Van Weelde met betrekking tot onze fijne goede vriend Matthijs.'

'Tja, Matthijs is gewoon een onbetrouwbare lul, geen vriend. Zet dat uit je hoofd, het is klaar. Je hebt trouwens zelf ook wel eens een scheve schaats gereden.'

'Dat was iets heel anders.'

'O, was dat iets anders.'

'Matthijs was een vriend! Hij had godverdomme mijn sleutel!' Pier wrijft hardhandig over zijn gezicht. 'Godverdomme!'

Frits kan het nauwelijks aanzien. Arm broertje. Hij probeert te sussen: 'Ja, dat is klote, maar daar ben je nu vanaf.'

'Maar van Van Weelde zijn we nog niet af. En van Mike wil ik niet af.'

'Nee. We vinden er wel wat op.'

'Laten we het hopen. Wat een bukjaar is dit. Echt een klotejaar.'

Pier begint er oud uit te zien, stelt Frits met pijn in het hart vast. Van de *jeunesse dorée* is weinig over. Bij hemzelf ook niet, trouwens. Jong en veelbelovend waren ze ooit, alles hadden ze mee. Niets dan toekomst. Nu zijn hun kinderen jong en veelbelovend. En nog compleet onschuldig. Wat dat betreft heeft hij nog enig begrip voor de geestelijke gijzeling van de kinderloze Van Weelde. Wat moeten ze doen, wat is wijsheid?

* * *

Op zijn kamer overziet Wikkie zijn bezit dat hij straks moet verhuizen. Sophie zit naast hem op het bed en friemelt aan zijn oor. Zo kan hij niet denken. Hij duwt haar hand weg, drukt haar achterover en gaat op haar liggen. Sophie stribbelt tegen voor de lol. Dan wordt er op de deur geklopt.

'Ja,' zegt Wikkie. Zijn inpandige buurman komt binnen en gooit een grootverpakking donuts op het bed. 'Lekker,' zegt Wikkie. 'Iets drinken?'

'Doe maar een spa goud.'

Wikkie haalt bier. Dit zal hij missen straks, gewoon spontaan samen met iemand pilzen zonder dat je er de deur voor uit hoeft. Maar nu hij zijn lidmaatschap heeft opgezegd, kan hij zijn kamer in het Magistra-huis niet aanhouden. De twee jongens gaan in de vensterbank zitten, hun benen bungelen uit het raam. Sophie blijft dit een gruwelijk gevaarlijke gewoonte vinden, maar weet dat ze toch niet luisteren naar haar waarschuwingen. Ook zij zal deze buurjongen missen. Hij speelt prachtig gitaar en ze heeft eindeloos in Wikkies bed door de muur heen kunnen meegenieten. Zingen kan hij ook nog. Zijn dispuutgenoten hebben hem opgegeven voor Idols, maar hij lag er al in de eerste ronde uit vanwege eigenzinnig gedrag en te weinig flair. Met in zijn A H -tas één schone blouse detoneerde hij nogal tussen de kandidaten die verschenen met een moeder en een tante en zes rolkoffers vol accessoires en doorgepaste outfits.

Wikkie heeft een etage weten te regelen in de Pijp. Best duur, maar hij gaat hem delen met zijn broertje Mauk, die volgend jaar ook naar Amsterdam komt. Mauk wil lid worden. Wikkie heeft het hem niet afgeraden, hij moet het zelf weten. Al een week is hij er aan het schilderen. Het schiet ondanks alle hulp niet op, omdat iedere klus-sessie al snel verzandt in eindeloos geouwehoer, muziek en potjes poker. Wikkie houdt wel van klein gezelschap. Het zijn de massale zuipgelagen en de verplichte nummers die hem tegen-staan. Het corporale leven past gewoon niet bij hem. Een paar jon-gens waren diep beledigd en vonden dat hij meteen, onmiddellijk het Huis uit moest omdat dat statutair zo was bepaald. Maar de meesten probeerden hem over te halen te blijven en zeiden dat hij rustig een kamer moest zoeken.

'Ik vind het echt klote dat je weggaat. Waarom kun je hier niet blijven wonen? Word je gewoon buitenlid. Nou ja. Je zoekt het maar uit, eikel.' Wikkie krijgt een klap op zijn schouder waardoor hij bijna alsnog uit het venster valt. Een kort moment krijgt hij spijt. Maar niet heel lang. Zijn geliefde muzikale maat blijft hij heus wel zien.

Wanneer die weer is verdwenen, loopt hij met Sophie naar de A H voor bananendozen. Hij moet maar eens gaan inpakken. Een dezer dagen huurt hij een boedelbak. Drie jongens zullen hem helpen, dan is het verhuizen zo gepiept. Het enige grote stuk dat mee moet is zijn bed. Voor zijn boeken koopt hij wel een paar nieuwe Billies. Laat hij daarmee beginnen. Sophie is ordelijk.

'Meteen uitzoeken, dan kun je het straks zo in de kast zetten,' zegt ze. Bij haar staan de boeken op kleur gesorteerd. Dergelijke interieurgerelateerde dwangmatigheden zijn niet aan Wikkie besteed. Sophie bekijkt met een schuin hoofd zijn boekenkast. 'Hé. Die archiefdoos. Dat is die doos van je vader over Magistra. Laat je die hier achter?'

'Ben je gek! Die is van mijn vader persoonlijk. Weet je dat ik daar nooit meer in heb gekeken? Dat had m'n moeder me nog gevraagd. Dat moet ik wel doen.' Hij grijpt met beide handen een rijtje boeken en kwakt ze in een wijndoos.

Sophie pakt de archiefdoos. Magistra '79 staat er op de voorkant in een stevig handschrift. Ze gaat ermee op bed zitten.

'Laat nou even. Eerst nog wat inpakken,' zegt Wikkie en hij grijpt een volgende stapel. Drie boeken vallen op de grond.

'Kijk! Geweldige foto, kijk nou. Dit is je vader, hè? In een tuinbroek! Ongelooflijk. Hij was wel knap.'

Wikkie gaat naast haar zitten. Hij kijkt naar de foto's, kijkt naar zijn vader, de vrienden van zijn vader, met dikke bossen lang haar, puntlaarzen, leren broeken, oranje blouses met puntkragen, of juist met allemaal hetzelfde zooi-jasje aan, de naden met ijzerdraad verstevigd. In rok voor een gala. Zijn vader met een onbekende schone aan zijn zijde. Wel herkent hij Cato met een getoupeerd kapsel aan de arm van Pier.

Ze vergeten de tijd en beginnen aan de brieven, de verslagen van vergaderingen. Een uitnodiging voor de inauguratie van zijn vader.

```
Convocatie:

Dispuutgezelschap Magistra
Amsterdam, 13 november 1979

Ad praesens ova cras pullis sunt meliora
```

Waarde Reünist!

Ofschoon het maagdelijk witte tapijt thans nog geens-
zins onze fraaie grachten heeft weten te bedekken,
vinden wij het tijd worden om onze feuten met zachte
tang te verlossen uit hun harde maar rechtvaardige
groentijd. Ook dit jaar zijn we er ter sociëteite in
geslaagd de fine fleur eruit te magistreren. Dit jaar
voor het eerst sinds mensenheugenis geen dubbele namen
— het handjevol randadel dat te oogsten viel gunnen
wij graag de bovenbuikers.
Wat we wel hebben: een nieuwe generatie Bussemaker
welke geen nader commentaar behoeft; een uit de klei
getrokken dissident met grootsteedse allure; twee
puike broers die niet in elkaars schaduw lijken te
staan; een jongeling met literaire ambities; een Onst-
wedder Eigenheimer wiens nuchtere naam haaks staat op
zijn mysterieuze gangen; een katholiek die toch be-
trouwbaar lijkt en met zijn filmsterrentronie ongetwijfeld zijn Magistra-zaad over de stad zal uitstor-
ten gelijk het bombardement van Dresden; een exoot uit
onze voormalige wingewesten; een nog niet uitgekris-
talliseerd karakter dat nog enige heropvoeding behoeft
(maar behoeven zij dat eigenlijk niet allen?); een opvallend zachtmoedige pientere jongeling; en tot slot
een voor zijn leeftijd wat ernstige, bedaarde redenaar
met wie het leerzaam argumenteren is.

Kortom, de aanwas van '79:

    Floris Bussemaker
    Mike Dekker

Frits Gersteblom
Pier Gersteblom
René Vermeulen
Poppe Ketelaar
Matthijs Hillen
Sidney Defares
Cees Minderhout
Charles van Praag
Philip Quint

Wij hopen u allen op het Huis te zien op donderdag
29 november om 19.00 uur. Opdat we onze ongeborenen in
groten getale welkom mogen heten in ons illuster dis-
puutgezelschap, zoals u zelf ook het warme bad in bent
gegleden in uw tijd. Na de borrel vertrekken we per
tegenover het Huis aangemeerde vletter naar l'Europe
voor het diner. Aanmelden geschiedt zoals gebruikelijk
door het voor een memorabele avond met uw vrienden
voor het leven luttele bedrag van 105 gulden over te
maken op nummer 28450347 o.v.v. inauguratiediner Magistra '79. Voor wie dit bedrag een obstakel vormt,
vallen regelingen te treffen via de quaestor, Sjoerd
Suylen, woonachtig op het Huis.

Met zonnige groet,
hoogachtend,

Piet-Hein Lindt
h.t. ab actis

Nunc est bibendum, (quidquid latine dictum sit, altum
viditur)!

Hoe kwam zijn vader aan dit convocaat? Zeker van zijn eigen vader gekregen. Hij is benieuwd of op zijn eigen lidmaatschap van Magistra ook 'nader commentaar overbodig' werd geacht. Is het zo vanzelfsprekend dat een zoon zijn vader volgt? Eens kijken of zijn eigen inauguratieconvocaat er ook bij zit.

HET ELFDE GEBOD staat er op een schrift, met berekeningen. Er staat een berekening in van rente over bedragen. Wat is dit? Ze bekijken het schrift helemaal. Achterin staat een keurige lijst. 'Betaald aan V W.' staat er, met data erbij. De eerste datum is in 1983. 'Aflaat inclusief aflossing 79-83.' Dan: '1984 idem, inclusief rente.' Blijkbaar had papa geld van Van Weelde geleend? Nou, dat kan natuurlijk. Maar wanneer hij de bladzijdes omslaat ziet hij tot zijn verbazing dat de lijst doorgaat tot vorig jaar.

'Kijk, op een gegeven moment is hij meer gaan betalen,' zegt Sophie. Inderdaad, ze heeft gelijk. Wat is dit? Het schiet Wikkie te binnen dat Van Weelde tot twee keer toe is begonnen over deze doos. Hij wilde hem per se hebben. Waarom? Wikkie krijgt er de zenuwen van.

'Bel je moeder,' zegt Sophie. 'En vraag het haar gewoon.'

'Stel dat mijn moeder hier niks van weet? Weet je wat zo gek is? Vroeger ging iedereen veel met Van Weelde om, en ik hoorde van mama dat hij er een beetje uit ligt. Er was iets voorgevallen, zei ze. Ze gaf namelijk een diner voor de Magistraten rond papa en daar was Van Weelde niet voor uitgenodigd. Toen ik vroeg waarom, zei ze dat hij te opdringerig werd. Ik heb het verder laten zitten.'

'Opdringerig? Tja. Waarom zou je vader in godsnaam zijn hele leven geld aan die man hebben gegeven? Hij is notaris. Dan ben je niet arm.'

Ze houden nu lang hun mond en pijnigen hun hersens. Wikkie heeft spijt dat hij die koleredoos heeft opengemaakt. Wat gaat het hem ook eigenlijk aan?

De opgewekte stemming is bedorven. Waren ze eerder bezig met iets leuks in de toekomst, nu zitten ze met een raadsel uit het verleden. Ze gooien nog even wat andere spullen in een doos. Wikkie denkt aan zijn vader. Hij denkt en denkt en begrijpt het niet. Ze gaan vroeg naar bed.

De volgende dag staat Wikkie moe op. Hij heeft slecht geslapen. Sophie is al naar college. Om half elf besluit hij voorzichtig zijn moeder te polsen. Hij belt haar op en maakt eerst een babbeltje. Hij vertelt over inpakken, vraagt of Mauk zaterdag naar Amsterdam komt. Zijn moeder biedt aan gordijnen te naaien voor de nieuwe behuizing. Ze zal zaterdag samen met Mauk komen. Wikkie vraagt langs zijn neus weg of ze nog contact heeft gehad met Van Weelde.

'Nee,' zegt Do. 'Ik heb een brief van hem gekregen, maar daar ga ik niet op in. Ik laat me niet het vuur na aan de schenen leggen door die man, zeg. Kom nou.'

Wikkie schrikt. Wat moest hij dan van haar? 'Wat wilde hij dan?'

'Doet er niet toe. Niet belangrijk, geen tijd aan besteden. Hoe is het met Soof?'

'O goed. Zeg mam, Het Elfde Gebod, zegt jou dat iets?'

'Wikkie, het zijn er maar tien. Ben je serieus? Nee, hoop ik. Bij mijn weten is er een café in Antwerpen dat zo heet.'

Zijn moeder klinkt opgewekt. Maar Wikkie schiet er niks mee op. Haar zegt Het Elfde Gebod blijkbaar niks. Het gaat om iets financieels dat kennelijk buiten de gewone administratie viel. Wat zou het kunnen zijn dat zijn moeder niet mocht weten? Het gesprek gaat verder over koetjes en kalfjes.

Wikkie besluit niet naar college te gaan en bekijkt nogmaals het schrift. En daarna nog een keer de hele doos. Hij ziet een krantenknipsel dat hij eerder over het hoofd heeft gezien. Geheimen, zo staat er te lezen, zorgen ervoor dat men korter leeft, sneller chronisch ziek wordt en slechter reageert op medicijnen. Wetenschappelijk onderzoek heeft dit uitgewezen. Sommige zinnen zijn onderstreept met dikke viltstift. Waarom heeft zijn vader dit uitgeknipt? Hij voelt zich misselijk en zijn hart bonkt. Hij leest verder: 'Het meetorsen van een geheim leidt tot verhoogde huidgeleiding' – door dit laatste woord heeft zijn vader een vraagteken gezet – 'hartslag en bloeddruk.'

Wikkie wil absoluut weten wat hier gaande is.

Om tien uur die avond houdt hij het niet langer uit en belt hij Van Weelde. Voicemail. Hij luistert naar de rustige diepe stem van Van Weelde en zegt: 'Hoi, met Wik. Ik heb een vraag. Ik begrijp iets niet, het gaat over mijn vader. Ik heb iets gevonden. Zou je kunnen terugbellen? Ik bel straks nog een keer. Ik ben op het Huis. Dag.'

Wikkie kijkt nog even tv. Waarom nam hij niet gewoon op? Zeker weer in een restaurant en dan 'zet men de elektronica uit, beste jongen'. Hij hoort het Van Weelde zeggen. Hij blijft nog een uurtje zappen en gaat dan languit op bed liggen met zijn iPod op. Zachtjes, zodat hij zijn telefoon hoort als die overgaat.

Om half een staat hij op en pakt zijn jas om naar de kroeg te gaan, hij voelt zich te opgefokt om te gaan slapen. Van Weelde heeft blijkbaar geen zin om te reageren. Dan gaat zijn telefoon. Het is hem.

'Kun je opendoen? Ik sta voor de deur,' zegt Van Weelde.

'O?'

'Doe nou maar gewoon open.'

Wikkie dendert de prachtige oude houten trap af, langs lege of nog halfvolle bierglazen, allerlei troep, opengescheurde post en afgebrande kaarsjes in plasjes gestold kaarsvet en hij snelt door de brede marmeren gang. Het wordt nog even wennen straks in de Pijp, met die smalle marmoleumtrap die bijna eindigt in de voordeur. Wat raar dat Van Weelde zo laat langskomt. Hij opent de zware voordeur.

'Zo, jongen. Ik zat in een restaurant maar ben meteen gekomen toen ik je bericht hoorde.'

'Dat hoeft helemaal niet, hoor. Ik wilde alleen maar iets vragen. Waarom belde je niet gewoon even terug?'

'Kom, ga me voor, we lopen naar je kamer.' Van Weelde zet een stap naar voren en gaat ervan uit dat Wikkie als op commando hem zal voorgaan. Op de een of andere manier stoort hem dat ineens mateloos. Van Weelde ziet er ontzettend gespannen uit. Van zijn gebruikelijke vriendelijke uitstraling valt niets te bekennen.

'Ik wilde net weggaan eigenlijk. Ik heb een vraag en wat mij betreft houden we het kort.'

'Nee, dat kan niet, jongeman. Jij gaat even nergens heen en ik wil echt een moment boven komen. Wij moeten elkaar spreken.'

Wikkie voelt zich als een klein kind behandeld in zijn eigen huis. Hij vindt dat Van Weelde zich autoritair gedraagt, op het agressieve af. Opdringerig. Zijn moeder heeft gelijk.

'Zullen we het er anders morgen over hebben? Het is laat en ik heb nog een afspraak.'

'Jongen, doe wat ik je vraag. We gaan naar boven. Zoals gezegd moeten wij elkaar spreken. Mijn geduld raakt op. Ook voor mij is het al laat. Ga eens even opzij.' Van Weelde legt een hand op Wikkies schouder om hem in beweging te krijgen. Zijn toon bevalt Wikkie helemaal niet. Wikkie zet een stap naar achteren, niet opzij. Hoe komt hij hieronderuit? Het idee dat Van Weelde mee naar boven gaat vindt hij beangstigend.

'Waarom moet dat boven?'

'Ik wil die doos met Magistra-spullen meenemen. Die kom ik ophalen. Ik had dat al veel eerder moeten doen.'

'Die doos is van mijn vader.'

'Wikkie, ik weet zeker dat je vader zaliger het met me eens zou zijn. Er zijn zaken die jij beter niet kunt weten. Geloof me. Ik wil die doos omdat het mijn taak is om jou in bescherming te nemen.'

'O, heeft papa je dáárvoor betaald?' vraagt Wikkie. Hij schrikt er zelf van.

Van Weelde staat als door de bliksem getroffen en kijkt hem nu furieus aan.

'Willem Frederik, we gaan geen ordinaire scène maken in de gang van het Huis. Dat is een Magistraat onwaardig. Ik heb me nooit verlaagd tot dergelijk gedrag, en zal dat ook nu niet doen. Je gaat naar boven, en daarmee uit. Ben jij mal. Ik kom voor die doos.' Van Weelde buigt naar hem toe. Hij ziet asgrauw en heeft een diepe frons in zijn voorhoofd. Zijn lippen zijn een streep. Wikkie schrikt, Van Weelde lijkt niet eens op zichzelf. Wikkie voelt een stevige greep om zijn schouder en ziet van opzij de oude knokige hand van de notaris. Hij schudt de hand van zich af.

'Jij moet nu eenmaal rekening houden met andere mensen, jongen. Je bent niet alleen op de wereld.'

'Jij krijgt de spullen van mijn vader niet.'

'Ik krijg de spullen van jouw vader wél. Daar heb ík recht op, niet jij. Jouw vader heeft veel aan mij te danken. Zonder mij had jouw vader misschien wel in het gevang gezeten. Je gaat me nu gehoorzamen, dat is wel zo verstandig. Voor je eigen bestwil.'

Wikkie staat te hijgen van angst en woede. Wat mankeert die ouwe lul? Hij heeft natuurlijk zijn vader gechanteerd. Nu begrijpt hij het ineens. De klootzak. Jarenlang al dat geld. Het Elfde Gebod. Mijn god, wat een huichelaar. Beetje met hem gaan zitten lunchen van het geld van zijn eigen vader. Wikkie voelt zich verraden, belogen, ontgoocheld. Zijn kop barst bijna uit elkaar.

Van Weelde wurmt zich langs hem heen. Wikkie vindt de aanraking van deze man ineens niet te verdragen. Hij duwt hem zo hard mogelijk van zich af. Van Weelde struikelt over zijn eigen benen en valt met zijn lange lijf achterover, zijn kop tegen de marmeren gangwand.

Wikkie heeft vaker iemand gestrekt zien gaan, maar die stond dan altijd meteen weer op.

Bijna een jaar na de begrafenis van Floris zijn Pier, Frits, Charles, Philip, René en Defares bij de crematie van Van Weelde. Verslagen en sprakeloos staan ze bijeen in de zaal. Na de afgelopen week zijn ze zelfs te moe om te huilen. Cato, Anneleen, Mike en Pieternel zijn bij Do, die onder de medicatie zit. Wikkie, het oudste kind van Floris, hun Floris, wacht thuis het politieonderzoek af. Dat dit vrijwel zeker niet tot vervolging zal leiden, maakt zijn erfenis van het debacle van het jaar '79 niet minder zwaar te dragen. Keer op keer heeft Wikkie hun de afgelopen week vertwijfeld gevraagd waarom het ongeval van toen in godsnaam geheimgehouden is. Het viel tot hun aller nauwelijks te verdragen gevoel van onmacht niet uit te leggen. Gelukkig wijkt Sophie niet van zijn zijde.

De mannen luisteren naar een lang stuk Fauré. Charles kijkt naar zijn jaargenoten, die net als hij door hun collectieve schuldgevoel, hun onvermogen, hun intense spijt, de spanning, de hectiek, de contacten met de politie, de drukte en alle niet te benoemen emoties, de uitputting nabij zijn. Daar staan we dan, denkt hij, de fine fleur van Nederland.

ONS SOORT MENSEN

JACQUELINE   SANTJE
HOEFNAGELS ✳ **KRAMER**

Van dezelfde auteurs:

Ons soort mensen

Als het huwelijk van Sylvia en Rogier volkomen onverwachts op de klippen loopt, komt dat als een donderslag bij heldere hemel voor Martine en Cas, met wie ze al jaren innig bevriend zijn. Sylvia en Rogier leken altijd het ideale stel: wat kan hier aan de hand zijn? Martine gaat op onderzoek uit. Maar het is niet alsof ze verder niets te doen heeft: ze combineert haar drukke baan als goedbetaalde advocaat met de liefdevolle verwaarlozing van haar drie kinderen, en heeft daarnaast genoeg te stellen met haar ijdele man Cas, anchorman bij een actualiteitenprogramma.

In deze eigentijdse, geestige roman schetsen Hoefnagels en Kramer op geheel eigen wijze de jachtigheid van het hedendaagse bestaan: de deadlines, de 'running dinners', de voorjaarsvakantie in China, de personal trainer, de antidepressiva voor de hond, de verwachte torenhoge cijfers van de kinderen en de eierwekkertherapie.

'Kwaliteitschicklit van eigen bodem. Ons soort mensen laat zien dat luchtig en geestig niet simpel en onnozel hoeft te zijn, maar realistische en trefzekere satire kan opleveren.' Recensieweb

ISBN 978 90 8990 142 2